Sépharade

Éliette Abécassis

Sépharade

ROMAN

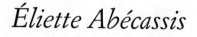

À Rose Lallier,
à ses idées, ses inspirations,
à son intérêt infini pour l'Autre.

Descends au plus profond de toi-même, et trouve la base solide sur laquelle tu pourras construire une autre personnalité, un homme nouveau.

" Guérir les blessures
familiales & se retrouver soi "

Repetition transgenerationnelle ←

voir :
Anne AncePin Schützenberger
~~voir~~ : psychogenealogie
- "Aïe, mes aïeux _ "

Prologue

Nous avons tous des identités multiples.

Nous venons tous d'un pays, d'une ville, ou d'une rue qui nous définit et nous marque à jamais. Nous sommes issus d'une culture ancestrale qui nous emprisonne autant qu'elle nous féconde. Dans la vie, nous jouons des rôles qui changent en fonction de la situation et de l'interlocuteur, du lieu et du moment : nous existons, multiples à nous-mêmes, ignorant l'origine de ces identités qui surgissent malgré nous, et qui nous déterminent, dans nos actions, nos pensées et nos sentiments. Nous sommes empruntés et confisqués par notre passé, que nous empruntons et confisquons à notre tour, essayant de savoir qui nous sommes, en cette quête infinie qui commence au premier cri, qui ne s'achève jamais – et qui s'appelle la vie.

Nous sommes les acteurs d'une saga formée de toutes les histoires de notre passé, des gestes et des pensées de nos aînés, et chacun de nous peut dire : voilà quelle fut mon histoire, celle que j'ai vécue, celle qui m'a marqué durablement, celle qui me rend différent des autres, celle de mon authenticité car c'est par elle que je suis. Nous sommes le fruit des générations, le produit ultime de vies vécues et

11

partagées, d'amours et de haines, de guerres et de paix, d'injustices et de joies, de drames et de délices, de révoltes et de réconciliations, de rêves et de rancœurs, de secrets, de mots, de paroles qui se murmurent et se disent à travers nous, inconsciemment. Nous sommes l'Antiquité. Et si, par moments, certains s'avisent de critiquer cette histoire, ce n'est que pour se définir à travers elle en se définissant contre elle. D'autres, blessés, mortifiés, préfèrent la taire, sans savoir qu'elle se raconte à travers leur silence, si haut et si fort que toutes les autres paroles en deviennent inaudibles. Et d'autres encore – ce sont les écrivains, les romanciers – décident de la narrer, pour dire, pour former un écrin à cette culture qui nous habite, par laquelle nous existons, agissons, vivons, sentons et aimons, pour comprendre peut-être, au bout du chemin, qui nous sommes à travers ce que nous avons été, et aussi tout ce que les autres ont été, ceux de nos familles, ceux des ancêtres que nous n'avons jamais connus, qui sont morts à jamais, mais qui continuent d'exister à travers nous, ceux que nous connaissons intimement, et ceux que nous abritons sans le savoir, ceux qui nous font agir sans que nous le sachions, contre notre gré, alors même que nous croyons accomplir les choix les plus libres, sans savoir que nous sommes en train d'emprunter leur voie, et qu'en secret, nous sommes le vecteur indocile de leur immortalité.

Ainsi méditait Moïse Vital, ce soir-là, dans la petite synagogue désertée, qui abritait les rouleaux de la Torah dans leur arche, les sièges des fidèles, et à côté de lui, son vieux père aveugle, Saadia.

Saadia Vital, lui, alors que sa petite-fille allait se marier, pensait à Fès. Il avait quitté sa ville la veille au matin, et déjà,

elle lui manquait. Hors ses murs, il était désorienté, vulné-
rable.

Le vieux Saadia avait posé sa main sur celle de son fils,
comme il avait l'habitude de le faire lorsque petit, Moïse le
guidait et lui indiquait le chemin à suivre. Et Moïse, dans son
costume clair, avec ses yeux sombres et malgré ses tempes
grisonnantes, semblait un jeune homme à côté de son père
dont les rides profondes striaient le visage comme les pistes
d'un désert brûlé. Moïse considéra son vieux père, avec un
immense respect. C'était un homme qui appartenait à un
autre monde et à un siècle lointain. Il était vêtu de soie, d'une
djellaba orientale. Tout son comportement était imprégné de
courtoisie et de politesse, à moitié orientale, à moitié médié-
vale.

Saadia était assis comme il l'était à Fès, dans son salon
arabe, entouré de livres. Chez lui, les armoires regorgeaient
de livres en hébreu, en arabe et en français, pour la plupart
de très anciens ouvrages. La nuit, les sages et les cabbalistes
se réunissaient pour étudier avec lui, parfois jusqu'à l'aube.

Dans la petite salle de prière, Moïse versa un thé brûlant,
bien haut dans le verre de son père, selon la coutume. Saadia
aimait cette musique, et le parfum acidulé de la menthe
marocaine.

– Ça me rappelle ta mère, dit Saadia. Quand elle versait le
thé du chabbat après la *dafina*. Ce thé, il avait un bruit et une
saveur particuliers. Elle mettait de la *chiba*…

– Le thé à la chiba de Maman, je n'ai jamais rien connu
d'aussi bon, dit Moïse.

– Il était bien sucré, comme celui-ci. C'était une vraie douceur !

– Et l'alose ? Tu te souviens de l'alose de Maman le vendredi soir ?

– Un régal ! Tout se perd, mon fils. Que veux-tu, c'est ainsi.

Saadia porta le thé à ses lèvres et attendit patiemment que Moïse révélât l'objet de cet aparté.

– Je dois te dire quelque chose d'important Papa. Quelque chose que tu ignores, que tout le monde ignore. Un terrible secret, que je porte dans mon cœur depuis trop longtemps, qui m'étouffe et qui va ruiner la vie de ma fille. C'est pour cette raison que je t'ai demandé de venir ici, ce soir, veille de son mariage.

Saadia ouvrit la bouche mais aucun son n'en sortit. Sa main tâta la table, fébrilement.

– Attends… Donne-moi mes médicaments, mon fils, et parle.

Moïse lui tendit ses cachets et un verre d'eau que Saadia avala.

– Que penses-tu du mariage d'Esther ? avança Moïse prudemment, effrayé par la pâleur de son père.

– C'est une joie de marier sa fille. Même si ce n'est pas facile, j'en conviens.

– Esther, répondit Moïse, je l'ai toujours aimée et chérie comme Myriam, que Dieu les garde ! Mais aujourd'hui, j'ai l'impression qu'elle se révolte contre moi, et qu'elle est à la recherche d'elle-même. Je ne crois pas qu'elle ait fait le bon choix pour son mariage. Et je crois savoir pourquoi elle l'a fait.

– Fils, les jeunes ne sont plus comme avant. Ils veulent l'amour ! Qui leur a mis ça dans la tête ? Chez nous, le mariage ce n'était pas l'amour, c'était autre chose ! De ton temps déjà les choses avaient changé !… Maintenant, les gens divorcent pour un oui ou pour un non. Moi ta mère, est-ce que j'étais amoureux d'elle ? Penses-tu ! Elle faisait la cuisine, elle s'occupait de moi, c'était ça, l'amour ! Mais attention, elle avait son caractère ! Tu te souviens, fils, quand elle se mettait en colère ? Elle ne faisait plus la cuisine pendant trois jours. On mangeait du pain, de l'huile et des olives. Ta mère me servait toujours en premier, elle préparait les médicaments dans la petite boîte… C'est ça l'amour ! Le reste, c'est des mots. Maintenant, dis-moi ce que tu reproches à ton gendre, à ce Charles. Et sache que personne ne peut te prendre ta fille. Ta fille, c'est comme toi, mon fils. C'est toi qui l'as élevée. Elle t'aime, comme tu l'aimes.

– Je ne sais pas, Papa.

– Et quoi, mon fils, coupa Saadia, demain, tu ne veux pas y aller à ce mariage ?

– Je ne sais plus.

– J'espère que ce n'est pas encore une de nos vieilles querelles ! Ce qui nous a tués, Moïse, ce sont nos luttes intestines. Regarde ce qui nous arrive ! Au lieu de nous réjouir parce que nos enfants se marient, nous nous déchirons et tout ça pour quoi ? Parce que l'un est de Fès, l'autre de Mogador, et le troisième de Meknès. Ce qui nous tue c'est la haine, la haine que nous avons les uns pour les autres. Charles, il est de Meknès. Et alors ? Tu n'es pas content parce qu'elle épouse un Meknassi ? mais cela aurait pu être pire ! Elle aurait pu épouser un Marrakchi.

– Ou un Tunisien.

– Allez mon fils, tu vois bien, ce n'est pas si grave !

« Non, pensa Moïse, mais ce que je voulais te dire est bien plus grave. Et pourtant, je ne peux te le dire. Tu en mourrais. »

– Demain, tu iras au mariage de ta fille, et je viendrai avec toi. Nous irons, mon fils, parce que c'est une réjouissance ! Et quand le Messie viendra, tu crois qu'il fera une différence entre les Fassis, les Meknassis, et les Mogadoriens ! Non ! Même les Marrakchis il les prendra. Et même les Tunisiens.

– Tu crois, Papa, que le Messie va arriver ?

– Je le crois, chéri, je le crois. Sinon à quoi bon ? Mais ce n'est pas pour aujourd'hui. La Délivrance arrivera quand toutes les étincelles de sainteté seront réunies dans la lumière divine. C'est à l'homme d'agir pour cela. Dieu, lors de la Création, s'est retiré du monde pour que l'homme soit libre. Notre Dieu est un Dieu absent, dont on ne sait pas prononcer le nom, un Dieu qu'on essaye d'invoquer par l'appellation mystérieuse, sans jamais savoir qui il est.

Les deux hommes sirotèrent leur thé bruyamment, en tournant leur cuiller dans le verre, d'un même mouvement, comme si la réponse aux questions métaphysiques se trouvait dans leur thé à la menthe. Et sans doute s'y trouvait-elle, dans la façon de choisir la menthe, de la mettre dans l'eau chaude avec du thé vert, et juste ce qu'il faut de sucre, ni trop ni trop peu. Un avant-goût de paradis. Ce paradis qui n'était nulle part ailleurs que dans ce monde. Ici et maintenant. En cet instant, où le père et le fils étaient ensemble, partageaient un thé dans cette petite synagogue, qui sait si le paradis n'était pas là, juste là, sous leurs pieds, ou juste au-dessus de leurs têtes ?

– À présent, dis-moi, Papa, dit Moïse. Pourquoi es-tu venu jusqu'ici ? Toi qui ne te déplaces jamais, pourquoi as-tu fait ce long voyage ?

Il y eut un silence qui retentit lourdement dans la synagogue déserte. Moïse se tut, pour entendre la parole de son père, cette parole tant respectée, et pourtant si difficile à dire. Comme il était dur de parler de père à fils, de fils à père. En ce moment où le fils tentait de lui révéler le secret qui avait déterminé sa vie, et qui gisait enfoui au fond de son cœur depuis toujours, le père, lui aussi, avait une révélation à lui faire, et il avait attendu jusqu'à la fin de sa vie pour en parler.

– Si je suis venu de si loin, fils, ce n'est pas seulement pour marier Esther. C'est que le devoir m'appelle. Comme tu le sais, je suis arrivé à un âge où les jours me sont comptés. Il est urgent maintenant de te parler.

Le vieil homme se leva, et s'appuyant sur sa canne, il considéra Moïse de toute la puissance et de toute la lumière de ses yeux qui ne voyaient pas.

– Je suis venu, dit-il, pour te révéler le secret des sépharades !

Livre I

1.

Le mellah de Strasbourg

Esther Vital était la fille de Moïse Vital, et la petite-fille de Saadia Vital, de Fès[1]. Néanmoins Esther Vital était française. C'est la première chose à dire, puisqu'elle était née en France et que, de la France, elle avait la langue et la façon d'être. Et aussi la façon de penser, l'humeur critique, la fadeur, la feinte politesse, l'autodérision teintée de cynisme, le quant-à-soi, l'individualisme, la défiance à l'égard d'autrui, l'autodépréciation, la dépression chronique, et un tas de choses qui lui étaient naturelles.

Née à Strasbourg, elle était alsacienne. De l'Alsace, elle tenait sa ponctualité, sa franchise, sa langue acérée, sa froideur distante, son sens de l'amitié, une certaine sagesse et une certaine méfiance qui forgeaient les caractères pondérés de cette région frontalière.

Mais aussi, juive marocaine par ses parents, Esther avait la larme et le rire faciles, le sens du psychodrame, la sensibilité exacerbée, la gentillesse et la méchanceté, l'idéalisme et le désespoir. Du Maroc, elle avait hérité une part berbère par sa peau claire et ses yeux bridés, et arabe par ses longs

---

1. Voir arbre généalogique en fin d'ouvrage.

cheveux sombres et ses yeux noirs. Du Maroc, elle tenait un caractère sauvage et gai, une chaleureuse violence, un fond de bonté et une capacité de vengeance, un peu de douceur et un peu d'amertume, un tempérament sucré-salé qui pouvait s'enflammer en une colère foudroyante.

L'Alsace et le Maroc : deux contrées éloignées, improbablement réunies par le destin des peuples. Petits vallons traversés de brun et de rouge, brouillards d'automne, gris d'hiver, contre chaleur ocre, rouge et bleue, terre de feu, yeux brûlés vers le ciel, espace et lumière. Impossibilité de se comprendre entre le franc-parler et la grossièreté des uns, et la délicatesse obligée des autres. Improbable jonction entre deux continents que tout éloigne, et pourtant...

Esther était alsacienne née à Strasbourg, dans la communauté sépharade marocaine. Jusqu'à l'âge de vingt ans, elle n'était jamais entrée dans une taverne alsacienne. Elle n'avait jamais remarqué les écriteaux couverts de lettres gothiques indiquant : WINSTUB. Elle ne savait pas parler l'allemand et encore moins le dialecte local, elle ignorait l'existence de la route des vins, du gewurztraminer et du pinot noir, elle n'avait jamais prononcé le nom de la fameuse Auberge de l'Ill, qui a deux étoiles au *Guide Michelin*. Elle avait simplement pris l'habitude de ne pas voir l'allemand, pourtant omniprésent dans cette région frontalière.

Pour des juifs qui ont repeuplé la région sinistrée par la guerre, rebâti la synagogue brûlée par les nazis, il est difficile de prendre conscience que l'Allemagne est si proche. À l'école, Esther avait appris l'espagnol, alors que tous choisissaient l'allemand en première ou deuxième langue. Pourquoi l'espagnol ? Ce n'était pas une idée de ses parents ; c'était, sans qu'elle en eût pleinement conscience à l'époque, la langue de ses ancêtres qui avaient dû quitter l'Espagne, le pays dans lequel ils avaient vécu depuis toujours, et qui avaient emporté avec eux un ou deux sacs, quelques bijoux, les clefs de leur maison et l'espoir fou qu'un jour peut-être ils pourraient revenir.

Dans de déchirantes mélopées, ses aïeux pleurèrent leur exil en une langue ancienne – le ladino – née de la traduction de textes hébreux en espagnol, ils chantèrent le regret des villes abandonnées, le pays perdu et tant aimé, les familles déchirées, les vies ravagées par la mort, la torture et l'expulsion. Lorsqu'ils comprirent qu'ils ne reviendraient jamais, cette langue devint leur seule patrie : c'était tout ce qu'il leur restait pour les rassembler, de la Hollande à la Turquie, du Maroc à l'Amérique du Sud, pour leur rappeler d'où ils venaient et qui ils étaient. Ils s'appelaient les « sépharades » : d'après le nom qui désigne l'Espagne dans la Bible.

La communauté ashkénaze de Strasbourg avait été sinistrée par la guerre et ceux qui restaient se méfiaient de l'invasion sépharade nord-africaine comme leurs prédécesseurs s'étaient méfiés de l'invasion polonaise. Ils n'avaient jamais connu de juifs aussi exubérants et gais, fiers et orgueilleux et les considéraient un peu comme des barbares venus d'Afrique. Ils les jugeaient grossiers, bruyants, jouisseurs ; ils ne comprenaient ni leur chaleur ni leur communautarisme qu'en même temps, du fond de leur histoire douloureuse, ils enviaient. Au grand dam de certains juifs alsaciens de pure souche, il y eut dans la deuxième génération quelques mariages entre jeunes ashkénazes et sépharades. Une amie de la mère d'Esther professait un antiséphardisme ouvert.

Elle affirmait que les sépharades étaient des gens sans civilité, sans manières, sans culture. Ses trois fils épousèrent des sépharades et elle ne s'en remit pas. Elle finit par se brouiller avec les Vital après une amitié de vingt ans.

À Strasbourg, les ashkénazes n'aimaient pas que les sépharades eussent emporté avec eux le Maroc, sa culture, son hospitalité offerte à tous, son couscous et ses gâteaux dégoulinants de miel comme leurs paroles, son absence de franc-parler et sa perpétuelle bonne humeur, sa spontanéité de bon aloi, sa religiosité ostentatoire et dénuée de complexes. Ils se sentaient débordés par ces envahisseurs, qui représentaient, en somme, tout ce qu'ils n'étaient pas, et face à qui ils eurent un réflexe de défense naturelle.

Mais Strasbourg n'arrêtait pas de se remplir du flot ininterrompu d'arrivants, des générations remplissant foyers pour jeunes garçons et foyers pour jeunes filles lorsque les parents restaient au Maroc. « Les Violettes », la « Cité Laure-Weil » accueillaient les adolescentes, puis les étudiantes juives marocaines. Dans ces gynécées orientaux se déroulaient nombre d'intrigues tissées de rivalités féminines. Et les premiers venus faisaient monter les autres dans l'échelle sociale, ils étaient les anciens, ceux qui, installés, acculturés, si différents déjà, pouvaient eux-mêmes être embarrassés par leurs congénères jusqu'à les appeler « les barbares », eux qui étaient « civilisés ».

À Strasbourg, donc, il y avait deux communautés bien distinctes. Les ashkénazes, réservés, peu expansifs, précis, rigoureux, et les sépharades. Parfois, quelques ashkénazes se mêlaient à eux comme des colons à leurs bons sauvages. Mais dans l'ensemble, chacun restait d'abord de son côté, avec ses amis.

Pour Souccoth, fête des Cabanes, tous construisaient leur maisonnette sur le balcon, même s'il faisait froid, et même s'il n'y avait pas de grandes terrasses ou des toits plats comme au Maroc. Les sépharades faisaient leur *soucca* en roseaux, la décoraient avec des châles et des dessins d'enfants, et ils s'y pressaient les uns contre les autres, en manteau et chapeau, autour d'un petit chauffage d'appoint. Ils y apportaient précautionneusement leur couscous, descendant à pied les étages lorsque la soucca était dans la cour. Les ashkénazes, quant à eux, échafaudaient de grandes baraques cossues qui ressemblaient à des maisons et dans lesquelles ils servaient la carpe à la sauce verte et le *gefilte fish* autour d'un petit chauffage d'appoint.

Au départ, il y avait une grande synagogue reconstruite après la destruction de l'ancienne par les Allemands. On érigea une synagogue de pierre blanche dans le jardin central de la ville, en dépit des oppositions continues de ceux qui habitaient autour du jardin des Contades. Ses hautes colonnes abritaient les prières des ashkénazes. Un bedeau à la coiffe napoléonienne circulait à pas feutrés entre les rangées, pour distribuer les livres et faire taire ceux qui parlaient trop fort. Un chantre officiait, secondé par un chœur d'hommes placés sous un gigantesque orgue de bois. L'ensemble évoquait étrangement un temple protestant. Une salle était réservée aux jeunes ashkénazes, qui désiraient participer à une prière plus conviviale, moins formaliste, mais pour les sépharades, on ne trouva point de place. On leur attribua la cave de la synagogue, à laquelle on accédait par un escalier souterrain. Au fur et à mesure de leur venue et de leur installation dans la ville de Strasbourg, les sépharades devinrent deux fois, trois fois, puis dix fois plus nombreux, alors que la synagogue

25

ashkénaze se vidait de ses membres les plus âgés, sans jamais se remplir. Dans l'immense salle voûtée, il n'y eut bientôt plus qu'une vingtaine de personnes âgées, alors que les sépharades, hommes, femmes, enfants, s'agglutinaient dans la cave, pressés les uns contre les autres, dans une chaleur étouffante – il n'y avait ni fenêtre ni bouche d'aération – comme dans un souk aux heures de pire affluence. On ramassa un peu d'argent grâce aux ventes aux enchères de la lecture de la Torah et aux dons, on refit la cave, pour l'embellir, mais sans l'agrandir. Chaque année à Kippour – le moment où il y a le plus de monde – les jeûneurs avaient des malaises, tombaient évanouis.

Cependant, jamais, au grand jamais, en haut, dans l'immense synagogue où pleurait un chœur solennel, on ne songea à donner aux sépharades un oratoire plus vaste.

Un jour, il n'y eut plus d'officiant chez les ashkénazes, car celui qui était en poste avait pris sa retraite. Alors les ashkénazes débauchèrent l'officiant sépharade en lui offrant le double de son salaire, et à condition, bien entendu, qu'il apprît les airs ashkénazes. Ce qui donna un résultat assez étrange. Le chantre avait une voix aiguë et nasillarde ; mais l'oreille sépharade s'en délectait, pour elle c'était du miel. Et lorsque le son sorti tout droit des narines emplit les espaces infinis de la synagogue ashkénaze, les officiants s'en réjouirent, pensant qu'ils avaient dépossédé la cave de son plus bel organe.

Les sépharades arrivaient du Maroc par une filière, l'un emmenait l'autre, le recevait chez lui, partageait son appartement et lui trouvait du travail.

Dans les années cinquante, en Alsace, il y avait des postes d'enseignants à l'école juive qui s'agrandissait au fur et à mesure de l'arrivée des sépharades, et c'est ainsi que les parents d'Esther, un matin, posèrent leurs valises remplies d'affaires d'été, leurs souvenirs, leurs livres de prières et leurs sourires figés dans le froid gris de l'hiver alsacien. Son père enseigna les matières juives, le Talmud et la Cabale. Sa mère ne travaillait pas. Ils n'avaient rien : des immigrés vivant dans un appartement minuscule, avec elle, Esther, et bientôt un deuxième enfant, sa sœur cadette, Myriam.

Moïse venait de Fès, et Suzanne de Mogador, ancienne Essaouira. Ils s'étaient mariés et avaient émigré après l'indépendance du Maroc et la création de l'État d'Israël, avec le départ massif des juifs en France, en Israël, en Amérique et au Canada. Ils avaient choisi la France. Ils étaient français de cœur, plus français que les Français, ils citaient Corneille et Racine dans le texte, ils adoraient la culture française, pour eux la France était l'Éden, le paradis dans lequel les idéaux les plus élevés s'épanouissaient. La France, c'était la Renaissance, la monarchie puis la Révolution, un modèle, une langue, une patrie aimée d'un amour profond qu'ils ne renièrent jamais, même par les plus grands froids d'hiver.

Esther Vital appartenait à la deuxième génération d'immigrés. Elle ne se sentait rien de commun avec les juifs qui venaient de débarquer du Maroc. Pour elle, ils étaient différents, exotiques, culturellement kitsch. Ils avaient « l'accent », tout d'abord, ce qui voulait tout dire. Ils prononçaient les *on* en *an* et les *an* en *on*, les *u* en *i*, et ils roulaient les *r*. Ils n'étaient pas cultivés, commettaient de curieux barbarismes judéo-arabes et proféraient nombre d'interjections en arabe pour ponctuer leurs discours. Ils s'habillaient d'une façon spéciale, à l'occidentale mais avec trop de couleurs, trop de maquillage, trop d'or et de dorures. Esther Vital était certainement plus proche de son amie Isabelle Muller, ou de Laurence Baumann, que de ces jeunes filles du foyer juif, aux bijoux dorés et aux paroles mielleuses, qui riaient trop fort dans la rue. Les meilleurs amis de ses parents étaient des ashkénazes alsaciens de souche, avec qui ils s'entendaient très bien – même si, bien souvent, ils pestaient contre leurs cœurs si durs, contre leur franchise et leur manque de tact. Des expressions ashkénazes s'étaient gravées dans la mythologie familiale : « Tu as des cernes jusqu'au bas-ventre », ou : « Ah te voilà ! Je croyais que tu étais mort », qui heurtaient l'oreille sépharade, superstitieuse et délicate dans la relation… !

Rien n'est plus éloigné d'un juif alsacien qu'un juif marocain. Entre eux, le choc culturel est énorme, bien plus grand qu'entre un Marocain arabe et un juif marocain, ou qu'un Alsacien et un juif alsacien. Ce qui les rassemblait, c'était l'Histoire, le hasard et les rites du judaïsme, même si ces rites déterminaient leur différence et soulignaient l'impossibilité de leur relation. Ils étaient tous juifs : telle était la version officielle, mais ils ne s'aimaient guère, et la dispute de la mère d'Esther avec son amie ashkénaze, au bout de si longues années, illustrait à la perfection ce malentendu.

À l'école maternelle juive, Esther ne fréquentait que des juifs, certains ashkénazes, d'autres sépharades. Puis ses parents décidèrent de la mettre à l'école publique. Seule soudain parmi les autres, elle apprit très jeune à considérer sa différence comme un handicap, tout comme ce prénom bizarre qu'elle portait et que personne ne connaissait. Esther… Elle aurait tellement voulu être comme les autres, s'appeler Laurence ou

Véronique et être une bonne élève. Mais elle s'appelait Esther. Esther Vital. Lorsqu'elle demanda à ses parents à changer de nom, ils lui répondirent qu'elle n'avait qu'à prendre l'un de ses autres prénoms. Esther-Messody-Batshéva-Sultana. Tout compte fait, elle se dit qu'Esther n'était pas si mal. Par son nom et sa culture, perdue dans ces classes d'Alsaciens, elle était une élève médiocre, mal dans sa peau, honteuse d'elle-même. Habillée à l'école de cols Claudine et de jupes plissées, chez elle, elle portait la djellaba le vendredi soir, et dans son cœur, cela faisait toute la différence. Elle sentait bien que quelque chose clochait en elle, qu'elle n'était pas tout à fait comme les autres. Elle devait écrire des mots jamais lus, jamais entendus à la maison et qu'elle ne savait pas épeler : vendanges ou quetsches. Chez elle, d'autres mots lui étaient tout aussi inconnus : *Bla aïn hara*, *Ne'ebibask*, ou *N''el din Bouk*. Elle attendait ses parents devant l'école car, en bons Orientaux, ils étaient toujours en retard. Elle se mit à détester l'école, à détester la rue, à se détester elle-même.

Esther avait grandi dans un appartement petit et sombre, sous un ciel très bas. Le samedi, toute la famille allait à la synagogue par les rues gelées par le froid. Et lorsque, devenue adulte, elle s'y rendait pour les fêtes, la petite communauté était toujours la même, elle retrouvait les familles, les appartements, le dentiste avec son cabinet, sa femme et ses enfants, le médecin de famille au « diagnostic si sûr », et cela lui donnait une impression morbide, car tout était resté intact, comme fossilisé, et elle se sentait telle une vieille petite fille, une sorte de monstre provincial. Sa sœur de deux ans sa cadette, Myriam, qui était partie vivre au Canada, adorait revenir à Strasbourg, elle aimait à montrer aux autres, c'est-à-dire à ceux de sa communauté, qu'elle portait un chapeau à la synagogue, signe qu'elle s'était mariée. Elle arrivait en poussant un landau, et elle parlait longuement avec les divers personnages qui composaient la communauté. Myriam aimait manger les petits pains de chez Schöller et les glaces de chez Christian, et ce qui était pour elle la madeleine de Proust était pour Esther synonyme de la grosseur angoissante de son adolescence.

Enfance strasbourgeoise dans la ville grise où le brouillard perce les os. Enfance provinciale avec un vélo dans le jardin des Contades, à errer toujours dans les mêmes rues, les mêmes avenues, enfance tracassée par le souci du travail, qui obsédait ses parents. Travailler pour avoir de bonnes notes et réussir. Réussir quoi dans le fond ? Sa vie ? Non... son intégration : sa place dans la société française. Pour eux, l'excellence à l'école, et notamment dans les matières littéraires, était une question d'honneur. Peu importaient les notes en mathématiques pourvu que les classiques fussent sus et déclamés. Les fautes d'orthographe et de français étaient une honte et, inversement, les belles rédactions les comblaient de fierté et de joie. Enfance à la fois illuminée et tourmentée par la présence de sa sœur Myriam. Elle passait beaucoup de temps avec elle, à être tour à tour enfant, maman, maîtresse, à l'aimer, la détester, à se disputer, à construire des murs pour ne plus la voir car elles partageaient la même chambre, puis à se réconcilier et à rire.

Enfance sépharade : élevée dans le culte des parents, dans l'idée qu'elle devait accepter tout ce qu'ils disaient et faire ce qu'ils faisaient, qu'elle était là pour leur bonheur, et que le don qu'ils lui avaient fait en la mettant au monde était tellement incommensurable qu'une vie entière vouée exclusivement à leur service ne suffirait pas à le rendre. Les parents étaient, selon leurs propres dires, des dieux omniscients et omnipotents. Souvent sa mère la regardait au fond des yeux, et disait : « Tu sais, une mère ça sait tout sur son enfant. On ne peut rien lui cacher. » Ou encore : « Quoi que tu penses ou que tu ressentes, dis-toi bien que je le sais parce que je suis ta mère. » Bien entendu, Esther était persuadée que sa mère savait lire dans ses pensées, connaissait ses moindres secrets et que, si en sortant elle ne portait pas l'affreux bonnet de laine rouge qu'elle persistait à vouloir lui mettre, sa mère le saurait aussitôt. De plus, ses parents avaient véritablement le don d'ubiquité. Sa mère était dans tous les endroits de l'appartement, surgissant à l'improviste dans la chambre ou dans la salle de bains, susceptible d'être là à n'importe quel moment de sa vie. Elle apparaissait dans ses rêves, elle occupait ses pensées ; même absente elle était là, immense, volumineuse, à proférer plaintes et injonctions, à se vouer tout entière à l'œuvre de sa vie, qui consistait à tenter de se réincorporer les deux filles qu'elle avait mises au monde.

Esther avait été conçue pour plaire et faire plaisir à ses parents et aux siens, tout comme eux étaient nés pour faire plaisir à leurs parents et aux leurs, et ce don de soi à sa famille impliquait le sacrifice de soi et de sa vie.

Nous avons tous des identités multiples, mais nous n'en avons pas conscience. Esther Vital n'avait pas conscience de ses origines, ce n'est que plus tard, bien plus tard, au bout d'un long chemin, qu'elle comprit ce que cela signifiait. Elle était française, certainement, alsacienne et juive. Il y avait ces réunions, ces dîners pour le chabbat et les fêtes, où l'on s'invitait, bâtissant sa petite cabane, préparant sa dafina, le plat traditionnel qui cuit toute la nuit, comme si on était au Maroc. Ils arrivaient, enfants de parents marocains qui vivaient là-bas mais qui savaient qu'il fallait envoyer leurs enfants en France s'ils voulaient avoir un avenir. Enfances dorées par le soleil du Maroc, entre mer et terrasses, et soudain le gris de Strasbourg, qui ne brillait que par le fait de se retrouver ensemble, entre juifs marocains, de se réunir tous les samedis à la synagogue, d'habiter le même quartier comme s'ils vivaient dans le quartier juif, au *mellah* et d'évoquer avec nostalgie le temps où ils étaient là-bas. Ils évoluaient dans ce milieu hostile comme si de rien n'était. Ils mettaient des manteaux et des bottes pour se couvrir, se protéger du froid. Pour rien au monde ils n'auraient voulu quitter le climat humide et gris de la ville de Strasbourg. Et même si, au fond de leur cœur, sourdait la nostalgie du Maroc, ils la taisaient pour glorifier la France, leur pays. Ils n'en avaient pas d'autre depuis qu'ils étaient partis. Oublieux de ce passé qu'ils traînaient pourtant sous chacun de leurs pas, ils ignoraient que, sans le vouloir, ils étaient la dernière génération d'une histoire millénaire.

Là, dans la communauté juive de Strasbourg, vivait une autre famille juive marocaine : les Tolédano. Les Tolédano et les Vital se côtoyaient à la synagogue, chez les amis, dans les fêtes, sans être amis. Les Tolédano n'étaient pas comme les parents d'Esther ; enfant, elle ignorait à quel point l'origine de la ville est importante pour définir le caractère chez les sépharades. Or il se trouvait que les Tolédano étaient du nord du

Maroc, de Meknès. Ils étaient arrivés dans les années quatre-vingt, bien après les parents d'Esther. Ils faisaient donc partie de ceux qui avaient continué de vivre au Maroc, et qui débarquaient, encore empreints des stigmates du pays. Michel Tolédano était une personnalité importante de la communauté juive du Maroc et un homme d'affaires prospère. Sa femme, Arlette, s'occupait de son foyer. Autant la vie des Vital était tournée vers le travail, la tradition et l'étude, autant la vie de ces Meknassis était orientée vers le côté matériel de l'existence et le plaisir. Ils passaient beaucoup de temps à faire la cuisine et à organiser de somptueuses fêtes, pendant lesquelles, entre deux verres de *mahia*, l'alcool de figue qui fait tourner la tête des juifs marocains, ils se racontaient les « histoires de Joha », l'idiot du village qui prend un malin plaisir à se faire plus bête que les autres pour les convaincre de faire ce qu'il veut.

Or les Tolédano avaient deux fils, dont un de l'âge d'Esther, qui s'appelait Charles.

Petite, elle avait aperçu Charles à la synagogue, et à l'école juive à laquelle ils allaient tous deux. Elle avait croisé son regard, elle aurait voulu lui parler, mais elle n'osait pas. Elle le regardait derrière la barrière de bois qui séparait l'endroit où priaient les femmes de celui où étaient les hommes, dans la synagogue où son père officiait. Recouverts de leur châle blanc, les hommes chantaient les lancinantes mélopées sépharades. Les femmes, en général, discutaient. Elles gardaient les enfants. Il y avait des bébés dans leurs bras et tout un attirail de biberons, de hochets, de gâteaux au miel et aux amandes. De temps en temps, lorsque le brouhaha se faisait trop fort, des « chut » énervés leur signifiaient de se taire. Mais elles n'avaient pas l'habitude de prier – elles n'avaient pas appris l'hébreu comme les femmes ashkénazes et elles étaient hors du cercle où tout semblait se passer, là où l'officiant lisait la Torah qui reposait sur la table inclinée. Esther trouvait la place intéressante. Elle permettait d'observer derrière les hommes ce qu'il se passait chez eux. Esther préférait ce poste à celui des hommes, obligés de prier et d'être au centre de l'action ; ils n'avaient pas de répit, eux.

Esther regardait Charles et son frère Ary auprès de leur père. Pour Kippour, jour de haute solennité, le père recouvrait la tête de ses fils, tous deux penchés sous son châle, en position ancestrale, pour recevoir la bénédiction en même temps que celle des Cohen, descendants des grands prêtres, qui l'adressaient à l'assemblée des fidèles. Charles faisait partie d'une tribu : lorsqu'on les voyait tous ensemble sous le châle, on pensait à un arbre généalogique vivant, Charles et Ary sous le châle de Michel, tous trois sous le châle de Jacob Tolédano, grand-père de Charles, sous le châle de Shimon, le vieil arrière-grand-père. Sur Charles pesait le poids de tous ces patriarches. C'était comme au mont Sinaï, tout en bas, au pied de la montagne, lorsqu'on dit que « le peuple voyait les voix ». Voix ancestrales entonnant des chants d'un autre temps, voix comme des mirages venant des siècles passés, grandes incantations propagées par des voix aiguës et rauques, jeunes et vieilles mélangées, graves ou fluettes, voix des garçons n'ayant pas mué, voix des vieillards au timbre sourd, voix venues du fond des âges, transmises tels les pierres et les manuscrits, les grimoires fatigués aux noms d'ancêtres calligraphiés, cantilènes d'autres lieux, d'autres tourments, d'autres aventures perpétuant la même aventure, celle du peuple juif à travers le monde sépharade, celle du monde sépharade au sein de son peuple, persévérant dans son être, malgré les guerres, les errances, les horreurs, épopées et chansons murmurées à l'oreille de l'enfant pour qu'il s'endorme, des prières ayant traversé les continents, les années, les siècles et les millénaires, voix de pères disant les lois, voix de mères enveloppant leurs enfants des chants de toujours, amour propagé à travers les voix mêlées des jeunes et des vieux, voix, ô voix majestueuses en leur accord mystérieux, qui étaient arrivées jusque-là, non par miracle mais par une attention de chaque instant, par l'énonciation de chaque matinée, chaque après-midi et chaque soir, prières et psaumes récités, ânonnés par les grands-pères, les pères et les fils, générations de vieux sages engendrant des vieux sages qui avaient à leur tour des fils, dynasties de rabbins aux barbes infinies et pieuses mains... celles, longues et anguleuses, de Charles, dernier de sa génération.

Esther était trop timide pour parler à Charles. Elle se contentait, d'année en année, de le voir grandir, mûrir, faire sa bar-mitsvah, muer, devenir beau et séduisant, intéressant dans ses gestes. Plus il grandissait, plus il était attirant. Son corps se développait, agile, noueux, il devait consacrer beaucoup de temps à faire du sport, du football sans doute. Esther regardait ce corps d'homme se constituer, se dessiner. Derrière la barrière en bois qui la séparait des hommes, elle pouvait en voir tous les détails, car la tribu Tolédano était juste en face. Sa nouvelle coupe de cheveux, ses airs, le sérieux avec lequel il priait, et en même temps cette distance, cette gaieté aussi qui émanait de lui. Souvent il se penchait vers son frère, ou vers son père, son grand-père ou son arrière-grand-père, et il disait quelque chose de drôle certainement, au sujet de la prière, ou de ce qu'il se passait, et cela les faisait rire.

Décontracté, sympathique, chaleureux, bien dans sa peau. En toute circonstance, il était à l'aise.

Esther, elle, était empêtrée dans une adolescence rendue ingrate par les tenues que sa mère lui faisait porter, des robes-sacs, des serre-tête, et aussi des appareils dentaires qui la faisaient ressembler à un être bionique. Le tout assorti de queues-de-cheval car elle n'avait pas le droit de garder les cheveux lâchés, et de lunettes car elle devenait myope. Sous l'emprise maternelle, elle était devenue trop grosse, elle ne savait pas se nourrir, elle mangeait comme sa mère qui dévorait noix de cajou, pépins de courge et de pastèque grillés, pâtisseries à base de sucre, d'huile et d'amandes, et elle s'enveloppait d'une épaisse couche protectrice, comme dans le ventre maternel. Elle avait réussi à devenir laide, en tout cas à s'en convaincre. Elle se voyait comme une empotée incapable de se débrouiller seule. Elle aurait voulu partir, quitter la province, s'éloigner du giron maternel, sombre marécage où elle n'en finissait pas de s'enfoncer – mais elle n'en était pas capable.

Charles, lui, avait de la classe. Il fumait, il sortait avec des filles, il n'était pas très bon élève. Esther n'aurait jamais osé lui dire quoi que ce fût, et elle se bornait à le regarder, de fête en fête, derrière la barrière de bois comme une prisonnière consentante et affreuse, qui préférait se cacher.

Et les années passèrent ainsi, de chabbat en chabbat, de Kippour en Kippour, jusqu'au jour mémorable où enfin, après des années d'observation réciproque – mais cela, Esther ne devait l'apprendre que plus tard –, Charles Tolédano adressa la parole à Esther Vital.

C'était la fête d'anniversaire d'une amie de classe d'Esther. Il vint vers elle, lentement, en la regardant.

Il avait l'air légèrement ironique, ce qui l'impressionna tout en la déstabilisant, si bien qu'elle se demanda s'il n'était pas en train de se moquer d'elle. Elle savait qu'il sortait avec des filles. Pourquoi s'intéressait-il à elle ? Avait-il fait un pari ?

Pendant un slow, ils discutèrent en buvant du jus d'orange près de la table de buffet. Il lui parlait des professeurs de leur école, de tout et de rien... Il ne lisait pas beaucoup, il ne savait pas quoi faire plus tard, rien ne lui plaisait vraiment... De toute façon, l'année suivante, il partait pour Paris où ses parents l'avaient inscrit dans une boîte à bac, car l'école avait décidé de le faire redoubler. Bref : il était un cancre, la honte de la famille.

Les nuits qui suivirent, Esther rêva de Charles. Elle l'imaginait chez elle, à la maison, comme son mari. Elle n'arrivait pas à penser que quelqu'un pût être dans sa vie sans faire partie de sa famille.

Esther avait reçu l'éducation stricte des jeunes filles de son milieu. Elle n'avait pas le droit de se maquiller, de mettre des jupes trop courtes, de sortir, ni en journée ni le soir, si ce n'était pour aller à l'école. Par conséquent, elle ne put se rendre au rendez-vous que lui fixa Charles après leur rencontre. C'était la fin de l'année, et elle voulait le revoir avant les vacances.

Charles lui donna rendez-vous dans un café après la classe. Elle pensa que c'était bon signe. Peut-être avait-il quelque intérêt pour elle ? Elle n'osait y croire. Il était tellement beau, tellement à l'aise dans ses habits à la coupe parfaite, tellement entouré de filles chaque fois qu'elle le rencontrait. Il fumait à la sortie de l'école. C'était un grand... Il était dans la classe supérieure. Mais à quinze ans, Esther n'avait pas le droit d'aller au café. Elle s'efforça de trouver un alibi, mais comment justifier une sortie de plus d'une demi-heure ? Elle aurait voulu s'éclipser, prétendre qu'elle allait dans un magasin, mais c'était tout à fait impossible. Ses allées et venues étaient minutées, et elle avait juste le droit de faire des courses chez l'épicier d'en face s'il manquait quelque chose à sa mère. Lorsqu'elle voyait des amies, ses parents appelaient pour vérifier qu'elle était bien chez elles. En somme, Esther vivait sous un régime de terreur. Cloîtrée.

Par chance, il se trouva que les parents ce jour-là devaient sortir faire des courses. Esther les avisa qu'elle n'avait pas envie de les accompagner. Évidemment, il n'était pas question qu'elle sortît de son côté.

Elle devenait folle, assise en méditation sur son lit : y aller ou pas ? Et s'ils revenaient à l'improviste, et s'ils téléphonaient ?

Une demi-heure après le moment où ils étaient convenus de se voir, le téléphone sonna. Elle courut pour décrocher, dans l'espoir que ce fût Charles, qu'elle pût lui expliquer ce qu'il s'était passé, qu'il ne pensât pas qu'elle s'était moquée de lui, qu'elle ne voulait pas le voir…

Elle s'arrêta devant la sonnerie. C'était pour prier : elle était croyante. En joignant ses mains, elle murmura : « Ô Dieu, fais que ce soit lui ! », puis elle décrocha le téléphone.

La sonnerie venait de s'arrêter.

Elle rappela chez lui, mais il n'était pas là. Elle comprit qu'il avait dû lui téléphoner d'une cabine. Elle pensa qu'elle venait de rater la chance de sa vie.

Cet épisode fut riche d'enseignements pour Esther. Elle se dit que non seulement prier ne sert à rien dans la vie, ne fait pas avancer les choses, mais, bien pire, que la prière se fait forcément au détriment de l'action, puisque au lieu de prier on peut accomplir l'acte qui exaucerait la prière. Elle comprit qu'elle pouvait effectivement plaire à quelqu'un au point qu'il lui fixât rendez-vous et qu'il pût insister en l'appelant au téléphone alors qu'elle n'était pas là. Enfin elle se dit qu'elle n'avait aucun penchant pour la vie contemplative, et qu'il fallait à tout prix qu'elle sortît de cette prison où elle était emmurée vivante et qui était sa vie : sa famille.

2.

Esther Vital

Esther Vital, à l'âge adulte, était un paradoxe vivant. Ses cheveux sombres, ses yeux presque noirs contrastaient avec sa peau claire. Elle se voyait toujours trop grosse, trop grasse, trop importante. Son idéal de beauté était un corps diaphane, évanescent, adolescent. Par des régimes permanents, elle avait réussi à gommer les formes trop généreuses qui la chagrinaient et lui faisaient honte. Obsédée par son poids, elle était devenue la spécialiste des décomptes de calories. Elle surveillait sa taille au centimètre près, se pesait chaque matin et chaque soir ; et toute prise de poids visualisée sur la balance le matin la mettait de mauvaise humeur toute la journée. Inversement, lorsqu'elle constatait la perte de quelques grammes elle était d'excellente humeur. Dysmorphophobique, elle était complexée par son physique dont elle voyait chaque défaut. La nourriture, l'âge, le temps qui passe, les cycles qui produisaient de la rétention d'eau, lui faisant prendre un ou deux kilos en fin de mois : tout jouait contre elle et surtout la cuisine sépharade. Le monde entier était l'ennemi de son corps. Entre son corps et elle, c'était un combat incessant. Son corps réclamait de la nourriture, du sucre, de l'huile, des amandes et du miel, et elle les lui refusait. Son corps voulait rester indolent, à se prélasser sur un lit, drainé par un thé à la menthe, et elle lui imposait de l'exercice. Il désirait être mou et informe, elle le voulait dessiné, charpenté, dur. Le résultat n'était jamais satisfaisant, elle ne parvenait pas à se trouver belle.

À cause de son physique, elle pouvait sombrer dans les plus profondes mélancolies, passer du rire aux larmes, de l'enthousiasme à la dépression. Une partie d'elle était solaire, l'autre lunaire. Une part extravagante, une part classique. Une part dominatrice, une part soumise. Une part extravertie, et l'autre réservée, complexée, retranchée sur elle-même.

Alsacienne, elle était ponctuelle, tranchante, au point de paraître insensible. Orientale, elle avait en elle une générosité onctueuse. D'un côté, elle était rationnelle, froide jusqu'au calcul ; de l'autre, elle vivait dans l'émotion. Bien qu'elle tentât d'y mettre un certain ordre, tout ce qui venait d'elle était mû par son cœur et tempéré par son esprit, ce qui la menait à une grande confusion.

C'était déroutant pour les autres, et pour elle aussi : sans cesse elle tentait de se connaître, de savoir qui elle était, sans y parvenir. Pourquoi était-elle si taciturne et désespérée ? D'où venaient cette torpeur, cette langueur, cette nostalgie permanente ? Pourquoi cette impression de n'être jamais à sa place, jamais en phase avec elle-même, avec son désir ? Pourquoi ne pas arriver à déterminer la nature même de son désir ?

Elle tentait de démêler les nœuds du passé et du présent, de faire la part de l'héritage et de ce qu'elle avait construit elle-même, seule, contre ce qui la figeait dans ses origines. Origines qu'elle rejetait, qu'elle contestait, qu'elle cachait. Elle était complexée d'être sépharade ; elle ne voulait pas apparaître comme telle. Elle aurait voulu se fondre dans la masse, être comme les autres. Elle n'était pas la fille d'immigrés juifs marocains, elle était française à part entière, elle ne se sentait ni alsacienne ni strasbourgeoise, elle se voulait universelle, loin de tout particularisme, de tout ce qui la rendait différente, de tous les points saillants de sa personnalité, et même de son apparence. Elle s'habillait de façon sobre, élégante, sans se faire remarquer, toujours en noir : jamais de couleurs vives, de fioritures, de dorures, de fleurs et de dentelles qui auraient trahi l'Orientale. Son maquillage était aussi neutre que possible, couleur de peau et de chair, reflétant la pâleur de son visage. Ses cheveux étaient au naturel, sans les roux, noir ou blond qu'adoraient les femmes sépharades. Elle remarquait leurs fautes de goût, et avait peur d'en commettre. Elle détestait tout ce qui était excessif dans les paroles, les actes ou les vêtements et pourtant, en son for intérieur, elle vivait chaque instant dans l'intensité et le drame.

Pour faire plaisir à ses parents, elle devint bonne élève. Elle passa son bac avec mention, puis s'inscrivit à l'université de Strasbourg, en lettres, pour enseigner le français, ce qui fit leur fierté. L'université était un mythe pour eux, un aboutissement : le signe évident de leur intégration, de leur identité française. Ils disaient « ma fille va à l'Université » avec emphase et émotion. Esther s'intéressa à la grammaire, cherchant à en maîtriser tous les mécanismes, les subtilités. Pour sa maîtrise de lettres, elle choisit Montaigne. Montaigne, c'était la France. C'était le début de la littérature, l'invention de l'autobiographie, le style épuré et sobre. Le classicisme, la justesse, l'humanisme. L'ouverture sur le monde, par un esprit éclairé qui se gaussait des religions et des superstitions.

L'origine lointaine de la laïcité à la française. Montaigne n'était pas seulement le précurseur de la littérature française, il en était l'esprit même, symbolisé et formalisé à travers ses *Essais*. Par Montaigne, grâce à l'humanisme, Esther pouvait trouver une réponse à sa question identitaire ; le point de départ était l'homme, et le point d'aboutissement, l'homme. L'homme universel qui réunissait tous les hommes, quels que soient les peuples et les religions auxquels ils appartenaient. Dans l'humain, elle se perdait et se trouvait, car l'homme est le même partout. Chaque homme naît, vit et meurt. Chacun aime, souffre, rit et pleure, dans tous les endroits du monde. Quelles que soient les différences. Ce qui compte, ce ne sont pas les particularités, c'est ce qui rassemble, ce qui fait que chacun, malgré sa singularité, peut se reconnaître en l'autre, ce qui fait que chaque homme est homme. Peu importent la couleur de la peau et l'origine. Cet idéal humaniste qui devait donner naissance bien plus tard à l'idéologie républicaine était une source de joie et de réconfort pour Esther. Elle y adhérait pleinement. Elle y croyait profondément.

Et pourtant… Dans la vie d'Esther Vital, tout était particularisme et communautarisme. Élevée dans le culte des parents et des grands-parents, elle avait appris à ne faire attention qu'à eux, au point de s'oublier elle-même, de paraître insignifiante à ses propres yeux pour mieux les servir. Leurs sentiments étaient plus importants que les siens.

Toute sa vie était orientée vers un seul but : leur faire plaisir. Dès son plus jeune âge, on lui avait inculqué les valeurs fondamentales de la religion, du groupe et de la famille. C'était par le biais de ces trois schèmes, de ces trois cercles, qu'elle voyait le monde. Il n'y avait pas de place pour l'individu, pas de place pour ses désirs propres, qui devaient s'identifier soit à ceux de la religion, soit à ceux de la communauté, soit à ceux de sa famille. Son enfance, sa volonté personnelle avaient été brisées : on lui avait clairement signifié qu'elle n'en avait pas, qu'elle ne devait pas en avoir, qu'elle et ses parents ne faisaient qu'un. Père, mère, sœur : ils étaient tous la même personne, une unité que rien ne devait altérer. Unité symbiotique qui s'inscrivait dans le groupe, la communauté sépharade de Strasbourg, elle-même unie sous les auspices de la religion.

Esther avait été élevée *dans* le rite et *par* le rite de la loi juive. Celui du vendredi soir, avec les bougies que l'on allume et la prière, puis le *kiddouch*, la bénédiction sur le vin, et le *motsi*, la bénédiction sur le pain, le *Birkat Hamazon* à la fin du repas, après la longue prière du samedi matin. Pas un repas, pas un geste de la vie quotidienne qui ne fût marqué au sceau de la religion. Cependant sa famille, à l'inverse des ashkénazes très radicaux dans leur religiosité ou au contraire dans leur laïcité, restait ouverte sur le monde, avide de ses nouveautés, de ses gadgets, même si, en elle, s'ancraient des principes ancestraux. C'était son père, Moïse Vital, qui les leur avait inculqués. Il les tenait de son père, qui les tenait de son père et ils venaient des siècles lointains, trois fois millé-naires. Moïse, n'ayant pas eu de fils, avait reporté sur ses filles sa volonté de transmettre un savoir traditionnellement réservé à l'enfant mâle. Tous les samedis midi, lorsque sa mère apportait le copieux plat de la dafina, elle entendait son père proclamer : «*Zid Liha Fel Kteba*[1]», expression dite par

---

1. «Rajoute-lui dans son contrat de mariage.» *(Les traductions sont de l'auteur.)*

le mari pour complimenter sa femme. Tous les vendredis soir, il chantait *Echet Hail* pour sa mère, la « Chanson de la femme vaillante » :

Qui trouve la femme vaillante dont la valeur dépasse de loin celle des perles
Le cœur de son mari peut compter sur elle, la fortune ne lui manquera pas,
Elle lui procure du bien et non du mal tous les jours de sa vie
Elle va à la recherche de la laine et du lin qu'elle façonne selon la volonté de ses mains
Elle est comme ces bateaux marchands : elle rapporte la nourriture de loin
Elle se lève quand il fait encore nuit pour donner des vivres à sa maison et leur dû à ses jeunes filles
Elle pense à un champ et l'achète, du produit de ses paumes elle plante un vignoble
Elle ceint ses reins de force et déploie l'énergie de ses bras
Savourant la réussite de ses démarches, sa lampe ne s'éteint pas dans la nuit
Elle met la main au rouet et ses paumes s'emparent du fuseau
Elle tend la paume au pauvre et ouvre ses mains au malheureux
Elle ne craint pas la neige pour sa maison car tous ses gens sont vêtus de vermeil
Elle se confectionne des tapis ; son vêtement est fait de lin et de pourpre
Son mari est considéré aux Portes, quand il siège parmi les anciens du pays

Elle fabrique aussi des tissus et les vend, elle livre des écharpes au marchand
Enveloppée de force et de splendeur elle sourit au jour à venir
Elle ouvre la bouche avec sagesse et des conseils de piété sont sur sa langue
Elle surveille les mouvements de sa maison et ne mange jamais le pain de la paresse
Ses fils se lèvent et la félicitent, et son mari la glorifie
Nombreuses sont les femmes dotées de vertus, mais toi tu es au-dessus de toutes
Mensonge, la grâce ; vanité, la beauté ; c'est la femme qui craint l'Éternel qui mérite louange
Donnez-lui du fruit de ses mains. Et que ses actions la louent aux Portes.

Ce texte, conclusion du livre des Proverbes et attribué au roi Salomon, dressait le portrait de la femme idéale, selon la loi juive – ou plus probablement selon l'homme juif. À l'entendre toutes les semaines, Esther subissait l'influence de cette femme qui tisse les tapis, entretient sa maison et s'occupe de son mari, n'ouvrant la bouche que pour émettre des paroles de sagesse. Dans son esprit, elle devait être cette femme d'intérieur. Sa maison était toujours parfaitement tenue. Le chabbat, saint jour du repos, elle revêtait la table, ses enfants et elle-même d'habits de fête. Elle savait faire le ménage et repasser, faire les courses en achetant les meilleurs ingrédients, coudre et repriser. Modeste et pieuse, excellente cuisinière, pâtissière, elle connaissait les recettes ancestrales auxquelles elle ajoutait sa touche spéciale, ce qui rendait sa cuisine unique. Elle s'occupait de ses enfants, les lavait, les habillait, les coiffait de façon qu'ils fussent toujours très propres. Elle s'occupait d'elle-même, afin d'être rayonnante comme aux premiers jours de son mariage. Tel était le modèle auquel la vie la destinait, dans le sillage de sa mère et de sa grand-mère. Quant aux études juives, les femmes n'y étaient guère conviées.

Du côté de sa mère, Esther avait reçu l'héritage de la superstition. Sa grand-mère, Sol, ne manquait jamais d'invoquer le mauvais œil et les *djnouns* à chaque occasion, elle vivait dans un monde peuplé de démons. Malgré sa rationalité, son rejet des valeurs primitives et de la croyance en ce monde magique aussi éloigné d'elle que possible, Esther ne pouvait s'empêcher d'être superstitieuse. Elle aussi croyait au mauvais œil, et elle avait beau se raisonner, elle ne pouvait s'empêcher d'être sensible à cette façon de penser qui avait fait toute la vie et l'esprit des générations précédentes. Elle avait souvent vu sa grand-mère accomplir des rituels avec de la fumée et du sel gemme, renverser de l'eau sur le sol après le départ des invités, et se prémunir verbalement contre l'«*Ayin Hara*», le mauvais œil. Elle en souriait, mais dans le secret de son cœur cela l'impressionnait. Même si elle ne pratiquait pas la sorcellerie comme Sol, Suzanne, la mère d'Esther, vivait dans cette atmosphère de religiosité superstitieuse et incantatoire. Et elle, Esther, qui était censée avoir accompli en une génération ce pas de géant qui mène du Moyen Âge aux Temps modernes, n'était pas vraiment différente de ces grands-mères qui avaient passé leur vie à lutter contre les démons à l'aide des remèdes les plus fous, potions magiques, invocations, amulettes, formules, rites, et le chiffre 5. Toutes ces croyances l'habitaient d'une façon diffuse mais bien réelle.

On aurait dit que l'esprit de sa mère et de sa grand-mère habitait le sien. Sa mère était attachée à elle par un cordon ombilical qui n'avait jamais été coupé à la naissance. Sa fille était une extension d'elle-même, un de ses membres, quelque chose qui continuait de faire partie d'elle et qu'elle devait entièrement dominer, un organe sans volonté propre. Dès qu'elle manifestait une volonté d'indépendance, sa mère la rappelait à l'ordre, soit en l'impressionnant par des menaces, soit en la culpabilisant, soit par le chantage, en lui assurant qu'elle allait mourir. Cette forme d'amour que lui avait donné sa mère, lié intimement à une forme de domination, avait marqué sa vision du monde et rendait compliquées ses relations aux autres. Aimer voulait dire posséder, s'incorporer, réduire l'autre à soi sans lui laisser de liberté.

Son père n'était pas différent. Même s'il n'en laissait rien paraître, il n'était pas question que ses filles aient des vies indépendantes de lui. Il aurait fallu qu'elles épousent le mari qu'il aimerait et viennent vivre avec lui sous son toit, comme il était d'usage dans les générations précédentes.

Esther avait décidé de mener sa vie autrement et sa culpabilité était écrasante. Toutes ses actions, tous ses choix, ses relations amicales et amoureuses étaient marqués au sceau de l'infamie puisqu'ils la poussaient hors du champ strictement familial. Sur ses épaules reposait toute la misère du monde. Si un ami était malheureux, c'était sa faute, car elle ne l'avait pas appelé. Si sa sœur était déprimée, elle se sentait coupable de ne pas l'avoir assez écoutée. Si ses parents n'étaient pas heureux, de mauvaise humeur ou malades, c'était à cause d'elle, parce qu'elle n'avait pas été assez gentille avec eux. Elle pensait que leur bonheur dépendait de son bonheur, et que sans elle ils ne pourraient survivre. Aussi était-elle surprise de constater à quel point ses parents pouvaient partir en vacances, en week-end et mener leur vie sans elle. Non seulement ils survivaient, contrairement à ce qu'ils laissaient entendre, mais en plus ils étaient heureux. Elle sentait bien qu'il y avait une terrible manipulation derrière leurs protestations d'amour mais cela ne l'empêchait pas d'en être la victime consentante.

Sa sœur Myriam avait résolu le problème : mariée à un Canadien, elle était partie à l'autre bout du monde. Elle avait mis un océan entre elle et ses parents. C'était imparable, puisque son mari était le fils d'un proche ami de son père. Cependant Myriam n'était pas heureuse. Elle se rendait compte qu'en croyant fuir sa famille, elle avait, en fait, recréé le même environnement ailleurs. Sa belle-famille n'était pas différente de la sienne. C'était la même, au Canada, et son mariage qui avait commencé comme un mariage d'amour était devenu, au fil de quelques années et après deux enfants, un mariage de raison, de résignation. Malheureuse et aigrie, elle jalousait Esther qui lui paraissait plus libre qu'elle, et plus indépendante. Elle se sentait évincée, alors que c'était elle qui était partie. Et bien sûr, Esther se sentait responsable de son malheur, et obligée de l'aider à s'en sortir. Mais se sortir de quoi ?

Pour contenter ses parents, Esther s'était mise en quête du mari qui lui permettrait de fonder un foyer juif. À l'université, elle avait rencontré de nombreux jeunes hommes – des Alsaciens non juifs –, avec lesquels elle était amie, mais dès qu'ils tentaient de franchir la ligne rouge, celle qui marque l'entrée dans le monde sépharade, elle s'éloignait. Chaque fois qu'elle rencontrait quelqu'un qui correspondait à ses critères – c'est-à-dire à ceux de ses parents –, elle se faisait un devoir de lui faire passer l'épreuve suprême du vendredi soir. Pour le chabbat, elle l'emmenait dîner chez ses parents.

Son père l'accueillait avec une sympathie forcée, légèrement outrée, qui trahissait son hypocrisie. Puis, après le départ du jeune homme, sa mère faisait le bilan. Son regard assassin débusquait impitoyablement la faute. Et il y en avait toujours une.

D'abord, il y eut l'ashkénaze alsacien, son premier petit ami officiel, celui qu'elle embrassa pour la première fois, et avec qui elle eut sa première relation amoureuse, à vingt ans. Après le repas traditionnel du vendredi soir, il demanda aux parents d'Esther s'ils chantaient. En effet, chez les juifs ashkénazes, il est de bon ton de chanter en chœur des chansons du chabbat, souvent belles et inspirées – mais pas chez les sépharades, qui préfèrent siroter calmement leur thé à la menthe pour aider à la difficile digestion du tajine ou du couscous. Et c'est alors que le jeune baryton se mit à faire trembler les murs. Il chantait avec conviction des airs traditionnels ashkénazes : personne ne pouvait l'arrêter. On se serait cru à un récital à l'Opéra du Rhin. Les parents d'Esther, dignes, se contentèrent de le regarder, mi-inquiets mi-stupéfaits.

Puis il y eut Bernard Cohen. Esther l'aimait bien, au point d'envisager le mariage avec lui. Seulement, il était devenu très religieux, et il finit par décider qu'Esther ne l'était pas assez pour un Cohen. Du temps du Sanhédrin, si un homme se liait avec une fille mais ne voulait pas l'épouser, il était traduit devant un tribunal et condamné à trente-neuf coups de bâton, et un dédommagement à payer au père de la jeune fille pour s'excuser de l'avoir déshonorée. Cependant, malgré son orthodoxie, du jour au lendemain il ne donna plus de nouvelles, ce qui blessa Esther dans son amour-propre et remit davantage en question l'image qu'elle avait d'elle-même.

Ensuite, il y eut l'Israélien de gauche, rencontré lors d'un séjour linguistique en Israël qui ignorait tout de la religion mais était enthousiaste à l'idée de sortir avec une juive marocaine, ce qui est très correct chez les Israéliens de gauche, les *yekke*, d'origine allemande comme lui, étant donné qu'en Israël les juifs marocains forment le nid du prolétariat, la classe inférieure. Le vendredi soir, il fut accueilli chaleureusement par ses parents, car il est de coutume au Maroc de bien recevoir ceux qui viennent d'Israël, et en partant, ils lui répétèrent qu'il pouvait revenir « quand il voulait ». En effet il était le bienvenu en tant qu'Israélien, mais il était tout à fait malvenu en tant que mari et n'aurait jamais sa place dans cette maison.

Peu de temps après, au cours d'une soirée, elle rencontra un descendant du capitaine Dreyfus, juif républicain, pas du tout baryton, pas du tout religieux, qui passait ses week-ends dans les Vosges. Malgré ces défauts majeurs, Esther l'emmena chez ses parents. Elle se souviendra toujours du jeune Dreyfus, raide, médusé devant le kiddouch du vendredi soir, la bénédiction sur le vin, la bénédiction sur le pain, comme s'il assistait à un rite vaudou – ce qui fut confirmé par la suite du repas, un couscous salé-sucré, spécialité de Mogador, plat d'honneur s'il en est, que sa mère avait mis un jour entier à préparer. Il offensa Suzanne en refusant de se resservir. Après cet épisode, il n'y eut pas beaucoup de terrains d'entente pour la réhabilitation de Dreyfus. Esther tenta bien de le contraindre au respect du chabbat, mais sans succès. Son amoureux ne connaissait qu'une loi, celle de la République. Lorsqu'il lui rendit l'invitation parentale, la conviant dans sa famille, bourgeoisement installée dans un quartier cossu de Strasbourg, Esther eut droit à une inspection de haut en bas comme si elle était une bête curieuse. Cela la mit si mal à l'aise qu'elle passa une bonne partie du dîner aux toilettes à vomir le repas cacher qu'ils avaient pourtant commandé spécialement pour elle.

Après cet épisode navrant, Esther se replia sur elle-même. Elle avait peur de sortir, de rencontrer des garçons qui la rejetteraient ou décevraient ses parents. Pendant un temps, elle ne vit plus personne, ayant totalement renoncé à trouver quelqu'un. Un jour enfin, quelqu'un lui parla des « chats ». Le « chat », sur les sites internet juifs, permettait de sélectionner des prétendants juifs sans se déplacer en vain : Esther était fatiguée de se rendre à des soirées dont elle revenait bredouille ou mal accompagnée. Elle s'inscrivit sur « Dafina chat », un site sépharade conçu spécialement pour les juifs marocains. Pendant plus de six mois, elle consacra toutes ses soirées à échanger des mots avec des cyber-prétendants. Elle s'introduisait sous diverses identités dans différents « chats » thématiques, pour faire connaissance avec des maris potentiels.

Ce fut ainsi qu'elle rencontra Jean-Pierre Sebbag. Bien sous tous rapports, de bonne famille, très à cheval sur les bonnes manières et pas tellement sur la tradition, mais se pliant volontiers à ses contraintes, sur simple demande, car il était d'un tempérament accommodant et heureux. Gentil, peu contraignant, simple, honnête, travailleur. Éminemment présentable à ses parents. À table, il savait se tenir. Ce n'était pas lui qui se mettrait à entonner un chant tonitruant à minuit trente, et il savait aussi faire honneur à un bon couscous : bref, le gendre idéal. Il se fondait dans tous les paysages, il avait de l'humour, de la souplesse et pas mal de courage. « Gentil, opina le père d'Esther qui ne voyait pas en lui un rival. Et très décontracté. » Bref, Jean-Pierre Sebbag était l'homme qu'on attendait.

Quel dommage qu'il ne fût pas juif.

– Pas juif ?

– Non, enfin si...

– Mais quoi ? lui demanda Esther au bout de quelques mois de relations assidues. On peut se marier, oui ou non ?

– Oui, mais...

– Il y a un « mais » ?

– Mon père est juif, mais ma mère, non.

Donc il n'était pas juif, puisque le judaïsme a la particularité de se transmettre par la mère. À cette nouvelle, Esther fut ahurie, catastrophée. Cela faisait plusieurs mois qu'elle sortait avec lui, qu'elle supportait les soirées guitare et chant de ses camarades de promotion, et tout cela, pour rien ? Non c'était vraiment trop, vraiment trop horrible. Elle avait perdu trop de temps. Elle avait presque trente ans, un âge canonique pour une sépharade, elle n'était toujours pas mariée et pas l'ombre d'un enfant ne se profilait dans sa vie. Or une partie d'elle-même voulait, ou lui intimait de vouloir un mari et des enfants, de se rendre à la synagogue avec un chapeau pour couvrir ses cheveux comme les femmes mariées, d'avoir un grand appartement et non un deux-pièces dans lequel elle vivait seule, telle une « vieille fille », comme disait sa mère.

Esther finit par entamer une seconde traversée du désert, plus triste que jamais, jusqu'au moment où elle rencontra – ou plutôt revit – Charles.

En quinze ans, beaucoup d'événements avaient agité la vie de Charles Tolédano. Des voyages lointains, des aventures, des femmes de différents pays, des petits boulots et des années de bohème, puis les premiers emplois, à la radio en tant qu'animateur, dans des spectacles, des one man shows qu'il écrivait et jouait lui-même, les premières rentrées d'argent, les premiers studios, premières amours et premières ruptures, désillusions de l'âge adulte, maturité et premiers appartements, premiers neveux et premières nièces... Tout cela pour se retrouver, un certain soir, assis à côté d'Esther Vital, au mariage d'amis communs de leurs parents.

– Oh, Charles ! dit Esther, comme si elle l'avait quitté la veille. Comment vas-tu ?

– Ça va, dit Charles avec un large sourire, depuis ce lapin que tu m'as posé. Quel râteau ! Esther Vital : mon premier grand râteau. J'ai eu du mal à m'en remettre, tu sais. Je me souviens, je t'ai appelée d'une cabine téléphonique en bas de chez toi, tu étais là, je t'ai vue par la fenêtre, tu n'as pas voulu décrocher... Tu m'as rendu fou ce jour-là !

Par stratégie ou par pudeur, Esther se retint de lui dire la vérité. Qu'elle avait prié pour que ce fût lui. Et qu'elle avait été tellement déçue qu'elle avait eu du mal à s'en remettre.

– Tu n'as pas changé, dit-elle. Toujours en train de plaisanter, n'est-ce pas ?

– Non, Esther ! Je suis très sérieux.

Il était encore plus beau que dans son souvenir. Bronzé, les cheveux courts, drus, les yeux noirs pétillants de malice. À trente ans, plus encore qu'à dix-sept, il était charmant.

– Alors c'est toi qui m'as téléphoné ce jour-là ?

– Oui, bien sûr, je t'ai appelée. Toi, à cette époque, tu me toisais, tu faisais semblant de ne pas me voir dans les couloirs de l'école, je me suis dit que tu devais me trouver idiot, pas à la hauteur.

– Pas à la hauteur ?

– Tu étais insaisissable, personne n'arrivait à sortir avec toi.

– Vraiment ?

– Tout à fait, oui. Tu étais impressionnante.

Elle avait envie de l'entendre encore une fois. Qu'il pansât toutes ses plaies d'adolescente attardée, de fille complexée et mal dans sa peau, de vilain petit canard, même après sa métamorphose en beau cygne.

– Alors, que s'est-il passé depuis ce temps ?

– Tellement de choses, Esther... J'aimerais bien te raconter. Mais ce mariage, avec les parents à côté... C'est peut-être pas le bon endroit. On s'en va ?

Ils partirent. C'était l'été, il l'emmena sur les berges du Rhin, ils parlèrent, se racontèrent leur vie...

Lui, ses tribulations, ses errances, ses études, reprises puis abandonnées, son insatisfaction, ses années passées à la radio de Strasbourg à présenter le programme sportif, puis sa chance d'être remarqué et de passer à la FM, son désir d'écrire et de jouer des spectacles, et son espoir de percer, à Paris, bientôt, peut-être. Elle, ses études, ses années d'enseignement, ses histoires d'amour sans amour, sa famille, sa famille et encore sa famille.

– Et toi ? demanda Esther. Tu as quelqu'un ? Tu es amoureux ?

– Non, ma belle, dit Charles. Je n'ai jamais été amoureux.

Esther, déjà séduite, fut définitivement conquise.

Ils discutèrent ainsi, à bâtons rompus, perdant la notion du temps, souriant, sur un banc au bord de l'eau, et lorsqu'il la ramena chez elle, au petit jour, elle avait le cœur chaviré.

Esther comprit que Charles serait sa libération. En effet, il était célibataire, affranchi du joug familial. Tout ce qui était du domaine de la religion, de la famille, de la communauté, lui était étrangement, radicalement indifférent. Il s'était libéré de toutes ces chaînes. Ce qui l'intéressait, c'était lui, en premier lieu : sa carrière, son bien-être, l'argent qu'il gagnait en faisant rire les gens, et celui qu'il espérait gagner en devenant célèbre. Il était autonome, il se suffisait à lui-même.

De plus, Charles était intelligent. Il eut l'habileté de se soustraire au dîner réglementaire du vendredi soir. Non par stratégie mais simplement parce qu'il ne s'embarrassait d'aucune contrainte. Il pouvait ne pas voir ses parents ou son frère pendant des mois, sans que cela lui posât le moindre problème. Il ne leur parlait pas au téléphone, ou rarement. Il pouvait même se disputer avec eux et raccrocher, l'air serein, sans que cela le dévastât, sans passer un après-midi à culpabiliser, à y penser. Dans ses sketches, il se moquait de sa famille, et à travers elle, de tous les sépharades. Il n'était pas superstitieux, il n'avait peur de rien, pas même de sa mère, qu'il adorait mais à qui il pouvait aussi répondre vertement lorsqu'elle manifestait avec trop d'insistance le désir de le voir. Bref, Charles était un mutant sépharade. Un être nouveau, spontané, né de sa propre volonté, un démiurge.

Esther pressentit que Charles allait la pousser hors de ses limites, de ses retranchements, lui apprendre à s'épanouir loin des siens. À vivre pour elle-même, alors qu'elle ne vivait que pour les autres. Elle fut prête à transférer sur lui tout l'amour qu'elle portait à ses parents, cet amour pétri de culpabilité et d'abnégation.

Deux ans après leur rencontre Charles Tolédano et Esther Vital partirent pour Israël célébrer leurs noces, sans se douter qu'une autre cérémonie, bien plus mystérieuse qu'un mariage, les attendait là-bas – la révélation d'un secret que les Vital se transmettaient de père en fils depuis la nuit des temps. Depuis le commencement du monde sépharade.

3.

Le mariage

Si Esther n'avait pas désiré se marier en Israël, les choses auraient sans doute été différentes. La décision n'avait pas été facile ; mais Esther tenait à célébrer ses noces loin de chez elle par attachement à la terre d'Israël.

Comme toujours lorsqu'elle devait prendre l'avion, elle était en proie à la panique. Pendant tout le voyage, elle fut terrorisée.

Ils avaient subi les interrogatoires serrés d'El Al – ce qui était plutôt rassurant et montrait le sérieux de la compagnie – auxquels, à force de partir en Israël, Esther avait répondu de façon machinale : « Est-ce vous qui avez fait votre valise ? Est-elle restée avec vous depuis que vous l'avez fermée ? » Dans l'avion, Esther s'aperçut qu'elle avait répondu par l'affirmative à toutes ces questions, pour en finir au plus vite, mais qu'elle avait menti. L'ami d'un ami, quelqu'un qu'elle ne connaissait absolument pas, lui avait téléphoné la veille pour lui demander d'emporter une valise car il avait appris où elle devait se rendre. Elle n'avait eu aucune confirmation de cet ami, selon laquelle cet homme était bien lié à lui, puisqu'elle avait oublié de l'appeler dans la terreur du départ. L'inconnu avait déposé sa valise – une sorte de malle rectangulaire en métal – chez elle, la veille du voyage, et comme elle était très lourde, elle l'avait laissée toute la nuit dans la cage d'escalier en bas de chez elle, *sans surveillance*. Nonobstant tous ces faits, elle avait pris la valise, elle avait embarqué après l'avoir enregistrée et répondu machinalement par l'affirmative à toutes les questions des agents de la sécurité.

Bref, tout cela lui revint en plein vol, et des gouttes de sueur froide commencèrent à dégouliner le long de ses tempes.

– Qu'as-tu ? lui dit Charles. Tu ne te sens pas bien ?

– La valise que j'ai embarquée... la grande malle, avoua Esther. Elle n'est pas à moi. Quelqu'un que je ne connais pas l'a déposée hier !

– Calme-toi. Tiens, ajouta-t-il en versant du whisky dans son verre de Coca, bois, ça ira mieux.

– On va mourir, Charles. On va tous mourir ! Toi, moi, tous les passagers innocents, on va tous y passer !

– Mais non, calme-toi ! D'abord, pourquoi as-tu pris cette valise ?

– L'ami d'un ami me l'a demandé... il m'a dit que c'était pour sa mère qui venait de faire son Alyah... Je n'ai rien vérifié, Charles. En fait, un terroriste a monté toute l'affaire, j'en suis sûre à présent. C'est fini ! Ces gens, les pauvres, qui n'ont rien fait à personne, vont mourir par ma faute !

Charles la regarda, mi-ironique mi-inquiet. Il commanda deux autres whiskies à l'hôtesse de l'air.

– Esther, tu me rappelles ma grand-mère Yacot.

– Je te rappelle ta grand-mère ? Mais c'est horrible ce que tu dis ! En fait, tu ne m'aimes pas... Pourquoi, Charles, pourquoi m'as-tu fait prendre cet avion ? Tu sais que j'ai horreur des avions...

– Enfin, Esther, c'est toi qui as voulu te marier en Israël !
Et puis d'ailleurs, c'est toi qui as voulu te marier.

– Ah ! c'est ça, tu ne veux pas m'épouser ? Heureusement
que tu l'avoues, enfin ! Il est toujours temps d'annuler, tu
sais, si tu ne m'aimes plus.

– Je t'aime, Esther.

– C'est la punition, Charles, la punition qui nous attend…

– Quelle punition ?

– La bombe ! La bombe que j'ai prise dans la valise !

– Regarde, Esther, on est deux, on s'aime, ce serait une
belle mort pour nous…

– Mourir juste avant de se marier ! Comment peux-tu dire
cela ?

– On mourrait ensemble… Ce serait beau, mon amour.
On se dirait qu'on s'aime. Je n'ai pas peur de la mort, moi,
quand je suis avec toi.

– Beau ? Ce serait plutôt tragique ! Je ne veux pas mourir,
Charles ! Je suis encore jeune. Je veux vivre. Qu'est-ce qu'on
va faire ?

– Bon, dit Charles, en se levant d'un bond. Veux-tu que je
prévienne tous les passagers qu'ils vont mourir ? Je vais passer dans les rangs et l'annoncer à chacun, en leur présentant
tes excuses. Tu veux bien ?

Apostrophant l'hôtesse, il lui dit :

– Écoutez, madame. Je suis quelqu'un d'honnête. Alors je
veux vous prévenir que ma fiancée, ici présente, a pris dans
ses bagages…

– Charles ! dit Esther. Tais-toi !

– … sa robe de mariée car je vais l'épouser ! Et que je
suis, en cet instant, le plus heureux des hommes morts.

Esther avait eu peur de l'avion dès son premier voyage. Elle avait alors compris qu'elle n'était pas la femme libre et active qu'elle rêvait d'être, que l'Orient l'empêchait de s'envoler comme s'il coulait dans le béton chacun des pas qu'elle tentait de faire pour s'éloigner et prendre le large.

Timorée et méfiante, angoissée, paniquée, inhibée, timide, provinciale, velléitaire, soumise, spectatrice de la vie, de sa propre vie. Indécise, imprécise, indolente. Éternellement nostalgique : sa gaieté cachait un désespoir venant des tréfonds de son âme. Languide, passive, peureuse, d'une peur abyssale. Telle était sa destinée. Et pourtant, elle avait décidé de rompre avec son enfance, de détruire sa culpabilité, sa sensiblerie, son sentiment tragique de l'existence – de ne plus être sépharade. Elle avait effacé tous les stigmates visibles : colliers, bracelets, khôl, boutons, bourrelets, angoisse. Elle avait fait des études pour être libre et éduquée, pour gagner de l'argent et être une femme moderne, mais dans l'entrée de son appartement il y avait une main en métal de chaque côté de la porte qui écartait le mauvais œil. Elle avait remplacé la prière à la synagogue par des cours d'arts martiaux pour être plus forte et perdre ses rondeurs congénitales, elle s'était bâti un corps dur et solide, mais au fond de ses yeux il y avait la douceur du miel et ces larmes qui menaçaient de se répandre à chaque émotion.

Elle aurait voulu partir, laisser derrière elle son histoire, n'emporter qu'une petite valise, mais toute sa vie était ponctuée par une succession de symptômes : agoraphobie, spasmophilie, urticaire – des maux mystérieux qu'aucun médecin ne pouvait guérir, puisqu'ils venaient d'ailleurs : antiques messagers d'un passé lointain, ils écrivaient leur histoire sur son corps, puisque son esprit ne voulait pas l'entendre. Et le mal était toujours le même. Elle ne supportait pas d'être loin de sa famille, qui se rappelait à elle dès qu'elle menaçait de lui échapper.

Elle s'efforçait de prendre de la distance, de vivre indépendante et heureuse, mais elle en était sans cesse empêchée : par les boutons rouges de l'urticaire, par la suffocation, par les grippes et angines qui la clouaient au lit où elle se lamentait telle une vieille Orientale. Elle voulait voyager, avec des amis, des amoureux, sortir, danser, être heureuse, construire une carrière, mais l'appel tragique de l'Orient la soumettait à sa loi impitoyable. Cette loi disait : « Tu ne sortiras pas du ventre de ta mère qui t'a élevée au risque et au détriment de sa vie. Tu ne prononceras pas d'autre nom que celui de ton père qui t'a fait sortir du ventre de ta mère, pour te placer sous sa loi. Tu ne vivras pas indépendante alors que tes parents se sont sacrifiés pour toi. Tu ne profiteras pas de ta jeunesse alors que tes parents ont passé la leur à se saigner aux quatre veines pour te mettre au monde et t'y entretenir. Tu consacreras ta vie à rendre tes parents heureux, raison pour laquelle ils t'ont donné la vie. Et si tu désobéis à ces commandements, les pires plaies s'abattront sur toi, la grêle, la grippe et l'urticaire en même temps que les ténèbres. Bref : tu ne seras jamais heureuse sans ta famille. Sépharade tu es née, sépharade tu mourras. »

Après les archipels du Péloponnèse et Chypre, Esther aperçut, à travers le hublot de l'avion, la moderne Tel-Aviv. Sa tension se relâcha enfin. Elle commença à se détendre. Charles, en grande forme après ses trois whiskies, faisait rire les hôtesses et les passagers.

Et puis vint le moment où l'avion se posa sous les applaudissements.

Nulle part au monde Esther n'avait vu une telle foule à l'arrivée. Nulle part au monde des familles entières ne se déplaçaient pour attendre les passagers, et les contempler sur une vidéo qui les filmait. Parents, enfants, cousins, cousines, grands-parents, enfin réunis pour accueillir un oncle, une tante, un neveu ou une nièce, parfois une amie.

Les parents de Charles étaient là. Michel et Arlette Tolédano étaient un couple d'une soixantaine d'années, l'air avenant. Michel était bronzé, grand, élancé, bel homme ; et sa femme Arlette, brune, mince, la peau tirée, les lèvres refaites, le regard souligné par un trait de khôl bleu, paraissait plutôt jeune pour son âge. Ils accueillirent Charles et Esther avec chaleur. Arlette serra Charles contre son cœur, les larmes aux yeux. Charles se laissa faire pendant un instant, ému lui aussi, avant de faire un pas en arrière pour s'extraire de la chaleur maternelle, réconfortante et envahissante. Les parents d'Esther, quant à eux, étaient arrivés plus tôt dans l'après-midi.

Une demi-heure plus tard, Esther et Charles se trouvaient avec les Tolédano et les Vital dans le hall de l'hôtel réservé à Tel-Aviv. Les parents d'Esther s'avancèrent, pétrifiés par la perspective du mariage, figés dans leur sourire et leur hypocrisie courtoise. Pourquoi leur fille allait-elle les quitter ? Qu'avaient-ils fait au bon Dieu pour mériter cela ?

Suzanne fit signe à Esther qu'elle voulait lui parler à l'écart en roulant des yeux fous. Esther s'exécuta aussitôt. Décidément, à trente-trois ans, sa mère lui faisait toujours aussi peur.

— Et toi, dit-elle sans lui demander si elle avait fait bon voyage, si tout allait bien, comment elle se sentait, tendue, gaie, triste, heureuse, dans quel hôtel es-tu ? Apparemment tu n'as pas de réservation ici. Et j'espère que tu n'es pas chez EUX.

— Je suis à l'hôtel d'à côté, le Dan.

— Pourquoi n'es-tu pas dans le même hôtel que nous ?

— Je ne sais pas… Je crois qu'il n'y avait plus de place…

— Et LUI ?

— Qui, lui ?

— Le type ?

Bien sûr, il s'agissait de Charles.

— Il est chez ses parents.

— Je te signale qu'on ne doit pas voir son futur mari avant le mariage. Même pas lui parler.

— Je te le répète, il dort chez ses parents.

— Tu aurais pu venir à l'hôtel avec nous, quand même ! Avant le mariage, ce serait plus correct. Allons, prends tes affaires et viens avec nous. Tu seras bien mieux ! dit sa mère d'un ton onctueux.

— Mais je suis à côté !

— Tu ne crois pas que ce serait mieux de profiter des derniers instants que tu pourras passer avec tes parents ?

— Les derniers instants ? Mais je ne meurs pas, Maman ! Je me marie !

— Oh ! rugit sa mère, je ne suis pas dupe ! Je sais très bien qu'on ne te verra plus, après. Ce sera fini. C'est ça le mariage. On élève une enfant et c'est l'autre qui bénéficie de tous les efforts faits pendant des années !

— Mais non, Maman, au contraire, on se verra comme avant, et peut-être plus, n'est-ce pas ?

– Avec ce type, ça m'étonnerait fort, dit-elle avec un regard dédaigneux.

Pensant que le chapitre était clos, Esther s'apprêtait à tourner les talons lorsque sa mère la prit par le bras.

– Pourquoi tu ne viens pas avec nous, ma chérie ? Ton hôtel est meilleur que le nôtre, c'est ça ?

– Quoi ! Mais non ! Il est de la même catégorie.

– Alors viens chez nous, je t'en prie ! Ça nous ferait tellement plaisir !

Esther essaya de rester calme, mais elle savait bien que son énervement intérieur allait devoir sortir d'une façon ou d'une autre.

– Regarde ton père, comme il est malheureux. Il est dans tous ses états le pauvre ! Tu sais que c'est mauvais pour lui de s'énerver.

– Oui, je sais ! Mais c'est arrangé comme ça. On ne va pas tout changer à la dernière minute.

– Tu vas finir par nous tuer, ma fille. Nous n'allons pas survivre longtemps à tes caprices.

Esther jeta un coup d'œil à son père qui, en effet, avait pris son air le plus sinistre. Pourquoi fallait-il que ses parents ne fussent là que pour lui apporter des soucis, au lieu d'essayer de lui rendre la vie plus facile ?

À cet instant, Esther Vital se dit qu'elle aurait dû faire quelque chose pour couper le cordon ombilical qui l'unissait à sa mère depuis plus de trente ans. Elle aurait dû prendre des mesures draconiennes pour abolir la culpabilité qui avait envahi sa vie, et tenter de mettre sa famille à distance. Ne plus voir ses parents ni sa sœur, qui avait œuvré habilement pour qu'elle se brouillât avec ses géniteurs en leur révélant qu'Esther avait un petit ami, ce qui, malgré ses trente ans passés, était apparu comme un parfait scandale.

Il lui fallait appeler sa mère tous les jours et cela lui prenait des heures, la mettait en retard pour tout ce qu'elle avait à faire. À la fin, pour perdre moins de temps, elle avait décidé de lui téléphoner quand elle préparait la cuisine, ainsi elle pouvait faire quelque chose de constructif, tout en écoutant ses doléances… Mais après chaque coup de fil maternel, malgré l'écoute flottante, il fallait retrouver l'estime de soi.

Quand elle vivait chez ses parents, tous les matins sa mère la regardait de haut en bas en lui disant : « Ma pauvre fille, comment espères-tu trouver un mari si tu t'habilles ainsi ? »

Puis il fallait l'accompagner partout. Pour ses nombreuses courses dans les magasins, les centres commerciaux… À chaque sortie, Esther devait l'escorter, l'assister, comme les domestiques le faisaient pour leurs maîtresses, au temps du protectorat.

Esther était incapable de définir les bornes du don sacrificiel de son temps, de son espace, de sa liberté. Il n'existait pas de limites chez elle comme il n'en existait pas chez eux. Elle n'imaginait pas un seul instant pouvoir leur dire « non ». Lorsqu'elle rencontra Charles, elle tenta de mettre ses parents à distance. Mais comme par magie le rythme des visites parentales ne faisait que s'intensifier.

Un soir, quelques mois avant leur mariage, Charles arriva sans prévenir, pensant qu'ils étaient partis. Son père l'accueillit, blanc comme un fantôme, tellement bouleversé qu'il n'était plus capable de proférer une parole, et sa mère lui dit :

– Tu vois dans quel état tu as mis ton père ?

– Dans quel état ?

– Tu vas finir par nous tuer !

– Moi ! Je me tue à essayer de ne pas vous contrarier, Papa et toi. Je t'emmène faire les courses, je vous fais à manger, je vous reçois le mieux possible, mais quoi que je fasse, ce n'est jamais assez !

– Après tout ce que nous avons fait pour toi, dit sa mère. Nous t'avons élevée, nourrie, choyée et voilà ce que tu nous fais en retour !

Tremble, m'a-t-elle dit, fille indigne de moi, le cruel Dieu des juifs l'emporte aussi sur toi...

«Bon, ça suffit. Ça suffit maintenant. Non seulement vous venez m'envahir de façon intempestive, mais en plus vous voulez contrôler les visites que je reçois. Ça commence à bien faire.» Voilà ce qu'elle aurait voulu leur dire. Au lieu de cela, elle se contenta de dire :

– Je suis désolée, l'essentiel est que vous vous sentiez chez vous ici.

– Bien sûr qu'on est chez nous ici ! dit Suzanne. D'ailleurs, c'est grâce à ton père que tu as eu cet appartement !

– Grâce à mon père !

– C'est lui qui t'a dit de le prendre, au lieu du taudis que tu voulais louer, tu te souviens ?

C'était vrai : elle avait oublié l'épisode où son père avait choisi l'appartement dans lequel elle allait vivre.

Et lorsqu'ils revinrent la semaine suivante, Esther se trouva à plier une fois de plus les affaires de Charles pour les faire disparaître.

– Que fais-tu ? demanda Charles en la voyant s'agiter devant le placard.

– Ils débarquent ce soir, dit-elle.

– Encore ? Mais c'est toutes les semaines, maintenant ?

– C'est ainsi.

– Écoute, Esther, on avait dit que… Tu avais dit que la prochaine fois tu leur dirais non. Et je te vois, là, en train de cacher mes habits. J'en peux plus de partir sans cesse. C'est pas une vie pour moi. Pour nous deux. Et où je vais aller cette fois ?

– Va à l'hôtel.

– Je vais partir, Esther. Tu peux faire mes affaires pour de bon, parce que tu sais quoi ?

– Quoi ?

– Je ne me sens pas chez moi ici.

– Eh bien, tu n'as qu'à partir. J'en ai marre de toi. J'en ai marre d'eux. J'en ai marre de vous. Quand c'est pas l'un, c'est l'autre. Vous êtes tous à vous incruster ici chez moi, à profiter de mon espace.

Charles la regarda sombrement, l'air blessé.

– Très bien, dit-il, j'ai compris. Adieu, Esther.

Les parents avaient gagné et ils en furent tout à fait satisfaits. Désormais, ils purent venir sans être inquiétés, puisque Charles avait disparu. Ils avaient gagné la partie. Au moins, pour une fois, Esther eut la satisfaction amère et provisoire de les contenter un peu, lorsque sa mère, confortablement installée dans son salon, les pieds dans une bassine d'eau chaude apportée par elle, avec un thé et des gâteaux, demanda :

– Alors on ne le voit plus, le type ?

– Charles ? Non, je ne le vois plus.

– Ah, bien… bien, ma fille, je suis contente pour toi ! Et tu sais ce qu'on dit. Un de perdu, dix de retrouvés ! Et puis, ce n'était pas quelqu'un pour toi de toute façon. Un Meknassi… Il n'avait aucune manière. Et cette façon qu'il avait de venir nous envahir tout le temps.

– Enfin, à force de chasser les envahisseurs, je te signale que je risque de me retrouver toute seule et *vieille fille*.

– Mais non, ma fille ! On est là, nous ! Tu as tes parents !

D'une certaine façon, cette situation l'arrangeait. Esther ne supportait pas d'être heureuse. L'harmonie l'angoissait. Elle ne supportait pas de mettre son amour à l'épreuve du bonheur. Or elle ne savait vivre les relations amoureuses que dans les disputes et les tempêtes.

Entre-temps, ses parents avaient gagné la lutte pour le territoire. Ils remplissaient le réfrigérateur de pâtisseries marocaines, le congélateur de viande hachée au cumin, et ses paniers d'oranges, de mangues et de fruits secs. Toute cette nourriture l'angoissait tellement que, dès leur départ, Esther éliminait tout, et contemplait, satisfaite, le réfrigérateur vide. Le réfrigérateur vide, pour elle, était le symbole de la civilisation à son apogée, de l'intégration réussie. Ceux de ses parents (car, dans leur folie du stockage, ils en avaient acquis deux) étaient toujours remplis à craquer, comme si la guerre, la famine et la peste allaient s'abattre sur eux en même temps que la sécheresse.

Ainsi, la vie reprit son cours ancien. Ses parents arrivaient chez elle, sans prévenir, l'un ou l'autre, ou les deux en même temps, transportant avec ravissement des sacs remplis de nourriture et de vêtements, tels les Bédouins dans le désert.

Charles était parti et Esther était seule. Elle aurait bien aimé profiter de cette indépendance relative pour vivre, voyager, entreprendre de folles randonnées. Elle avait une amie qui n'avait presque jamais connu son père. Après l'avoir rencontré pour la première fois quand elle avait vingt ans, elle ne l'avait plus jamais revu. Cette fille parcourait le monde, sac au dos. Elle rencontrait des amoureux sur les routes. Esther contemplait cette idée, rêveuse, comme un idéal inatteignable.

Esther Vital pouvait-elle s'amuser seule à l'autre bout de la Terre ? C'était tout à fait impossible. Et avec qui partagerait-elle ses découvertes, ses émotions ? Incapable de profiter de sa liberté, inapte à la légèreté, Esther promena sa mélancolie dans les rues désertes de Strasbourg par les grands froids d'hiver, dans l'ombre des édifices massifs qui l'écrasaient de leur poids, espérant, dans le secret de son cœur, rencontrer Charles par hasard au détour d'une rue.

Ce ne fut qu'au printemps, alors que les arbres fleurissaient sur les berges du Rhin, rendant un peu plus hospitalier cet univers sombre, que Charles refit son apparition, en même temps que les premiers rayons du soleil.

– Salut, Esther. C'est moi…, entendit-elle au téléphone.

– Charlie !

L'émotion lui étranglait la gorge.

– Ça va ? dit-elle.

– Oui… Et toi ?

– Ça va…

– Je suis en bas de chez toi.

Il était monté, et ils étaient tombés dans les bras l'un de l'autre. Toutes les raisons, toutes les constructions, les constatations s'étaient effacées au contact de leurs peaux. C'était cela : le temps d'un instant, tout s'évanouissait, tout s'abolissait. Toutes les souffrances, toutes les angoisses, il n'y avait plus eu qu'une seule évidence : la puissance de ses yeux dans ses yeux, de leurs cœurs unis pour l'éternité, l'espace d'un baiser.

Lorsque les parents d'Esther lui rendirent visite la semaine suivante, ils eurent la désagréable surprise de découvrir Charles dans l'appartement, pour une tentative de conciliation à l'amiable selon ce qu'il pensait. Son père, offusqué, drapé dans sa dignité, n'était pas sorti de sa chambre (qui était la chambre d'Esther). Sa mère servit du thé et des gâteaux d'un air faussement aimable.

Charles, mal à l'aise, tenta tant bien que mal de faire la conversation, mais y renonça rapidement car lui aussi était pétri d'orgueil. Sa mère opposa le barrage de son corps à cet ennemi ressuscité, son père celui de son absence.

Mais cette fois, ce fut différent. Le cœur saccagé de culpabilité, dévasté de remords, le cœur replié de honte, elle, Esther Vital, fit ce qu'aucune sépharade au monde n'a dû faire depuis le début de toute l'histoire des sépharades. Elle commit l'acte le plus sauvage, le plus bas, le plus ignoble et le plus répréhensible moralement, le geste le plus absurde et le plus inepte sépharadiquement parlant. C'est elle qui le fit, violant le Cinquième Commandement, et toutes les coutumes ancestrales d'hospitalité respectées par des générations et des générations de sépharades. L'acte le plus indigne, celui dont la simple évocation ferait trembler d'effroi toutes les filles d'Israël, c'est elle qui l'accomplit, défrayant tous les préceptes que les mères enseignent à leurs filles depuis des siècles et des siècles, geste incommensurable, inouï, irréparable.

En ce jour terrible, Esther Vital mit ses parents à la porte. Elle chassa ses parents de sa maison qui était devenue leur maison, dans laquelle elle vivait sous leurs ordres, telle une intruse dans sa propre demeure. Elle dit à ses parents de partir de chez eux qui était chez elle, ou de chez elle qui était chez eux. Elle vida sa maison de la présence physique de ses parents – mais sans les sortir de sa vie.

Après ce jour mémorable, Esther leur annonça sa décision d'épouser Charles.

– Ce ne sont pas des décisions qu'on prend à la légère, dit son père. Tu devrais y réfléchir avant de faire une bêtise qui te coûtera cher.

– C'est ta vie, dit sa mère. On aura tout fait, en tout cas, on aura été des bons parents. Ce n'est pas notre faute, ma fille… Mais quand même… quelle tristesse pour ton pauvre père… Et surtout, à qui transmettra-t-il le secret ? Ce ne sera certainement pas au type !

– Quel secret ?

– Le trésor, dit sa mère. Celui que l'on se donne de génération en génération, au mariage du fils ou de la fille aînée. Le secret des sépharades !

Ce n'était pas la première fois qu'Esther entendait parler de ce secret. Mais pour elle, il s'agissait d'un mythe, d'une légende familiale, que son père racontait, à elle et à sa sœur, depuis qu'elles étaient petites.

Elle ne l'avait pas pris au sérieux. Mais à présent que l'heure du mariage était venue, elle était surprise d'entendre sa mère lui rappeler l'histoire de son enfance. Un trésor était confié, de père en fils ou de père à beau-fils, depuis des générations. Ce trésor contenait un secret inouï, révélé à l'enfant premier-né, ou à son futur mari s'il s'agissait d'une fille, le jour de son mariage. Et elle, Esther Vital, première de sa génération, fille indigne, en serait exclue ?

4.

Sol Hatchwel

Dans la chambre à coucher de la villa des Tolédano, régnait une ambiance industrieuse. Les femmes allaient et venaient, apportant robes et rubans, maquillage et parfums, bijoux et voiles. Toutes étaient en train de se préparer pour la cérémonie du henné, qui correspondait au moment où les promis s'engagent l'un envers l'autre, protégés et purifiés par la poudre de l'herbe ancestrale.

La cérémonie avait lieu la veille des noces, le rituel voulait qu'on mît du henné dans le creux des mains des futurs époux, pour leur porter chance et signifier leur départ vers une nouvelle vie. Le henné, qui marque la peau durablement, était utilisé dans tout le Maroc depuis des millénaires pour ses vertus purifiantes. Les femmes maghrébines croyaient en ses vertus magiques, qui apportaient la chance et le bien-être au sein du foyer. Elles l'utilisaient à des fins esthétiques, pour teindre et embellir leur chevelure, leurs pieds et leurs mains. Le henné symbolisait aussi l'effacement de la vie ancienne devant une vie nouvelle.

La cérémonie était tombée en désuétude pendant des années, au prétexte que c'était là un emprunt à la culture arabe, avant de connaître un regain d'intérêt auprès des jeunes générations. Les filles avaient plaisir à revêtir les lourdes robes de leurs aïeules, à participer aux soirées où elles devenaient le centre de l'attention. Il y avait des tajines, profusion de gâteaux d'amandes et de miel, de la musique arabo-andalouse, des femmes que déhanchait la danse du ventre, des grands-mères en djellabas proférant des interjections en arabe, des grands-pères contemplant leur progéniture la larme à l'œil : tout le folklore judéo-maghrébin, ordinairement caché, tu, enfoui dans la vie quotidienne et le rêve d'intégration, se dévoilait sans pudeur...

Esther regardait la robe qu'elle allait revêtir pour la cérémonie. Elle ne savait plus de qui venait cette parure : sa mère, sa grand-mère ou son arrière-grand-mère ? Lourd tribut transmis de mère à fille pendant des générations, robe de velours empesée, qui les fait reines d'un soir, *Lalla*, qui veut dire « madame, princesse », titre de noblesse : voici ta robe, ma fille, ton fardeau d'être femme, de naître femme, de donner naissance, d'élever le fils de l'homme et de le chérir, de le faire homme, et puis d'être laissée, délaissée par ton homme, quittée par ton fils... *Lalla*, princesse d'un soir, rose trop vite fanée, profite de ta jeune beauté, car voici ta vie en cette robe qui pèse déjà sur tes épaules pour t'empêcher de te mouvoir, de t'envoler, t'évader, voici la robe qui toujours recouvrira ta nudité, protégée mais soumise, *dhimmie* parmi les *dhimmi*[1], ô robe, ô destinée de la femme sépharade !

La voilà, donc, devant elle, cette massive parure rouge rubis dont la jupe est brodée de fils d'or ; elle pesait des kilos

---

1. Sujets à capacité restreinte protégés par le sultan.

et il faisait chaud, mais elle allait la mettre. Elle allait la porter. C'était évident comme le jour qui se lève, et la nuit qui tombe, aveuglant comme le soleil en ce jour de juillet. Cette robe, spécifiquement juive, avait ses origines dans l'âge d'or espagnol, d'avant l'Inquisition, où les juifs étaient conseillers à la cour des rois. Elle avait survécu aux siècles d'oppression et au terrible exode qui força les juifs à quitter leur terre natale. La robe perpétuait le faste castillan et andalou de la Renaissance.

Chaque femme avait apporté la sienne. Blouses en velours mauve, brodées de fils d'or, suivant le travail introduit au Maroc par les juifs d'Espagne ; caftans multicolores, taillés dans la soie et le velours ; grandes robes au plastron brodé de fils d'or sur coton blanc ; corselets de velours noir brodé au fil d'or sur jupe de velours noir à galons dorés et manches en soie rose pâle ; ceintures de tissu lamé de fils d'or ; chaussures en velours brodé de fils d'or ; robes au plastron brodé de fils d'or sur velours rouge, à jupes décorées de galons dorés sur soie bleue et manches en soie rouge et fil d'or ; chaussures en cuir bleu et fil d'or ; caftans de velours noir brodé de fils d'or ; blouses d'homme au feutre bleu marine orné de soutaches ; chemises ; robes de soie floche jaune et vert sur coton rouge avec leurs bonnets ; robes-chemisiers de Tafilalet dans une cotonnade rouge brodée de losanges verts et jaunes sur la poitrine et les épaules ; longues blouses ouvertes ; ceintures du soir rayées, pliées en quatre sur la longueur ; longs manteaux à capuchon pour les hommes, costumes traditionnels qui avaient disparu avec l'arrivée des Français.

Robes anciennes à la confection coûteuse, et qui restaient au sein d'une famille pendant plusieurs générations. Celle d'Esther était composée de cinq parties : la jupe, le corselet, le plastron, la ceinture, les manches. La jupe, de trois mètres de large, de velours pourpre, était brodée de cercles concentriques, au nombre de vingt-six, qui est la valeur numérique du nom de Dieu. Cette robe, Delacroix l'avait peinte, exaltant la beauté et l'indolente suavité des femmes marocaines. À ce vêtement, on ajoutait la coiffe dont le modèle le plus ancien était un diadème rehaussé de perles baroques et de pierres précieuses, et le voile qui se posait sous le diadème et se glissait dans le dos sous la ceinture. Il était en soie rouge et en fils d'or.

Tout ce qu'Esther détestait. Elle qui ne portait que du noir, ou des vêtements sombres.

Il fallait revêtir les cinq éléments, et sortir, ainsi vêtue, devant tous. Cinq, comme le chiffre 5, qui est aussi un symbole contre le mauvais œil puisqu'il représente les cinq doigts de la main, cette main censée arrêter les puissances néfastes.

On frappa à la porte et son cœur se mit à battre plus fort à l'idée que ce fût sa mère.

Mais non, c'était Sol, sa grand-mère, qui entrait dans la chambre. Sol, toute petite et un peu ratatinée, avait la peau très blanche – elle en prenait grand soin en la protégeant du soleil et des intempéries, à grand renfort de crèmes –, et des cheveux noirs clairsemés relevés en chignon, des lunettes carrées d'homme, absurdes sur ce visage féminin à la peau si fine. Sol et Sidney Hatchwel, les grands-parents d'Esther, avaient émigré au Canada à la fin des années soixante, et y avaient retrouvé une communauté sépharade marocaine dans laquelle ils s'étaient sentis bien. Depuis qu'ils étaient à la retraite, ils allaient passer l'hiver chez leur fille Colette qui vivait en Israël. Ou parfois au Maroc, chez leur fille Yvonne, et plus rarement à Strasbourg, chez Suzanne, où le climat n'était pas plus propice.

Vieille femme aux yeux noirs, voûtée comme les sorcières des contes anciens, Sol était ainsi faite, aussi loin qu'Esther s'en souvenait. Menue, elle se mouvait presque pliée en deux à cause de l'âge, parlait moitié arabe, moitié français en pinçant ses lèvres fines et en ponctuant toutes ses phrases de *dissmik*, qui voulait dire « chéri », ou de « *ouh lia* » (malheur à moi), qui signifiait à peu près : « Quelle catastrophe, ma chérie, qu'allons-nous faire, c'est le monde qui s'écroule. »

Elle voulait lui passer du henné sur la tête et la coiffer d'un morceau d'étoffe blanche pour qu'elle ait une existence heureuse. Elle voulait voir le fiancé et lui faire les sept nœuds afin d'arrêter le mal et le préserver de toutes les mauvaises influences. Elle aurait aimé lui casser un œuf sur la tête pour lutter contre le mauvais œil, mais Esther, d'un regard, lui signifia qu'il n'en était pas question.

Alors elle lui noua autour du cou la *khamsa*, qui représentait une main stylisée. La main, symbole de la puissance, tendue en avant, le protégeait désormais. D'un sac, elle extirpa les herbes qu'elle brandit sous le nez d'Esther.

— C'est le *harmel* qui dissipe le mauvais œil, expliqua-t-elle.

Elle les passa autour de la tête de la fiancée, en proférant une série de mots en arabe dont Esther connaissait à peu près la signification :

L'œil de ton père, l'œil de ta mère
L'œil du voisin et de la voisine
Celui qui monte à notre maison, et celui qui descend
L'oiseau au ciel, le poisson dans l'eau, l'œil de la tristesse et
l'œil de la colère
Qu'éclate le mauvais œil de celui qui t'a regardée.

De son sac, elle sortit un petit brasero dans lequel elle mit l'alun, l'alluma fébrilement, et l'observa. Une fois qu'il fut consumé, elle prit une cuiller pour lui faire avaler la mixture.

– Mais c'est quoi ?

– C'est rien, dit-elle, c'est du sable que j'ai ramassé sur la plage.

– Quoi ! Mais je ne vais pas avaler ça !

– Si, ma fille, il le faut.

– C'est de la superstition, je n'y crois pas…

Le regard de Sol ne laissait aucun espoir. Elle restait là, tranquille, à attendre que sa petite-fille prît la mixture, et il était clair qu'elle n'entendait pas sortir de la pièce avant qu'elle le fît.

– Allez.

– Laisse-moi tranquille !

– Ne'ebibask[1], dit Sol, je te laisse tranquille, moi, mais les djnouns, ils ne te laisseront pas ! ils sont là, je te dis… Il faut boire sinon il t'arrivera un grand malheur. (Sol souffla tout près de son visage :) Il faut te protéger, ma fille, contre le mauvais œil… Tu sais… le mal est ici, je le sens.

– Tu as senti le mauvais œil ?

– Oui, ma fille. (Sol hocha la tête, de haut en bas et de bas en haut, la regardant gravement derrière ses lunettes carrées.) Il est tout proche.

Esther avala la potion dont l'amertume lui brûla la gorge et l'œsophage.

---

1. « Que je prenne ton mal. »

Le mauvais œil... ou, pour les initiés, plus simplement, «l'œil». À son sujet, il se murmurait des choses terrifiantes. Ainsi, la plupart des morts survenaient à cause de l'œil. L'œil était la terreur des femmes marocaines, leur hantise, leur combat de chaque instant. Il était le principe supérieur auquel elles se soumettaient, la transcendance de leur quotidien. Il régissait leur vie, régnait sur leurs convictions les plus intimes, faisait partie d'elles au point que nul n'aurait songé à le mettre en doute. L'œil était partout. Dans les lits des nouveau-nés, sur le front des enfants, sur les femmes enceintes et les jeunes accouchées, sur l'enfant mâle, et sur la petite fille trop belle, sur les jeunes mariés, sur les maisons riches et les voisins heureux, l'œil était là, au milieu de tous les beaux événements de la vie, pour détruire l'harmonie, transformer la joie en douleur, la beauté en laideur, la vie en mort. Et l'œil, ce n'était autre que les relations humaines, tissées de haine, d'envie et d'hypocrisie. À l'origine du mauvais œil, il y avait cette idée que la société et le commerce des hommes étaient dangereux, que le bonheur et la réussite ne se montrent jamais car ils excitent les mauvais instincts, y compris ceux des proches. L'œil, miroir de l'âme, est le vecteur du mal qui se répand. Pour cela, les sépharades évitaient de parler de leur bonheur et de faire étalage des événements positifs de leur vie. S'ils avaient de la fortune, ils le taisaient, pour tromper l'adversaire en niant l'objet du désir. Complimenter les enfants au sujet de leur beauté ou de leur intelligence, encore pire, de leur santé, pouvait attirer l'œil, et l'enfant tombait malade, inéluctablement. On évitait de compter les enfants, de dire combien on en avait, de peur que le sort en retirât un.

– Tiens... Ne'ebibask. Prends aussi ça. Pour te protéger.

Elle sortit un petit paquet de sel, à mettre dans la poche, autre remède d'une efficacité redoutable contre l'œil.

Elle regarda sa petite-fille, de bas en haut. À son âge, elle avait déjà trois filles : Suzanne sa mère, Colette et Yvonne. Elle ne comprenait pas comment on pouvait se marier si âgée, mais elle ne le disait pas par délicatesse. D'une façon générale, Sol ne parlait pas beaucoup. Elle était discrète, comme si elle ne voulait pas déranger, même si elle continuait de régner sur son monde. Elle avait élevé ses filles ainsi, avec sa sagesse entièrement fondée sur des proverbes judéo-arabes : « Ta bourse, ne la montre qu'à toi-même », « Sois fou, tu gagneras », « Il a voulu l'embrasser, il l'a aveuglée », « La main que tu ne peux mordre, baise-la », « C'est petit à petit que le chameau rentre dans la marmite. »

Le prénom Sol était assez répandu au Maroc. Il était donné aux filles en souvenir de Solica la Sadiqa, de son vrai nom Solica Hatchwel, comme la grand-mère d'Esther, née à Tanger en 1817. Solica avait eu une histoire terrible qui résonnait encore dans les oreilles de toutes les jeunes filles sépharades, pour les inciter à la méfiance la plus extrême envers leurs voisins. Tanger, en effet, était l'une des rares villes à ne pas avoir son mellah : juifs et musulmans vivaient ensemble, dans les mêmes rues, les mêmes immeubles, le plus souvent sans heurt. Mais pour la pauvre Solica, il n'en fut pas ainsi. C'était une jeune fille d'une telle beauté que les hommes avaient le souffle coupé lorsqu'ils la voyaient. Son père vendait des ustensiles de cuisine. Sa mère et ses sœurs étaient modestes et pratiquantes. Elle-même était connue pour sa sagesse et sa piété. Or, un jour, alors qu'elle n'avait pas quinze ans, Solica se fâcha avec sa mère et se rendit chez sa voisine musulmane. Celle-ci avait un frère qui, en la voyant, tomba éperdument amoureux d'elle, au point qu'il voulut l'épouser et donc la convertir, lui promettant tous les cadeaux du monde si elle acceptait. Issu d'une famille riche et puissante, il n'avait pas l'habitude qu'on lui refusât ce qu'il exigeait. Mais Solica, qui était pratiquante et respectueuse de ses parents, ne voulait pas en entendre parler. Son refus blessa l'orgueil du garçon, qui se vengea en répandant le bruit qu'elle s'était convertie à la foi musulmane. Or, à cette époque, il était impossible d'abjurer sans raisons légitimes sous peine d'être condamné à mort. L'homme acheta des faux témoins qui accréditèrent son mensonge, et jurèrent que Sol s'était convertie de son propre gré. L'affaire fut portée devant le gouverneur de Tanger qui, ne sachant que faire, la soumit au roi Moulay Abderrahman, connu pour être un homme droit et impartial. Mais celui-ci redoutait de mettre le peuple en colère ; le musulman l'avait convaincu que la jeune Solica était coupable, et tous réclamaient sa mort. Maintes fois le jeune homme revint vers elle pour tenter de la convaincre de l'épouser. Mais ni les richesses ni les menaces ne purent fléchir la volonté de la pieuse jeune fille.

Devant le gouverneur, le roi et tous les personnages importants de la ville, Solica proclama : « Il n'y a pas d'autre Dieu que le mien, je suis née juive et juive je mourrai. » Le grand rabbin de Fès et d'autres rabbins firent tout leur possible pour sauver la jeune fille de la mort, mais ne purent y parvenir. Solica fut emprisonnée, et réduite à mourir de faim. Son martyre dura deux ans et elle célébra son dix-septième anniversaire en prison, jour où elle fut traînée à cheval dans toute la ville jusqu'à ce que mort s'ensuive. En guise de dernier vœu, elle demanda des épingles à nourrice pour ne pas exhiber sa nudité.

Lorsqu'on voulut brûler son corps, un rabbin s'y opposa, ramassant beaucoup d'argent pour le remettre aux gouverneurs de la ville. Il put ainsi prendre le corps de la jeune fille et l'enterrer d'après la Loi, au cimetière de Fès. Depuis, Solica est vénérée comme une sainte dans tout le Maroc et il est d'usage d'aller se recueillir sur sa tombe.

Cette histoire avait marqué Esther depuis son enfance. Elle en avait également conclu qu'il n'était pas bon de se fâcher avec ses parents, sous peine d'en mourir dans d'atroces souffrances.

Sol sortit des bijoux d'une bourse en velours rouge. Elle en possédait une collection, dont certains lui venaient de son mariage, d'autres de sa famille, de son père Joseph, bijoutier à Mogador. Il avait fait pour elle des bracelets, des colliers, des amulettes à nuls autres pareils... Chaque bijou avait sa particularité. Mis le matin, enlevé le soir, il symbolisait toute sa vie. Entre Sol et les bijoux, c'était une vraie histoire d'amour. Elle en avait partout, sur le front, les bras, les jambes, le cou ou les doigts – pas une partie de son corps qui fût sans ornement. Et chaque visite dans les magasins lui rappelait la boutique de son père, l'or, l'argent, les ceintures, les pendentifs, les bracelets, bagues et boucles d'oreilles anciennes ou récentes, chacune cachant une grammaire particulière, car les bijoux, chez les Berbères, indiquaient l'appartenance à un clan. Lorsqu'elle était enfant, son père lui avait expliqué leur langage : les femmes de Tiznit portaient un bandeau orné de perles et de piécettes, de grandes boucles d'oreilles à pendentifs et plusieurs colliers dont deux constitués principalement d'ambre et de corail, ainsi qu'un autre de clous de girofle. Des tribus se reconnaissaient par leurs fibules triangulaires, d'autres, dans le Haut-Atlas, arboraient des parures faites de plaques d'argent retenues par des chaînettes à disques ornés de rosaces, d'autres encore portaient d'incroyables diadèmes à trois plaques, ornés de pendeloques. Et nul ne savait vraiment pourquoi, depuis toujours, l'immense majorité des bijoutiers étaient des juifs, comme si, par quelque mystère, ils avaient conservé un savoir sacré – celui des antiques forgerons – qui leur permettait de fondre et travailler les métaux.

La boutique de son père avait été vendue à sa mort, mais Sol avait gardé une profusion d'ornements. Elle possédait des bijoux destinés aux grandes occasions et elle avait aussi ceux qui ne la quittaient pas. Des bagues, des colliers, des broches et des fibules, des pierres précieuses, diamants, saphirs et émeraudes, elle avait tout cela – c'était la clef de sa survie en cas de malheur. Et pour son mariage, elle avait reçu de son père sept magnifiques bracelets en or, appelés *la Semana*, « la Semaine », qu'il avait ciselés lui-même. Traditionnellement, les jeunes filles marocaines les recevaient, lorsqu'elles se mariaient, en guise de dot, un trésor qui leur appartenait en propre. Et plus tard, lorsque son mari Sidney fut congédié de son travail à cause des lois vichystes contre les juifs, Sol vendit ses sept bracelets un à un pour assurer la survie de la famille. Elle tenta de les racheter ensuite, lorsque Sidney retrouva du travail, mais ils avaient été revendus. Cette perte resta comme un poids sur son cœur.

Sol tira avec précaution sept bracelets en or du sac en velours rouge, et les fit glisser le long du poignet de sa petite-fille.

– Mon cadeau pour toi, Ne'ebibask. Ne les perds pas, on ne sait jamais de quoi la vie est faite.

– Merci, Mamy, dit Esther, émue, en l'embrassant. C'est très gentil… Je les adore !

Les petites mains fripées de Sol s'enroulèrent autour des mains d'Esther. Nul ne pouvait dire son âge. Peut-être elle-même ne le savait-elle pas. Ou peut-être le cachait-elle par coquetterie.

– Lors de mon mariage… je me souviens, vers cinq heures du soir, commença Sol, les femmes sont venues, avec leurs belles djellabas, on a servi du thé, des musiciens chantaient. Elles portaient des bijoux magnifiques, des boucles d'oreilles, des pierres précieuses, des bracelets, des bagues garnies de brillants. Mon père m'avait apporté la Semana… Comme je regrette aujourd'hui de l'avoir vendue mais que veux-tu, Ne'ebibask, on ne pouvait pas faire autrement. La cour était recouverte de tapis, et on avait mis de très beaux châles sur les murs. Ce vêtement, tu sais, ajouta-t-elle en désignant la robe, c'est pour tromper les djnouns, et contre le mauvais œil. Puis il y a eu la musique. Lorsqu'un invité voulait partir, il devait faire un don aux musiciens, en déclamant : « Ce cadeau est fait par untel, en l'honneur du fiancé et de la fiancée ainsi que de tous les assistants. Que Dieu donne du bien à celui qui l'a offert. »

» Les *mezouarat* – les femmes qui n'ont été mariées qu'une fois – ont mis du henné sur mes mains et mes pieds pour me porter chance… On a exposé sur un tapis tous les cadeaux que j'avais reçus : les colliers, les bracelets, les bagues, les boucles d'oreilles, les draps de lit, et un grand matelas de laine couvert de velours, et aussi un tapis, des oreillers, et des coussins brochés d'or. Deux notaires donnaient le prix de chaque objet devant tout le monde ! C'est cette somme que Sidney devait verser s'il voulait divorcer, tu vois…

» Le soir, le trousseau a été transporté dans la maison de Sidney. Puis les musiciens sont venus dire des cantiques. Le coiffeur a coupé ses cheveux… Vers minuit, les femmes m'ont emmenée au bain en tapant des mains et en chantant des chansons en arabe. Une vieille femme est entrée au bain avec moi. Je me souviens, elle avait un petit miroir, un peigne et du fard, elle les a jetés dans le bain en offrande aux djnouns. Ils sont très jaloux du bonheur des nouveaux mariés et cherchent à annuler les mariages. Lorsque je suis sortie du bain, les filles me suivaient en battant des tambourins et des tambours, et ma belle-mère portait une bougie blanche allumée.

Sol se mit à entonner un chant en judéo-arabe :

Ô fiancée pourquoi pleures-tu ?
Laisse-moi pleurer, j'ai pris un mari vieux.
Ô fiancée Madame pourquoi pleures-tu ?
Laisse-moi pleurer : j'ai pris un mari qui a des proches parents.

— Mamy, étais-tu amoureuse de Sidney ? demanda Esther.
— Je ne sais pas. Mes parents avaient décidé que j'allais l'épouser. C'était ainsi, à l'époque, Ne'ebibask… Et on n'allait pas contre ce que disaient les parents !
— Tu ne voulais pas te marier avec lui ?
— Non.
— Tu en aimais un autre, Mamy ? demanda Esther, curieuse.
— Oui, dit-elle gravement. Un autre, celui de mon premier mariage.

– Tu avais déjà été mariée ?

– Oui, dit-elle en hochant la tête, l'air grave, il y a eu un autre mariage. J'avais été mariée à quelqu'un d'autre avant d'épouser Sidney... mais le mauvais œil a brisé les noces. Méfie-toi, ma fille. L'œil qui était à mon mariage est ici pour le tien. Ne le sens-tu pas ? C'est le même !

– De quoi parles-tu ? dit Esther en frissonnant. Qui était ton premier mari ?

– Quelqu'un que tu connais, dit la vieille femme, d'un air grave et mystérieux, il est ici !

5.

Les noces d'enfants

Le premier mariage de Sol, celui qu'elle avait jusqu'alors tenu secret, avait eu lieu à Meknès. Les Pinto étaient venus de Mogador, jusque dans le Nord pour célébrer la fête chez la famille du marié, l'une des dynasties juives importantes de la ville de Meknès qui n'était autre que les Tolédano. C'était le Sud qui s'alliait au Nord, chose assez rare et considérée normalement comme une mésalliance, surtout de la part des Mogadoriens, même si, dans ce cas, c'étaient les enfants de deux familles amies qui s'unissaient.

Un matin, après un long voyage, Sol Pinto ouvrit les yeux sur la ville fortifiée, ceinte de remparts comme une cité du désert. Elle n'avait jamais vu Meknès. Elle était allée plusieurs fois jusqu'à Marrakech, mais, comme nombre des habitants du Sud, elle n'était jamais montée si haut dans le nord du pays. Devant elle se dressaient d'imposantes portes, dont la Bab Mansour, principale entrée de la ville à l'arc de triomphe somptueux. Il y avait aussi la porte de la Victoire, arabo-andalouse, encadrée par deux tours carrées ouvertes sur les loggias, habillées de colonnes de marbre à chapiteaux. Avec l'ascension de la dynastie alaouite, originaire du Tafilalet, dans le sud-est du Maroc, Meknès avait été une ville impériale, et même si cette période avait été courte, elle en avait gardé tous les caractères. Les palais étaient détruits, mais les larges esplanades aménagées tout autour laissaient voir la grandeur de ses constructions. À la mort de Moulay Ismaïl, Meknès était retombée dans l'ombre, et les sultans alaouites avaient déplacé leur résidence à Fès – de là venait sans doute l'antique rivalité entre les deux villes.

La présence juive à Meknès remontait à des temps très anciens, à la création de la ville romaine de Volubilis, au IIe siècle avant l'ère courante. Puis il y eut la venue des juifs espagnols, et beaucoup vinrent s'établir à Meknès. La communauté s'était développée, un mellah avait été construit sur un terrain acheté au sultan pour loger quelques milliers de personnes. Mais la population avait été décimée par de graves épidémies et par la famine. En 1930, un nouveau mellah, aux rues plus larges, aux maisons moins entassées, plus spacieuses et modernes, avait été bâti, nanti d'une multitude de synagogues. Les dix-neuf temples de l'ancien mellah et les dix-sept du nouveau n'avaient rien de luxueux : murs blancs et sols pavés, parfois carrelés, le marbre rare, même dans le nouveau mellah. Des bancs de bois couverts de nattes étaient disposés dans la salle principale, décorée d'arches saintes aux panneaux de bois sculpté ou peint, et de verres commémoratifs suspendus au plafond par des chaînes de cuivre ou d'argent. Les synagogues, toutes privées, étaient pleines et vibrantes de voix jeunes et vieilles aux grandes récitations. Chaque dynastie aisée construisait la sienne pour perpétuer le nom du fondateur – ambition suprême d'une famille.

Les juifs de Meknès connaissaient le rituel sépharade par cœur et comprenaient parfaitement le texte biblique, grâce à la traduction arabe qu'ils psalmodiaient avec le Pentateuque, les livres d'Isaïe, de Job, et des Proverbes. Dans la ville, le vendredi soir, on sonnait le *chofar*[1] pour annoncer le début du chabbat. Alors, les hommes se dirigeaient vers le temple pour célébrer l'office du soir. Puis, le samedi, jour de repos, les boutiques fermaient; un calme absolu régnait dans les rues.

Meknès était richement dotée: la douceur de sa lumière, de ses paysages et de ses habitants, sa campagne vallonnée plantée de cyprès, d'oliviers, d'eucalyptus et de palmiers, évoquaient la Toscane, avec ses vignes qui donnaient un vin capiteux, surtout dans la «Vallée heureuse». Les Meknassis aimaient passer des dimanches à s'allonger sur l'herbe et la journée se déroulait ainsi, en discussions sur tout et rien, le plus souvent le simple plaisir de parler.

En ce dimanche de printemps, les Pinto arrivèrent chez les Tolédano. Il y avait Joseph Pinto, le père de Sol, et sa femme Tamar, les frères de Joseph, avec leurs femmes et leurs enfants, ainsi que les trois sœurs de Tamar avec leurs maris et leurs enfants. Sol n'avait jamais vu celui qui lui était destiné, et n'avait qu'une vague idée de ce que signifiait le mariage.

Le contraste entre les deux pères était saisissant; Joseph Pinto, petit de taille, aux yeux bleus, portait avec élégance son costume trois-pièces, sa chemise lustrée et sa redingote d'où pendait une montre à gousset. Rabbi Shimon Tolédano était vêtu à l'orientale, d'une longue djellaba immaculée, assortie à sa barbe et à ses cheveux blancs. Tous deux s'étrei-

---

1. La corne de bélier que l'on fait sonner à la synagogue le jour de Kippour.

gnirent longuement, en se congratulant, en se prodiguant mille et une bénédictions, et en convoquant tous les pères de la Tradition pour bénir leurs familles et leur descendance et se rappeler combien ils étaient contents et fiers d'être unis par ce mariage ; ainsi ils étaient désormais de la même famille, c'était un honneur pour l'un et pour l'autre, mais non, l'honneur était plus grand pour l'un, ou pour l'autre, ils se disputaient l'humilité, les témoignages de respect et d'admiration réciproques.

– Je suis tellement honoré, dit Joseph, la larme à l'œil. Et touché de vous revoir, cela faisait tellement longtemps… *So long !* Vraiment, rabbi Shimon, je suis ému… ému jusqu'aux larmes. Je crois que c'est le plus beau jour de ma vie.

Joseph Pinto parlait d'une façon précieuse. Il ponctuait son discours de mots anglais, à la manière des gens de Mogador qui avaient été pendant un temps sous domination anglaise. Quand on était mogadorien, il était du dernier chic de rappeler, l'air de rien, en passant, que l'on était resté un sujet de Sa Majesté. Et en bon Mogadorien, Joseph Pinto se sentait occidental et se voulait ouvert aux idées modernes, au détriment de certaines pratiques religieuses.

Sous le soleil marocain, Mogador faisait figure d'exception. Battue par les vents, fouettée par l'Atlantique, elle s'enorgueillissait d'un tempérament fier et ombrageux, que trempait un climat rigoureux et sauvage. Conquise par les Portugais puis par les Anglais, ouverte à l'Occident, point d'arrivée des caravanes d'Afrique noire, drainant les marchandises précieuses, Mogador avait été créée, autour d'un village de pêcheurs, par Moulay Mohammed ben Abdallah. Le sultan avait recruté, parmi les juifs, douze commis d'État pour la ville nouvelle. Il leur avait accordé des privilèges jamais consentis à des dhimmis : ainsi étaient-ils soustraits à la bastonnade à laquelle les sujets du royaume étaient soumis lors d'un délit. Ces juifs appelés *Toujjar esseltan*, les « Marchands du sultan », avaient formé une sorte d'aristocratie à l'intérieur de la ville. Pour leurs activités commerciales, ils voyageaient en Hollande, en France et en Angleterre, ainsi étaient-ils devenus les premiers juifs cosmopolites de l'Empire chérifien. Ils possédaient d'immenses fortunes, et des palais dans la Casbah. Plus tard, lorsque le pouvoir chérifien était entré en décadence, ils avaient acheté des protections étrangères. Ils étaient devenus agents diplomatiques, pour garantir l'indépendance de leur position.

C'est la raison lointaine pour laquelle habiter cette ville où les juifs composaient la majorité de la population constituait un immense privilège et un signe de noblesse. Aussi les Mogadoriens affichaient-ils un port de tête et un flegme britanniques, et les Mogadoriennes beaucoup de préciosité : invitées à un repas, elles mangeaient peu, de peur qu'on ne dît d'elles qu'elles étaient affamées. Entre le Mogador de la Casbah, où évoluait l'aristocratie mogadorienne, et celui du mellah, où vivaient les gens simples, on célébrait peu d'alliances. On raconte encore l'histoire du jeune homme du mellah qui voulut se fiancer avec une aristocrate de la Casbah. Il envoya son oncle la demander en mariage. « Dites à ce jeune homme que nous l'enverrons chercher lorsque nous aurons besoin d'un domestique », lui répondit-on. Même avec leurs domestiques, les Mogadoriens ne faisaient rien comme le reste du Maroc et exigeaient que leurs serviteurs, stylés et raffinés, apprennent les manières britanniques. Chez les Pinto, pendant les repas, la mère avait coutume d'appeler sa bonne à l'aide d'une petite sonnette placée sous la table, qu'elle actionnait du pied.

Si Joseph Pinto représentait l'avant-garde et l'aristocratie, rabbi Shimon Tolédano, lui, représentait la vieille école. Vénéré de tous, il était célèbre pour son humilité. Un jour qu'il était allé prier dans la synagogue d'une famille importante, à l'occasion d'un mariage, le chantre, frappé par l'honneur de cette visite, s'écria au moment de lire la Torah : « Que se lève notre maître et notre Rabbin, couronne de nos têtes, l'homme humble et juste... » assorti de nombreux qualificatifs. Mais rabbi Shimon Tolédano ne bougea pas de sa place pour monter à la Torah. Tout le monde pensa qu'il n'avait pas entendu l'invitation, et son voisin crut bon de la lui répéter. Rabbi Shimon répondit doucement que ces éloges ne pouvaient pas le concerner, et il refusa de monter jusqu'à ce qu'on l'invitât simplement, sans superlatifs.

Rabbi Shimon avait de nombreux disciples qui devinrent rabbins et enseignèrent la Torah au Maroc et en Israël. En toute circonstance il se conduisait saintement, et ses prières étaient écoutées. Il lisait la Torah comme personne, et sa voix, lorsqu'il entonnait les chants sacrés, faisait le ravissement de tous les orants. Il était le garant de la Tradition, enseignait à la *yéchiva* qu'il avait lui-même fondée et dont il était le principal responsable, et y accueillait tous ceux dont le seul but et la seule ambition étaient d'étudier la Torah. Il apportait à ses élèves son soutien spirituel. À ceux qui n'avaient pas de quoi se vêtir, il fournissait des habits, et faisait des dons à ceux qui n'avaient pas de quoi vivre.

Des écoles de l'Alliance israélite universelle avaient ouvert dans la ville, répandant l'enseignement du français en dépit de et contre la religion. Rabbi Shimon voyait dans cette entreprise un danger pour le judaïsme. S'ils louaient le formidable travail social que l'Alliance avait accompli en donnant des bourses d'études, de la nourriture et des vêtements aux élèves nécessiteux, s'il se réjouissait qu'elle eût organisé des colonies de vacances, ainsi que des associations sportives, il regrettait avec force que ses écoles fassent concurrence aux rabbins dans l'éducation des jeunes juifs. L'Alliance s'était donné pour mission d'occidentaliser les juifs du Maroc. Comme l'école républicaine, elle luttait contre les traditions, le judéo-arabe et l'hébreu, et enseignait le français comme le fleuron de la fierté et de la culture. Pour défendre la Tradition menacée, rabbi Shimon avait pris l'habitude de se rendre chaque jour aux portes de l'Alliance pour parler aux enfants, et leur proposer de venir étudier la Torah chez lui. Un jour, il apprit qu'à Oujda aucun enseignement religieux n'était assuré aux enfants. Malgré la distance, il décida de s'y rendre. Après de longues heures passées dans un train bondé, il arriva harassé près de la frontière algérienne, et parvint à rencontrer les responsables de la communauté afin de les persuader d'ouvrir au plus vite une école pour les enfants. Il leur expliqua la situation, mais personne ne voulut l'écouter. Alors rabbi Shimon se mit à pleurer : « C'est sur moi que je pleure, nos sages ont enseigné que les paroles de celui qui craint Dieu sont entendues. Si aucune attention n'est accordée à mes propos, la responsabilité n'en incombe qu'à moi. » Profondément ému par la détresse du grand sage, le comité se plia à sa volonté et, le jour même, une école fut ouverte.

Rabbi Shimon avait aussi pour habitude de réciter les prières au milieu de la nuit et de pleurer à même le sol la destruction du Temple, aussi sincèrement que si elle était survenue l'avant-veille. Au lever du jour, il se rendait à la synagogue dont il ouvrait lui-même les portes ; il consacrait une grande partie de la matinée à siéger au Beth-Din, s'appliquant à faire régner la justice parmi les hommes. Mais il avait surtout à cœur de vivre dans la plus grande simplicité. « Le strict nécessaire » était sa devise. À son fils qui avait formé le projet de faire construire une maison, afin d'y faire vivre toute la famille, rabbi Shimon objecta : « Ne sais-tu pas que nous sommes des descendants de Yochiah fils de Rehav qui défendit à sa descendance de bâtir des maisons à Jérusalem et qui lui ordonna de vivre sous la tente ? »

De fait, sa maison était semblable à son cœur ; ouverte à tous, elle attirait ceux qui étaient en quête de chaleur. Outre les invités qui y affluaient, elle était également le foyer de nombreux orphelins que rabbi Shimon avait accueillis chez lui et qu'il élevait comme ses propres enfants.

En ce jour de printemps, retirée dans un recoin du patio de la maison de Meknès, Sol regardait son père étreindre rabbi Shimon, son futur beau-père.

– Quel bonheur, disait Joseph, de revoir le maître de la chaîne ininterrompue de la tradition sépharade, le maître des chants des offices du chabbat et des fêtes, et des *piyyutim*[1] ! Merci à celui qui n'a de cesse de transmettre à tous les enseignements gardés vivants dans sa mémoire... ainsi que sa connaissance profonde du Secret des Secrets : les enseignements de la Cabale bien entendu ! Que nul n'a le droit de recevoir avant l'âge de quarante ans ! *Forty years !*

---

1. Poèmes chantés.

Pendant ce temps Messody, épouse de rabbi Shimon, était en train de préparer un couscous, mets des grandes fêtes et des cérémonies familiales. Son fils, Jacob, le futur marié, observait sa mère avec cet air d'adoration et de dévotion totales que les fils sépharades ont pour leur mère. Messody n'avait pas sa pareille pour réussir le couscous, dont elle gardait la recette pour elle, comme souvent les femmes marocaines, car les secrets de la cuisine sont leurs secrets à elles, de mère à fille murmurés, leur tradition ésotérique à elles, leur pacte alchimique, comme la tradition cabalistique de leurs époux qui n'appartient qu'à eux. Pour se rendre indispensables, les femmes avaient pour habitude de donner des recettes fausses ou incomplètes. Le couscous était un plat très compliqué à réaliser – on mettait la journée pour la préparation des occasions spéciales, telles que les fêtes, les naissances, les bar-mitsvah ou les mariages. Chaque famille avait sa recette, sa spécialité, ses variantes. Certains confectionnaient des boulettes au cumin, d'autres une préparation sucrée, faite d'amandes, de pois chiches et de raisins secs cuits ensemble dans du sucre et de la cannelle, ou encore de la courge, ou de la viande cuite dans de l'ail et du cumin. Le plus délicat et le plus difficile était la préparation de la graine qu'il fallait laver et laisser reposer, avant d'ajouter un filet d'huile et mélanger. La vapeur devait faire gonfler la graine. Avec de l'eau et de l'huile, on remuait jusqu'à la disparition de tous les grumeaux avant d'aérer la graine pour qu'elle gardât son aspect fin et fondant, et surtout qu'elle ne formât pas de paquets, ce qui était inadmissible en termes de cuisine orientale. Toute l'opération consistait à obtenir un coucous au grain fin, parfaitement aéré et homogène. Assez sec pour qu'il ne fût pas attaché, assez mouillé pour qu'il ne fût pas sec. Séparer les grains à la main pouvait prendre des heures, sans compter l'épluchage et la préparation des légumes et de la viande.

– Comment est la fiancée ? demanda Jacob pendant que sa mère remuait le couscous. Tu l'as vue ?

– *Tah el keskass ou tah ala rtah.*

Messody émaillait son discours de phrases et de proverbes arabes. Littéralement : « Le couscoussier est tombé sur son couvercle. » Ce qui signifie : il a trouvé chaussure à son pied, ou encore : ils se sont bien trouvés ces deux-là !

Il resta devant elle, sans rien dire.

– Et alors, mon fils que dis-tu ? N'es-tu pas content ? *Elei ma idoui ma isem' ou ellah*[1].

– Je ne veux pas me marier, Maman.

– Calme-toi, mon fils, calme-toi, s'écria Messody, l'air affolé. Tiens, prends un peu de fleur d'oranger.

– Je ne l'aime pas !

– Tu ne l'aimes pas ? dit Messody. Tu ne l'aimes pas ? Mais comment peux-tu le savoir, tu ne l'as jamais vue ! Et puis qui a dit que le mariage était une histoire d'amour ? Tu crois que je l'ai aimé, ton père, moi ! Mon père m'a mariée à lui, j'ai fait comme il a dit, c'est tout. Viens, mon chéri, que je t'embrasse, ajouta-t-elle. Comme tu es beau !

Elle regarda son fils avec fierté ; il était vêtu de l'habit traditionnel : une djellaba blanche et brillante et un tarbouche rouge sur la tête. Il était grand, avec des yeux sombres aux longs cils et un visage droit, émacié.

– Allons, enchaîna Messody pour couper court à la discussion, maintenant on va faire la viande *Queli*. Elle se garde des mois durant.

---

1. « Celui qui ne parle pas, Dieu ne l'entend pas. »

– Bravo, dit Jacob. Les voisins vont encore se plaindre...
– Que veux-tu, tout se perd, tout se perd, dit Messody. Heureusement qu'on a fait la cérémonie de l'acier !

La cérémonie de l'acier avait lieu lors de la naissance d'un garçon pour écarter le mauvais œil et les démons. On disait que l'acier était un remède sûr pour les faire fuir.

– Ah, mon fils. *Yahesra*, soupira-t-elle, l'air immensément nostalgique. *Fayin douk liyam*[1] ? Moi, quand mon père m'a mariée à ton père, j'avais douze ans ! Et ce n'était pas un mariage d'enfants ! C'était un vrai mariage !

Le mariage de Sol et Jacob faisait partie de cette coutume particulière, appelée *Ars del kettaïb*, ou encore « mariage d'enfants ». Cette cérémonie, porte-bonheur pour toute la communauté, était un rituel pratiqué afin que les deux enfants aient une longue vie. Dans certaines communautés de la vallée du Haut-Atlas, les juifs se préoccupaient de deux choses dès que le garçon atteignait l'âge de cinq ans : lui apprendre la Torah et lui choisir une épouse, conformément à la prescription rabbinique. À la veille de la fête de Chavouoth, qui commémore la Révélation sur le mont Sinaï, on avait coutume d'organiser ce genre de mariages. Le garçon et la fille étaient unis l'un à l'autre au cours d'une véritable cérémonie nuptiale suivie des festivités, même si, ensuite, chacun rejoignait sa famille. C'était une cérémonie spécifique aux juifs de Meknès et alentour. Ce mariage d'enfants signifiait une promesse de vrai mariage futur entre eux, et cela réussissait parfois : ils se mariaient lorsqu'ils devenaient adultes. En leur jour de mariage Jacob avait treize ans, et Sol n'avait pas neuf ans.

---

1. « Où sont ces jours ? »

Pendant que Messody réconfortait son fils, que Joseph et Shimon se congratulaient, à quelques rues de là, fumigations et vapeurs épaisses s'échappaient d'une autre cuisine. Le feu brûlait sans discontinuer sous un chaudron où se penchaient deux femmes.

Deux femmes qui ne voulaient pas que Jacob se mariât.

Yacot avait quinze ans et, amoureuse de Jacob, elle était convaincue qu'il lui appartenait depuis le jour où ils avaient échangé ce baiser derrière la synagogue. Elle ne pensait plus qu'à lui. Cela devenait une obsession ; comme si quelqu'un lui avait lancé un *chhour*, un sort. La nouvelle de son mariage d'enfants l'avait terrassée. Elle avait tout avoué à sa mère, Sultana, et à présent, les deux femmes se concentraient au-dessus du chaudron, car elles possédaient un don particulier et ancestral. Yacot et Sultana étaient des *mynounantes* : elles vivaient sous l'influence des djnouns. Elles disposaient d'un pouvoir exceptionnel sur les hommes. Elles n'invoquaient pas seulement les djnouns mais également les *cheitanes* et les *efrits*. Les djnouns, redoutés, jouissaient de la sympathie populaire, mais les cheitanes, sortes d'anges maudits, de diables, de monstres, poussaient les hommes à faire le mal.

En un mot, les deux femmes étaient des sorcières, elles savaient s'adresser aux forces supérieures et contrôler l'influence des djnouns, elles connaissaient les rituels les plus compliqués, les phrases, les rimes, les mots scandés sur un débit incantatoire. Elles pratiquaient l'ascétisme et le recueillement pour augmenter la puissance de leurs sorts, et procédaient à l'élaboration d'un mélange savant d'herbes pour préparer leurs fumigations.

L'arsenal des sorcières comportait des instruments qui pouvaient provoquer de grandes catastrophes, jusqu'à la maladie ou la mort. Dans leur cuisine, on trouvait des aiguilles et des clous pour perforer les images ou des symboles, ce qui, immanquablement, rendait la cible captive de leur volonté.

Sultana prit une poignée de cumin et de graines de coriandre qu'elle plaça au-dessus de la tête de Yacot en prononçant la formule magique :

– « Je rentre sous votre protection et sous la protection des grands et petits parmi vous. »

Sa main se déplaça vers sa propre bouche, dans laquelle elle déposa le cumin et les graines de coriandre, qu'elle commença à mastiquer, avant de lécher la main de sa fille.

Alors elle ouvrit des pots en terre dans lesquels elle avait conservé les herbes, les épices, les goudrons, le mastic, le benjoin. Et d'un recoin de placard, elle tira un autre récipient, d'où elle sortit les éléments nécessaires à la terrible mixture qu'elle entendait préparer et que l'on appelait « la pâte lunaire » : des caméléons, des lézards, des chauves-souris séchées, des crânes de gazelles… Elle était allée chercher tous ces ingrédients à Marrakech, chez le sorcier du souk, à l'endroit où l'on vend les légumes. La pâte lunaire servait à toutes les demandes. Son effet, bénéfique ou maléfique, dépendait des formules incantatoires que l'on allait employer, mais aucune procédure d'envoûtement, de haine ou de mort n'était aussi réussie que pendant la phase descendante de la lune.

Sultana et Yacot préparaient la pâte lunaire selon une recette ancestrale, dans un pétrin neuf soigneusement lavé. Elles brûlèrent du benjoin et de la coriandre sur un réchaud voisin du pétrin. Leurs mots incitaient la fumée à féconder l'eau des sept sources et des sept puits couverts pour le bien et pour le mal. Dès que l'écume apparut à la surface, elles y ajoutèrent du musc, de l'ambre, du mastic, du benjoin blanc, jusqu'à obtenir une pâte blanchâtre d'une consistance gluante.

Elles pouvaient procéder, à présent. Tout était prêt pour l'action de «l'œil». Il ne restait plus qu'une chose à faire : celle à laquelle elles voulaient causer du tort devait être prévenue de leurs manœuvres afin d'être plongée dans un état de crainte et d'obsession de la persécution. Car l'efficacité de la magie reposait sur l'intimidation que provoquait la volonté résolue de nuire. Et résolue, Yacot l'était.

Elle était résolue à détruire ce mariage.

Sol plongea la main dans la pâte onctueuse préparée par les femmes. Elles avaient mélangé les feuilles avec de l'eau chaude additionnée de jus de citron, de fleur d'oranger ou d'eau de rose, pour obtenir une pâte parfumée : la poudre de henné, l'une des plantes du paradis selon la tradition musulmane. On ne coupait pas les feuilles, on les faisait sécher à l'ombre, à l'abri du vent ; le soleil leur aurait fait perdre toute leur puissance. Sol prit le henné dans la paume de sa main, qu'elle referma à l'aide d'un ruban, en attendant qu'il marquât sa peau de sa teinte rouge orangé.

Au bout de quelques minutes, Sol ouvrit la main pour contempler la marque. Elle eut un frisson en constatant que le henné n'avait pas pris... Il était censé laisser une empreinte durant des semaines entières... Que se passait-il ?

Elle ignorait que Yacot s'était glissée dans la salle où avait lieu le mariage, qu'elle avait vu Sol entrer, parée de sa robe aux manches bouffantes, à la longue jupe pourpre tissée de fils dorés, au plastron doré : à neuf ans, elle était déjà très belle. Rien n'avait échappé à sa jalousie. Ni le regard que Jacob, ébloui, avait adressé à Sol, ni celui de Sol, une enfant encore, mais que l'intensité de ce regard posé sur elle avait transformée en une toute jeune femme. Deux enfants frappés par la foudre, surpris par la force du sentiment, deux enfants projetés dans un monde d'adultes par la magie de l'amour. Miracle de l'amour naissant au milieu de la cérémonie, du rite ancestral. Perfection absolue de ces moments qui jalonnent la vie. Ces moments éphémères qui s'étirent, mystérieusement, jusqu'à l'éternité.

Sol était allée rejoindre les femmes pour le henné, ce henné destiné à la protéger de l'œil, et que Yacot avait remplacé par la pâte lunaire, en prononçant les terribles paroles : « Comme les nuages dans le ciel, je veux que Sol Pinto disparaisse. »

Quelques minutes plus tard, eut lieu le désastre. La petite Sol était sortie en courant de la pièce pour chercher sa mère, et lui montrer cette pâte curieuse qui ne marquait rien. Or, les jambes prises dans les plis de cette lourde robe qu'elle n'avait pas l'habitude de porter, elle trébucha dans l'escalier et chuta dans le patio, de toute la hauteur de l'étage. Autour de son corps inanimé, on hurlait. Les bonnes, les oncles, les tantes, les parents, chacun courait chercher quelque chose, des sels, du parfum, de l'eau, un onguent qui pût la ramener à la vie. Les cris succédaient aux chuchotements, les plaintes aux prières. Sa mère hurlait, qui la croyait morte. On la transporta, à moitié évanouie, chez le médecin. Elle avait une côte et un bras cassés, et aussi le dos. Mais elle était vivante.

Sol resta ainsi alitée pendant plusieurs semaines. Quand elle se releva, on lui annonça qu'elle resterait bossue.

Et par peur de l'œil, par superstition et désespoir, le mariage fut annulé.

Sol contemplait la robe d'Esther, cette robe semblable à la sienne, celle qu'elle portait ce jour terrible où elle avait failli perdre la vie.

– Mon fiancé s'appelait Jacob Tolédano, dit Sol. Le grand-père de Charles, de ton fiancé !

Esther regarda sa grand-mère, qui baissa la tête. Un frisson la fit trembler tandis qu'elle comprenait ce que signifiait sa confession. Sol devait épouser le grand-père de Charles. Et elle, sa petite-fille, épousait Charles. Était-ce une pure coïncidence ? Ou l'œuvre d'un chrour ? Elle se ressaisit aussitôt. Elle était française, elle était la fille des Lumières, et non celle des Ténèbres.

– Mais alors, Mamy, tu vas revoir Jacob ! s'exclama Esther.

Sol ne répondit pas.

– Que vas-tu lui dire ?

– Que veux-tu que je lui dise ? Je devais être la femme de Jacob. Je le devais, ma fille, et cela ne s'est pas fait, à cause de l'œil. Ce qui ne se fait pas à une génération s'achève à la suivante. Ainsi le veut le destin…

6.

Suzanne Vital

Suzanne Vital, la mère d'Esther, entra dans la chambre, avec un sourire figé. Elle ne se sentait pas bien, depuis l'annonce de ce mariage. Comme la veille, dans le hall de l'hôtel, elle semblait en proie à une grande tension, l'air paniqué, les mains tremblantes. Avec elle, tout était tellement imprévisible, ses cris et ses pleurs, elle était capable de passer d'un registre à l'autre à une vitesse stupéfiante.

Esther reconnaissait tout cela en sa mère, et cela lui fendait le cœur car elle savait que, sous le masque de la colère, Suzanne était une déracinée, prise dans la tempête qui l'avait menée loin de chez elle, sur un bateau qu'elle ne savait pas diriger.

Esther, malgré toutes ses tentatives, ne parvenait pas à se libérer du lien qui l'unissait à sa mère. Suzanne, de son côté, tentait de s'intégrer à elle pour la désintégrer. Elle aurait préféré qu'elle n'existât pas plutôt qu'elle existât sans elle, ou qu'elle fût heureuse. Elle aimait mieux ne pas la voir plutôt que la savoir à un autre, c'est pourquoi en ce jour où sa fille se mariait, elle était au désespoir.

Esther ne put s'empêcher de ressentir toute sa détresse. Et brusquement, d'un coup, elle fut chargée d'un poids si lourd qu'elle se sentit mal. Tout ce qu'elle avait supporté durant ces années où elle avait été sa confidente, toutes ces années de jeunesse passées à être la mère de sa mère lui revinrent à l'esprit, la faisant chavirer…

Mais en cet instant, sa mère était furieuse. Elle demanda d'emblée à Esther, sans transition, sans entrée en matière, à voir la robe. Alors il lui fallut montrer la robe, attendre son jugement. Esther savait que sa mère détestait cette robe. Elle avait refusé de la mettre à son propre mariage, pour des raisons obscures qu'Esther n'avait jamais élucidées. Elle était outrée que sa fille osât la porter. Elle était en colère contre Sol qui la lui avait donnée. C'était une malédiction, cette robe. Peut-être portait-elle vraiment malheur, après tout ?

– Tu aurais pu la faire reprendre, dit-elle, tu es si maigre. Tu as encore maigri ? Tu fais peur, je te jure. On voit tes côtes… Tu n'as plus de visage… C'est horrible !

Suzanne et elle n'avaient pas du tout les mêmes standards de beauté. Elle était encore plus volumineuse dans cette robe. En fait, elle avait beau suivre tous les régimes du monde, elle ne cessait jamais de se voir énorme, elle se voyait toujours semblable à Suzanne, à sa grand-mère, et à toutes les générations précédentes de femmes qui mangeaient trop de couscous et de graines de courge, appelées « pépites ».

– Tu es sûre de vouloir mettre cette robe, ma fille ?

Pour son mariage, Suzanne n'avait pas voulu faire la cérémonie du henné. Esther sentait bien qu'il y avait une raison à cela, une raison que sa mère lui dissimulait. Suzanne disait détester le Maroc. Elle avait chassé ce pays de sa vie. Elle ne retournerait jamais là-bas. La page était tournée, et tant mieux. Elle avait refusé de mettre la robe pour se marier, elle avait rejeté tout ce qui pouvait lui rappeler ce monde oriental dont elle s'était libérée, affranchie, émancipée. Et chez elle, à Strasbourg, elle n'avait placé que des meubles français sur son tapis marocain bleu et rose. À ses enfants, elle avait donné une éducation française. Pas un mot d'arabe dans leur vocabulaire. Elle-même prétendait ne pas parler l'arabe, elle disait qu'elle avait tout oublié. Mais Esther savait que c'était faux, et qu'elle était capable de mener des conversations entières dans cette langue, tout comme sa propre mère et comme ses sœurs.

– Oui, Maman. C'est la tradition. Et puis c'est joli, cette robe, tu ne trouves pas ?

– Tu veux me rendre malade ! Mais j'oublie que ma santé reste le cadet de tes soucis. Le jour de mon opération, tu n'étais même pas là.

– Je suis arrivée le jour d'après.

– Personne n'était là. J'étais toute seule à l'hôpital. Ni ton père ni ta sœur, ajouta-t-elle avec un sanglot dans la voix. Et à l'enterrement de ta grand-mère, la pauvre, tu n'étais pas là non plus.

– Tu sais très bien pourquoi. J'étais à New York.

– Et tu ne pouvais pas rentrer ? Pour ta grand-mère qui t'aimait tant ? Tu sais ce que ça veut dire, ça ? Ça veut dire que tu ne seras pas présente à mon enterrement !

Deux coups frappés à la porte mirent un terme provisoire aux lamentations.

– C'est interdit, riposta Suzanne, dans l'entrebâillement.

C'est « interdit ». Un mot français, certes, mais une traduction directe du mot arabe *h'ram*. Le quartier des femmes est appelé *harim*. Ce mot signifie aussi bien être séparé, éloigné du contact, qu'être sacré. Suzanne voulait interdire le passage à celui qui cherchait à entrer dans la chambre ; le danger permanent, celui qui prétendait remettre en cause l'ordre établi, l'intrus, qui était-il?

– C'était *lui*, dit Suzanne.

Inutile de demander qui. Bien sûr, c'était Charles.

– « Il » ne sait donc pas qu'on n'entre pas dans la pièce où se trouve la mariée? Décidément, « il » n'a aucune manière. Quand même, épouser un Meknassi! Après tout ce qu'on a fait pour toi! Les mères juives de Meknès, tu sais ce qu'elles disent: épouse une fille de ta religion, de ta ville, mieux, de ta rue. Plus bornée que ça, ce n'est pas possible. Tiens, je suis sûre que ta belle-mère est furieuse que Charles t'épouse au lieu d'épouser... une Berdugo par exemple. De la famille Berdugo de Meknès, tu sais, celle qui habitait la même rue que les Tolédano? Tu vois ce que je veux dire? (S'approchant de sa fille, elle murmura:) Les gens de Meknès sont des sous-développés. Lorsque leurs enfants faisaient pipi au lit, ils les faisaient défiler dans la rue avec un couscoussier sur la tête! Les Meknassis sont les retardés du Maroc! Les Meknassis... Dieu leur a donné tous les sens, le sens de l'humour, le sens de la vie, le sens de l'intelligence, le sens du contact, le sens de l'argent... tous les sens, sauf le sens du ridicule!

Sur ces considérations, Suzanne ferma la porte à clef.

– Pourquoi tu n'appelles plus ta sœur? poursuivit-elle, sans lâcher prise.

– Ça suffit, Maman, je n'ai pas envie de parler de ça maintenant.

– Tu n'as qu'une sœur, ma fille.

– Elle n'a qu'à m'appeler, elle.

– Elle dit que tu ne veux pas.

– Bon, on parlera de tout ça après le mariage, tu veux bien ?

– On n'a qu'une famille, ma fille. Tu vas finir par te retrouver seule !

– Maman... Pourquoi les menaces, maintenant ?

– Je parie que c'est lui qui t'a dit de rompre avec ta famille.

– Qui, lui ?

Suzanne n'avait jamais été capable d'appeler les hommes par leur nom. Même son père, elle le désignait par : « lui », ou « le type », ou encore « le gars ».

Soudain, Suzanne l'entoura de ses bras et murmura :

– Tu sais, nous, on ne veut que ton bien, on est les seuls à ne vouloir que ton bien et à savoir ce qu'il faut pour toi, c'est normal, on est tes parents. On est donc les seuls à t'aimer vraiment. Il n'y a que les parents qui sachent aimer leur enfant. Il n'y a qu'eux pour voir ce qui est bon pour lui et pour savoir le conseiller, tu comprends ? Alors ne t'éloigne pas de tes parents, ce sont tes meilleurs alliés, tes seuls vrais amis. Tous les autres ne te donneront que de mauvais conseils. Il n'y a qu'à tes parents que tu peux te confier.

Elle la serra contre elle, et l'embrassa de toutes ses forces.

Alors, en cet instant, Esther pardonna tout à sa mère : sa superstition, son lot de malheur, sa mentalité populaire, sa crainte, elle pardonna aux générations de grands-mères et d'arrière-grands-mères qui avaient passé leur vie derrière les fourneaux à faire le couscous sans avoir voix au chapitre, et qui gardaient leur haine et leur rancœur enfouies dans le fond de leur cœur.

– Parle à ta sœur, promets-le-moi, reprit Suzanne. Elle a besoin de toi. Tu ne peux pas l'abandonner.

– D'accord, Maman, je vais lui parler.

Esther restait calme en apparence, mais calme comme un chaudron qui gonfle, gonfle et menace d'éclater à chaque instant.

Suzanne la considéra de haut en bas, et de bas en haut.

– Tu sais, ton père a finalement décidé de le donner au type.

– Quoi ? dit Esther. De quoi parles-tu ?

– Du trésor, ma fille.

– Mais quel trésor ?

– Tu sais bien ce que je veux dire. Même si le type ne le mérite pas, ton père pense que l'on ne peut déroger à la tradition. Puisque tu l'as choisi comme époux, ce sera lui qui disposera du secret.

– Mais quel secret ? De quoi parles-tu ?

– Je ne peux rien te dire de plus. Je sais que Moïse l'a reçu des mains de son père, qui l'a reçu des mains de son propre père, et ainsi de suite, depuis les premiers cabalistes ! Et dire que c'est le type qui va l'avoir ! Lui qui confond cabale et cheval !

Sur ces entrefaites, Suzanne quitta la pièce, l'air dévasté comme si c'était le jour le plus sombre de sa vie.

Esther s'allongea sur le lit, les yeux remplis de larmes. Elle se dit qu'elle ne réussirait jamais à rendre sa mère heureuse. Mais parviendrait-elle elle-même à être heureuse ? Pouvait-elle être heureuse sans rendre sa mère heureuse, était-ce possible ou tout à fait impensable ?

Pour quelle raison ce mariage provoquait-il tant de tensions parmi les siens, se demanda Esther. Pourquoi sa mère était-elle si angoissée ? Pourquoi Sol ne lui avait-elle pas dit plus tôt qu'elle avait failli se marier avec le grand-père de son fiancé ? Et quel était ce secret dont Suzanne parlait et que son père s'était décidé à révéler à Charles ?

Pourquoi même avoir eu l'idée de se marier ? Elle aurait mieux fait d'épouser Charles à Las Vegas comme il le lui avait proposé – ou de ne pas l'épouser du tout – comme il le lui avait aussi proposé. Elle se dit que Charles avait en lui une intelligence, une sagesse profondes, et qu'il avait dû pressentir le piège qui se refermait autour de lui. Autour d'eux.

Autour d'elle.

7.

Les quatre matriarches

Yvonne, deuxième fille après Suzanne, était la seule de la famille à être restée au Maroc à cause du travail de son mari, même si elle avait du mal à expliquer sa présence au pays, face à Suzanne qui lui intimait de partir. Mais Yvonne souffrait d'une indécision structurelle qui l'empêchait de prendre sa vie en main. Elle était aussi très matérialiste : elle restait très attachée à sa grande maison, à sa « bonne ». Elle savait que si elle partait, si elle quittait « le type », comme Suzanne le lui recommandait, elle perdrait tout cela.

Colette, la troisième, mère de trois enfants, vivait en Israël où elle avait émigré à la fin des années cinquante. Depuis son divorce, elle était seule à élever ses enfants. Elle travaillait comme vendeuse dans un grand magasin. Sa vie n'étant pas facile, ses sœurs faisaient parfois un petit geste pour l'aider. Il y avait aussi leur cousine Rachel, également divorcée, partie vivre au Canada avec ses deux enfants. Elle travaillait comme secrétaire de rédaction au journal juif canadien *La Voix sépharade*.

Esther considéra les trois sœurs et leur cousine assises avec leurs assiettes bien remplies, qui formaient un drôle de tableau. Suzanne, trônant entre ses sœurs et sa cousine, rassurée par leur présence, continuait de considérer sa belle-famille d'un œil critique, tel un général avant la bataille.

Toutes de la même taille – une bonne tête de moins qu'Esther –, elles se ressemblaient sans se ressembler, comme si chacune avait décliné son physique selon l'identité de son pays. La coupe au carré d'Yvonne était parasitée par la teinte rousse de ses cheveux. Suzanne, elle, qui avait horreur du roux car il lui rappelait le henné des origines marocaines, avait choisi un noir corbeau, mais échouait à empêcher ses cheveux de friser. Colette, depuis qu'elle vivait en Israël, avait définitivement renoncé au défrisage, et arborait donc une sorte de brun crépu avec une coupe à la Néfertiti. Rachel, la plus soignée, la plus mince, avait une chevelure blond décoloré, au brushing parfaitement lisse et quelque peu bombé, à l'américaine, les ongles peints en rose, parfaitement coordonnés à son maquillage rose et violet.

Elles avaient choisi leurs tenues avec beaucoup de soin. Yvonne portait un caftan rouge brodé d'or, Suzanne un caftan de la même couleur et de moins bonne qualité, Colette une tunique bleue, plus simple et sans broderie, et Rachel une sorte de tailleur rose sorti tout droit des années quatre-vingt.

Toutes les quatre avaient une passion pour les vêtements. Elles les achetaient compulsivement et remplissaient leurs placards jusqu'à ce qu'ils débordent. Toutes les quatre étaient des mères passionnées, couvant leurs enfants d'un amour total et absolu. Elles étaient de parfaites femmes d'intérieur, qui tenaient d'une main de fer une maison toujours impeccable. Salariées ou mères au foyer, elles étaient sérieuses et appliquées avec un souci et un soin constants de leurs vieux parents, pour lesquels elles avaient un attachement indéfectible.

Toutes les quatre, initiées par leur mère, connaissaient tous les plats marocains, depuis les entrées de salade cuite, avec la *tchoutchouka*, la salade d'aubergines et la salade de poivrons grillés à l'ail, jusqu'aux desserts et leurs luxuriantes pâtisseries servies après, avec le thé à la menthe. À Kippour, elles farcissaient le pain avec des amandes émondées, le badigeonnaient d'huile et de safran, elles préparaient le poulet aux olives et aux aubergines, et, pour la sortie du jeûne, les gâteaux, le café aux jaunes d'œufs battus avec du sucre, le tajine cuit avec des pommes de terre, et le poulet farci aux amandes. À Pourim, elles préparaient toutes sortes de gâteaux, chacune faisant de son mieux pour réussir le plus beau plateau et l'envoyer à ses voisins comme don rituel. À Pessah, avant la fête, elles faisaient cuire les pommes de terre avec les œufs durs et, le soir, c'était la soupe de légumes aux fèves fraîches, qui demandait une après-midi entière de préparation car elles écossaient les fèves une à une. Il y avait aussi les boulettes et le poulet aux petits oignons, les tripes, les *pastellas di batata*, beignets de pommes de terre farcis à la viande, l'épaule d'agneau aux *terfass* – les truffes blanches –, les petits artichauts piquants, l'agneau avec des galettes trempées dans le jus, et, bien sûr, tous les chabbats, elles cuisinaient le plat rituel de la dafina, qui cuit toute la nuit.

Suzanne fit signe à Esther de les rejoindre. Résignée, la jeune femme se mit en marche vers la mère puissance quatre, sa mère miraculeusement démultipliée, clonée en quatre versions, comme si elle s'était répandue aux quatre coins du monde pour être bien sûre d'être là quel que soit l'endroit où elle se rendrait, et si jamais elle lui échappait, sa mère telle une hydre refermerait sur elle ses huit bras, comme des tentacules, qui l'empêcheraient définitivement de partir. Un gouffre qui l'incitait à la régression fœtale, et qui la vouait, elle, l'enfant, à se développer uniquement dans sa mère, par sa mère, en se nourrissant uniquement d'elle, sans jamais voir la lumière du jour, sans jamais aimer un autre être qu'elle, avec pour ultime horizon le point de départ, la non-existence. La naissance ou la mort ?

En vérité, malgré le rejet de ses origines, Suzanne rêvait du Maroc : la famille regroupée autour du chef de famille, frères, oncles, enfants, petits-enfants, cohabitant dans le domicile paternel. La rue familière, comme une extension de la maison où tous se connaissaient. Le chef de famille, le grand-père, subvenant aux besoins de tous et les fils et filles qui vivaient sous son toit suivaient ses directives. On l'écoutait et on le respectait. En l'absence de grand-père, le mari assumait le rôle de patriarche. Les parents, dévoués et affectueux, se consacraient aux enfants. Mais le vrai pilier de la famille était la mère. Les filles étaient sous sa coupe et ne connaissaient pas d'autre vie. Et si la mère voulait aller au marché, sa fille l'accompagnait. Si elle désirait avoir de la compagnie, sa fille était là. Si elle avait besoin de quelqu'un pour lui rendre un service quelconque, il lui suffisait d'appeler sa fille.

Les quatre femmes, à présent regroupées en conciliabule, discutaient de leurs enfants. Qu'avaient-elles fait pour avoir une telle progéniture ? Quelle honte, quel malheur ! Elles n'avaient certainement pas mérité cela, elles qui avaient toujours été des filles aimantes et parfaitement soumises, elles qui vouaient encore leur vie, leur corps et leur âme à s'occuper de leur mère, pourquoi fallait-il qu'elles eussent des filles aussi « catastrophiques » ? Quelle malédiction leur était tombée dessus ? Quelle erreur s'était produite dans la chaîne de la transmission ?

– La mienne, dit Suzanne, c'est la mienne qui est la pire. Elle m'a mise à la porte, vous vous rendez compte ! Peut-on imaginer pire insulte que d'être mise dehors de chez sa fille !

– Plains-toi, dit Yvonne. La mienne ne m'a jamais invitée. Imagine-toi, je ne sais même pas comment c'est chez elle !

– Oui, on peut imaginer pire, soupira Colette. Bien pire.

– Comment, on peut ? releva Suzanne.

– Comment, tu ne sais pas ? Yvonne ne t'a pas dit ?

– Quoi donc ?

– Yaël, ma fille…

– Oui ?

– Elle sort avec quelqu'un.

– Mon Dieu ! s'écria Suzanne horrifiée, c'est pas vrai. Elle est avec un *type* ?

– Attends, tu vas voir.

– Quoi ?

– Il n'est pas juif.

– Non ?!

– Sur ma vie !

– Ça, dit Suzanne, perfide, je l'aurais juré. Connaissant Yaël.

Sa sœur lui lança un regard outré.

– Qu'est-ce que tu veux dire ?

– Je veux dire que ta fille n'a jamais été très portée sur la religion… À cause du père… si tu vois ce que je veux dire.

– Tais-toi, tu ne sais pas le pire.

– Quoi ?

– Il est arabe.

– Quoi ?

– Il est arabe, je te dis.

– Non !

– Si.

Le regard d'Yvonne confirmait cette information.

– Mais elle veut te tuer ! Elle veut toutes nous assassiner, c'est ça ?

Suzanne gémit comme si elle venait de recevoir un coup de poignard dans la gorge.

– Attends.

– Quoi ! C'est pas tout ?

– Non, c'est pas tout… Vas-y, dit-elle à Yvonne, je ne peux pas.

Yvonne n'osait pas non plus.

– Mais dis-lui, toi, puisque Yaël s'est confiée à toi ! C'est à toi qu'elle l'a dit.

– Et alors ? dit Yvonne. Nous sommes tous des juifs arabes !

– Quoi ? dit Suzanne, affolée. Qu'est-ce qu'il y a ? Qu'est-ce qu'elle a dit ? Vous allez me rendre folle toutes les deux !

– Il s'appelle Jihad, lâcha Yvonne.

– Jihad, dit Suzanne. Comme le *jihad* ?

– Comme le jihad.

Suzanne ouvrit grande la bouche, et pour une fois elle la ferma.

– Et qu'est-ce que tu comptes faire ? demanda Rachel.

– Mais que veux-tu que je fasse ? Tu sais, les jeunes d'aujourd'hui, on ne peut plus rien leur dire. Ils n'écoutent plus rien. Ils n'en font qu'à leur tête. Yaël, je n'ai plus aucun ascendant sur elle.

– Ça c'est vrai, renchérit Suzanne, les enfants d'aujour-d'hui sont des monstres. Regarde les miens. Tu crois que j'ai de l'influence sur eux ? Rien du tout ! Mais tout de même, Yaël... Elle fait ça pour te tuer, non ?

– Je ne sais pas, dit Colette, au bord des larmes. C'est affreux, n'est-ce pas ? Moi qui ai sacrifié toute ma vie pour elle, qui me suis saignée aux quatre veines pour l'élever, voilà ce qu'elle me fait !

– Yvonne, tu vois ce qui t'attend avec tes filles, commenta Suzanne, si tu restes au Maroc.

– Pas du tout. L'avantage de rester au Maroc, c'est que je peux surveiller mes filles de près. Depuis les attentats, tu comprends, on a peur.

– Mais ce n'est pas une vie, dit Suzanne, qui pourtant avait éduqué ses filles exactement de cette façon – sans le prétexte du danger environnant.

– Je sais, oui. L'autre jour, ma fille m'a dit : « J'en ai marre. Je veux bien fréquenter des juifs, mais quels juifs ? » Elle est dans une école où il n'y a que des Arabes et des Français. Elle a une amie musulmane, qui vient dormir à la maison.

– Pourquoi tu restes ? Viens chez nous, à Strasbourg, avec tes deux filles, on te trouvera un appartement à côté de chez nous, elles iront à l'école juive, et ce sera mieux pour tout le monde. Comme ça tu quitteras le *type*.

– Ou tu pourrais venir au Canada, intervint Rachel. *Of course, you can...* Nous aussi on s'occuperait de toi. Tes filles seraient bien là-bas. Regardez... (Elle sortit des photos de son sac, les photos de classe de ses filles.) Elles font partie d'une chorale. C'est une école sépharade vous savez, l'école Maimonide... D'ailleurs, je vais vous envoyer *La Voix sépha-rade*.

– On la reçoit déjà, merci. C'est sûr qu'à Montréal, ils sont sépharades jusqu'au bout des ongles, observa Suzanne, l'air sarcastique, ils nous l'envoient une fois sur deux.

En voyant les pâtisseries arriver, d'un même mouvement, les quatre femmes se levèrent.

Elles revinrent avec les assiettes remplies, sauf Rachel qui faisait attention à sa silhouette.

– En tout cas, la belle-mère est une excellente cuisinière. Tu as essayé ces *makrouds* ?

– Non, fais-moi goûter.

– Tiens…

– Et les *mofletas*, quel régal, dit Colette.

– Et le *palébé*…

– Trop de fleur d'oranger.

– C'est comme ça que je l'aime, dit Yvonne, lorsqu'il est bien mouillé. Sinon c'est trop sec.

– Tu dois en avoir toi, au Maroc ?

– Oui, tout le temps !

– Quelle horreur, ça fait grossir !

Suzanne regarda Rachel qui n'avait rien dit. Divorcée d'un homme juif, Rachel avait épousé en secondes noces un homme d'affaires canadien. Personne n'osait dire du mal de lui, étant donné qu'il était sympathique, mais Rachel se sentait toujours un peu coupable.

– Quel dommage, soupira Suzanne. Quel dommage que tu sois partie au Canada.

Rachel rougit et regarda ailleurs.

– Et ça va avec *lui* ?

– John va très bien, il travaille beaucoup, comme d'habitude.

– Il n'a pas voulu venir ?

– Tu sais comme il est. En dehors de Montréal, il est totalement perdu.

– Quel gâchis, quand même, quand j'y pense.

– L'essentiel, dit Yvonne, c'est que Rachel soit heureuse. C'est tout ce qui compte, Ne'ebibask.

– John est un excellent mari. Il est vraiment adorable, il me donne tout ce dont j'ai besoin.

– Oui, c'est ce que tu dis... Mais on sait bien qu'il est pingre, dit Suzanne.

– Il n'est pas pingre, il est normal ! Il ne veut pas trop dépenser, c'est tout.

– Selon nos critères, on dit qu'il est pingre.

– Vos critères c'est quoi ? C'est de tout dépenser avant même d'avoir gagné quoi que ce soit, c'est d'être toujours endetté et de toujours manquer d'argent, dit Colette.

– C'est vrai que Moïse n'a jamais d'argent. Il s'endette auprès de tout le monde, dit Yvonne.

– Et alors, on vous remboursera jusqu'au dernier sou.

– Je sais, dit Yvonne, c'est pas le problème ! Mais toute une vie comme ça, c'est pas possible, il pourrait faire attention.

– On ne gagne pas beaucoup, tu sais. Il a un salaire de misère en tant qu'enseignant.

– Et toi, demanda Yvonne à Colette, est-ce que tu as trouvé quelqu'un ?

– Non... il n'y a personne.

– Ça fait cinq ans maintenant, depuis ton divorce.

– Et ton voisin, dit Suzanne, toujours là à pointer son nez dès que sa femme a le dos tourné ?

— Dror est un bricoleur ; il m'aide à réparer mes machines.

— Oui, enfin, tu aimes bien quand il vient… Vous prenez le café…

— Non mais elle est folle ma parole ! Qu'est-ce que tu vas chercher là ?

— Rien, rien…

— C'est dommage ! dit Yvonne. Les années passent vite, tu sais… Tu devrais chercher quelqu'un. Il n'y a personne en Israël ? Des divorcés ?

— J'ai rencontré des gens mais, à mon âge, c'est pas facile.

— Viens à Montréal, dit Rachel, je vais te présenter du monde… Dans la communauté, ajouta-t-elle, après un regard noir de Suzanne, il y a plein de gens très bien, tu sais…

— Juifs ?

— Écoute, quand je me suis mariée avec mon ex-mari, la famille était religieuse mais ils mangeaient de la viande de porc à l'extérieur de la maison, moi, je n'ai pas été élevée comme ça, quand j'ai divorcé, je me suis dit il y en a marre de l'hypocrisie, eh bien tu sais quoi ? John est beaucoup plus respectueux de mes valeurs que ne l'était Marc, qui se croyait tout permis. Du coup, je suis redevenue moi-même. Comme j'étais avec mes parents.

— Mais tu en es où exactement : juive ? québécoise ?

— Québécoise, je ne sais pas. Je ne me sentirai jamais québécoise, je parle anglais avec un accent… Mais c'est vrai que je fréquente plus le milieu québécois que le milieu marocain. J'ai passé plus de temps là-bas qu'au Maroc, tu te rends compte ? Je ne me sens plus du tout une immigrante. En même temps, face aux vrais Québécois comme John, je me sens marocaine. Je ne me suis jamais sentie aussi marocaine que depuis que je vis avec lui !

– En tout cas, je ne pourrais jamais vivre là-bas, dit Colette, il y fait beaucoup trop froid. J'ai besoin de soleil, moi. Même quand je vais à Paris, je trouve qu'il fait trop gris.

– Froid ou pas, il faudra bien que tu refasses ta vie un jour, dit Yvonne.

– Toi, dit Suzanne, tu peux parler ! Est-ce que tu as refait ta vie ?

– C'est pas pareil, j'habite le Maroc, dit Yvonne, en avalant un makroud, il ne reste pas beaucoup de juifs là-bas. Et puis je suis toujours mariée, moi !

– Tu devrais arrêter de manger autant, dit Suzanne. Tu vas finir par éclater.

– Laisse-moi, la nourriture est le seul plaisir que j'ai dans la vie.

– Arrête de te plaindre et fais quelque chose ! Pars !

– C'est mon pays. Et c'est le vôtre aussi. La nationalité marocaine ne peut pas s'acquérir mais elle ne peut pas se perdre non plus. Mes filles, je les enverrai étudier en France ou au Canada.

– Pourquoi pas en Israël ? dit Colette.

– Non, Israël c'est pas bon pour nous.

– Non mais ça a changé ! Les sépharades ne sont plus tous à Dimona, dans le désert. Ils ont des postes importants partout, même dans l'armée. Regarde le fils Bouzaglo.

– Isaac Bouzaglo, il en a bien bavé, dit Colette.

– Il n'a eu que ce qu'il méritait, dit Suzanne.

– Oh là ! On dirait que tu lui en veux, toi, dit Yvonne. Tu te souviens qu'il était très amoureux de toi ?

– Qu'est-ce que tu vas chercher ?

– Il était amoureux de toi ! Vous deviez vous marier, quand même ! dit Yvonne.

– Oui, c'était il y a très longtemps…

– Je me souviens de votre henné, à la maison. Maman avait fait un couscous extraordinaire ! Particulièrement réussi. Je n'ai pas compris ce qui s'est passé.

Il y eut un silence.

– Mais oui, qu'est-ce qu'il s'est passé, en fait ? demanda Rachel.

– Il s'est passé que j'ai rencontré Moïse ce jour-là. Je ne l'avais jamais vu avant. Il ne me l'avait pas présenté… Et voilà, ça a été le coup de foudre. Le lendemain, j'ai rompu avec Isaac. Probablement la meilleure chose que j'aie faite dans ma vie.

– Dis donc, ça a dû te faire bizarre quand Esther a fréquenté Noam ? dit Colette.

– Fréquenté ! Fréquenté qui ? s'écria Suzanne, en s'étouffant.

– Je crois que tu as fait une gaffe, murmura Yvonne.

– Tu peux répéter : Esther fréquentait qui ? dit Suzanne d'une voix étranglée.

– Eh bien, pendant un été, il y a deux ans, ils se sont vus.

– Ils se sont vus comment ?

– Juste vus, dit Colette. Ils sont devenus amis.

– Comment le sais-tu ?

– Ils sont venus chez moi !

Suzanne s'affala soudain, l'air abattu. Ses yeux allaient à droite et à gauche, alors qu'elle devenait blanche.

– Ça va, chérie ? dit Yvonne. On dirait que tu ne te sens pas bien ?

– Je crois que je vais faire un malaise.

– Tiens, prends un peu de sucre, dit Sol, qui venait d'accourir.

— Noam est un garçon formidable, dit Colette. Je le connais bien. Et de toute façon, ce n'est pas lui qu'elle épouse, que je sache !

— Cette idiote d'Esther, dit Suzanne, elle n'a jamais su choisir ses prétendants. Au moins, il ne s'est rien passé entre eux ?

— Comment ça, passé ? dit Colette. Ils étaient bons copains.

— Je veux dire… Enfin… tu vois ce que je veux dire, non ?

— Tu veux dire, est-ce qu'ils ont…

Suzanne fit oui de la tête.

— Non, non ! dit Colette, qui au fond n'en savait rien. Bien sûr que non. Ils se sont vus, un point c'est tout.

— Ah…, dit Suzanne, l'air soulagé.

— D'ailleurs, ajouta-t-elle, il est là, Noam. Je l'ai vu tout à l'heure. Ça prouve bien qu'il ne s'est rien passé de sérieux entre eux.

— Quoi ? se récria Suzanne. Il est là ? Il faut vérifier que Noam n'approche pas Esther. Je peux compter sur vous ?

— Chérie ! dit Yvonne. Bien sûr que tu peux compter sur nous. Mais ça devient un peu compliqué. Explique-moi, si tu ne veux pas qu'Esther se marie avec Charles, pourquoi est-ce qu'on l'empêcherait de voir Noam ? Tu ne veux pas qu'elle grandisse, c'est ça ?

— Mais non, c'est pas ça.

Il y eut un silence.

— Quand même, il a dû t'en vouloir, Isaac, dit Rachel.

— Pourquoi m'en vouloir ?

— Après votre rupture.

— Il nous en a beaucoup voulu à tous les deux, puis il a rencontré sa femme, et on s'est réconciliés, c'est Moïse qui a été le témoin à son mariage, pour te dire ! Non, vraiment, il n'y a pas de problème… Heureusement, en plus, tu te rends compte si je l'avais épousé, la vie que j'aurais eue ! Je serais partie avec lui en Israël.

— Et alors ? dit Colette.

— J'aurais divorcé ! Je serais restée seule, comme toi.

— Moi, dit Yvonne, j'ai compris que je ne pourrais pas vivre seule. Tu vois, en fait, je n'aurais pas aimé être seule quand je suis tombée malade.

— Comme si le gars avait été là pour t'aider ! C'est moi qui me suis occupée de toi, je te rappelle. Toute ta convalescence tu l'as faite chez moi. Alors que moi, poursuivit Suzanne, personne n'était là lorsque j'ai eu ma hernie. Personne. J'étais jetée. Aucune de mes filles n'était là à mon chevet. Quant au type, il était parti comme d'habitude, il n'a rien changé à son emploi du temps. Je suis restée toute seule dans la chambre d'hôpital.

— La prochaine fois, on viendra, dit Rachel, avant de se rendre compte de la gaffe qu'elle venait de commettre.

— Comment la prochaine fois ! C'est ça que tu me souhaites, hein !

— Qu'est-ce qu'elle a ? Hein, Ne'ebibask, qu'est-ce que tu as, Suzanne ? dit Sol qui revenait avec un plateau de pâtisseries. Viens, ma fille…

Sol s'assit près de Suzanne, la prit dans ses bras, elle sanglotait à présent comme un bébé sur le sein de sa mère.

— Mais qu'est-ce que vous lui avez fait ? dit Sol. Viens, ma fille. C'est le mauvais œil… Ça commence, je le sens venir…

Suzanne tout d'un coup la regarda, effrayée.

— Ça suffit, Maman, avec ton mauvais œil ! C'est n'importe quoi ! Tais-toi ! Tu vas finir par nous le ramener !

– C'est la malédiction, continuait Sol, l'air résigné. C'est la malédiction...

– Quelle malédiction ? dit Suzanne, de plus en plus affolée.

– Yacot est là...

– Qui est Yacot ?

– Voyons, ma fille, c'est la grand-mère de Charles ! La femme de Jacob ! La malédiction... Je te dis, ma fille. Le mauvais œil est là. Sur nous. Sur elle !

8.

Le fiancé sépharade

Avec sa couronne dorée, Esther avait l'air d'une princesse orientale. D'une fiancée sépharade, telle qu'elle était en son éternité. Les bracelets de la Semana s'entrechoquaient sur ses bras, et de longues boucles en or se mêlaient à sa sombre chevelure répandue sur ses épaules. Les cheveux d'Esther. Ils évoquaient le paradis perdu des jardins orientaux aux bassins immaculés. Elle les avait coupés court plusieurs fois, mais ils repoussaient si vite qu'elle avait cessé de lutter contre leur force vigoureuse. Elle avait fini par les laisser à leur état sauvage, alors qu'elle rêvait des chevelures disciplinées des mannequins de magazines.

D'un pas qui se voulait léger, mais ralenti par sa robe, Esther s'avança vers la grande salle où se pressaient déjà les invités. Plusieurs personnes vinrent à elle, pour l'enlacer, l'embrasser, lui pincer la joue, la féliciter pour sa beauté, son élégance, et l'appeler « Lalla ».

L'orchestre de cordes commença à jouer des mélodies judéo-arabes. D'instinct, Esther chercha Charles du regard – mais Charles n'était pas encore là.

Sa mère jetait des regards éperdus vers les femmes qui commençaient à danser, vers la belle-famille et surtout vers la belle-mère qui avait rejoint Esther.

La cérémonie du henné allait enfin commencer. Dans la pièce, les femmes s'affairaient, apportant la mixture orange dont la vertu est de protéger l'individu, de former un rempart entre le corps qui en est enduit et les éléments extérieurs nuisibles que sont les démons, le mauvais œil ou la maladie.

En cet instant, Esther y croyait, étrangement. Elle regarda la pâte aux couleurs des épices de la dafina, safran, piment, curcuma. Cette poudre, diluée dans l'eau de fleur d'oranger, qui exaltait les sens, allait marquer sa peau pendant plusieurs semaines.

En embellissant ses mains lors de la cérémonie du henné, la mariée souhaitait trouver grâce aux yeux de son mari... Selon la coutume, la cérémonie du henné faisait passer la jeune femme du statut de fiancée à celui de jeune mariée. Après ce rite, les éventuels prétendants devaient perdre tout espoir de demander les promises en mariage.

C'est le moment que choisit Yacot Tolédano pour faire irruption dans le patio. Elle était vêtue d'une ample djellaba de satin rouge, et avançait, droite et orgueilleuse parmi les invités. Elle s'immobilisa un instant, et chercha Sol du regard.

Sol, assise avec les anciennes autour du henné, l'aperçut à son tour. Un instant, Esther se dit qu'elles allaient se jeter des sorts, se battre, qu'une scène d'une incroyable violence allait avoir lieu. Mais non. Insensiblement, elles se rapprochèrent et, contre toute attente, se jetèrent dans les bras l'une de l'autre. Elles se congratulèrent en arabe, comme s'il ne s'était jamais rien passé, comme si elles étaient les meilleures amies du monde ! Ô femmes sépharades ! À !'hypocrisie si forte qu'elles sont capables d'enlacer tendrement leur pire ennemie, juste après en avoir souhaité la mort ! Ô étrange douceur sépharade, si proche de la douleur.

Alors Sol décida de procéder à la cérémonie. Elle plaça la pièce au creux de la main d'Esther, la recouvrit d'un peu de henné, puis enveloppa la main dans un ruban soyeux, le temps que le henné prît et qu'il marquât la peau d'un point orange.

Aussitôt, la musique traditionnelle emplit la salle, rythmée des trilles ancestraux, réveillant le pacte oriental, la prenant par le corps, avec la danse, dans un protocole immémorial. Musique lancinante et suave, grinçante, parfois, toujours recommencée comme une prière, une longue litanie qui emportait l'âme et le corps en un voyage extatique vers des rituels oubliés, message venu du fond des âges.

Les femmes commencèrent à danser sur un rythme propre à chaque mouvement, laissant une large part à l'improvisation. Parmi les instruments, cordes pincées ou frottées, c'était l'oud qui dominait : ce violon qui évoquait à lui seul tout l'Orient avait longtemps agacé les oreilles d'Esther lorsqu'elle l'entendait sur les disques grésillants que son père passait dans son enfance. Mais ce soir, c'était différent. Cette musique incantatoire l'envoûtait. Abandonnée à sa magie, elle contempla l'assistance.

Où qu'Esther regardât, il n'y avait que des sépharades. Leurs visages hâlés, leurs yeux sombres, leurs sourires, leurs éclats de rire, leurs gestes affectueux, des sépharades. Leurs regards en coin, leurs mensonges, leurs accolades, leurs roucoulades. Leurs coups fourrés, leur hypocrisie, leurs pleurs de joie, leurs peurs, leurs yeux d'enfants, leurs sourires, leur naïveté. Leur façon de dire « non » en disant « oui », de dire

« oui » en disant « non », leur roublardise, leur ruse, leur amour de la vie mouvante, changeante. Leurs histoires à n'en plus finir, leurs moqueries, leur ironie parfois mordante, parfois blessante. Leurs vérités et leurs mensonges, masques de leur âme tourmentée, de leur vie de marranes, leurs cachotteries, leurs secrets. Leurs marchés, leurs négociations, leurs négoces, leur intérêt pour l'argent et leur profond désintérêt pour l'argent, leur générosité, leur grandeur d'âme, leur humanité. Leur humour, comme une façon de vivre et de communiquer, comme une seconde nature. Leur vanité, leur orgueil de sépharades, leur terrible orgueil froissé à jamais à la moindre parole. Leurs humeurs, leurs grandes joies, leur désespoir. Leurs mots d'amour, leurs gestes d'amour, leur amour débordant. Leurs gestes débordants, leurs cœurs débordants, leurs cadeaux, leurs gâteaux. Chez eux, tout débordait. L'émotion, la joie, l'anxiété, la fatigue, la tristesse, la tendresse, la bonté, les pâtisseries, les plats, les ventres...

Leurs familles, tribus dispersées et réunies à la faveur des fêtes, des naissances, des mariages et des morts. Sépharades, unis à jamais dans leurs exils infinis, ayant pour seule patrie leur cœur.

Comme ils se ressemblaient ! Ils avaient la même taille ou à peu près. Ils avaient le teint mat, les traits fins, les yeux noirs, et parfois étrangement bleus, les cheveux sombres, mais toujours cet air de famille qui venait de l'agencement des yeux, du nez et de la bouche, comme les personnages d'El Fayed. Ils avaient le même accent, qu'il fût fort ou juste esquissé, mais il y avait la même intonation. Ils étaient liés au roi du Maroc depuis Mohammed V, à la culture et à la société marocaines, et ils adoraient en parler. Tous nostalgiques du Maroc, fiers de leur identité, à l'aise au Maroc, à l'aise en

France, dans les avions ou dans les bateaux, ils étaient chez eux partout dans le monde. Ils n'avaient pas peur des jeux politiques, et ils étaient d'excellents stratèges. Ils se faisaient aimer de tous, car ils avaient un sens exceptionnel du contact humain. Ils étaient chaleureux et sympathiques, terriblement communicatifs. Toujours dans l'émotion, le pathos, la sensation. Le rire, la joie et les larmes. Bien sûr, il y avait des différences. Ceux qui venaient du Sud, superstitieux et férus des saints, faisaient des pèlerinages sur leurs tombes. S'ils venaient du Nord, ils s'ancraient dans la culture judéo-espagnole, avec un tempérament andalou : ouverts mais fiers, orgueilleux et susceptibles. S'ils venaient de la côte, Rabat ou Casablanca, ils étaient ouverts à la modernité, et européens. S'ils étaient de Meknès, aux confins de l'Atlas, ils avaient l'esprit montagnard, provincial. S'ils étaient de Fès, ils se piquaient de culture, de vie laïque et d'organisation communautaire. Mais au fond, ils étaient les mêmes.

Comme leurs ancêtres, ils savaient l'hébreu, lisaient parfaitement la Torah, connaissaient les cantilations et les ponctuations des textes, avaient un grand-père rabbin, des intérieurs surchargés d'objets, de tapis. S'ils avaient un invité, même inopiné, ils lui servaient le thé et les gâteaux qu'ils avaient toujours quelque part dans un placard de la cuisine. Ils se délectaient de cuisine salée-sucrée, et se damnaient pour un thé à la menthe. Ils se rendaient dans des fêtes pour s'amuser, mais surtout pour manger, car pour eux, manger est une des valeurs fondamentales de la vie. Si la chère était bonne, ils s'extasiaient avec grandiloquence.

Les sépharades... sucrés-salés, doux-amer, drôles et nostalgiques, généreux et orgueilleux, sincères et hypocrites, les sépharades, entre rires et pleurs...

Elle était là, engoncée dans la robe traditionnelle, étrangère parmi eux et familière pourtant, rattrapée par ses origines. Elle était là, à attendre, telle l'épouse orientale, l'homme qui avait promis de l'épouser et qui n'était autre qu'un sépharade.

Tous les stigmates lui collaient à la peau, la musique, la danse, le thé, la superstition comme ce henné qui marquait d'un sceau rouge la paume de sa main fermée. L'émotion lui serra la gorge tel un étau.

Les femmes faisaient onduler leurs hanches en de longues rotations, de droite à gauche, de gauche à droite. L'une d'elles dansait particulièrement bien. Un groupe se forma autour d'elle. Esther fut submergée par la sensualité de la danseuse, dont les déhanchés rappelaient l'enfantement, et la célébration de l'amour.

Puis elle pensa à Charles, à ses mensonges, ses finasseries, ses hypocrisies parfois. Lui avait-il déjà menti ? Que cachait-il ? L'aimait-il ? Bien sûr, il l'aimait. Depuis ce jour où ils s'étaient retrouvés par hasard quinze ans après s'être perdus de vue, il ne l'avait plus quittée. Lorsqu'ils s'étaient séparés, pendant quelques mois, il avait souffert, même s'il n'en laissait rien paraître.

Il y avait ces mots, les mots du fiancé sépharade, miel aux oreilles de la fiancée, lorsqu'il la prenait par la taille et la soulevait, tout en haut, alors elle se sentait à nouveau comme une enfant, mots pleins de compassion, d'amour et de reconnaissance. Sourires du fiancé sépharade, lorsque ce sont les yeux qui sourient, après la nuit, étonnés, heureux, épris. C'est l'amour qui sourit, lorsque les yeux du fiancé se posent sur le visage de la fiancée amoureuse, craintive en son amour, lorsqu'ils la dévorent avant de la dévorer, lorsqu'en une mâle attitude ils prennent possession d'elle avant de l'effleurer, lorsqu'ils l'entraînent déjà dans les abîmes profonds, torrents de bonté, générosité du regard du fiancé qui, en sa profondeur, sympathise avec sa fiancée, pour être aussi son ami, son frère, son âme sœur, chaleur amoureuse et amour chaleureux du fiancé, qui est à la fois mère, père, frère et amant. Dans ce regard du fiancé sépharade, il y a tout le sens de la vie, secret transmis de génération en génération, l'amour comme tradition, bénédiction, étreinte humaine et sociale en même temps que tendresse amoureuse, car il y a, dans le fiancé sépharade, un père qui étreint son enfant, le protégeant à jamais de tous les maux de la vie.

Et les mots du fiancé sépharade, il n'y a plus que toi au monde, plus rien d'autre, plus personne, et tout le reste n'est que douleur, lenteur, lourdeur, séparation de toi et moi, il n'y a plus que toi, tu es l'objet de ma pensée unique, tu me passionnes, me préoccupes, m'inquiètes, m'irrites.

Paroles glorieuses et gaies dans le tendre enthousiasme de l'amour naissant, tu as les plus beaux yeux du monde, veux-tu tout me dire, tu es la plus belle femme du monde, veux-tu tout partager, tu me plais, tu le sais, tu me combles, je t'adore, tu ne t'éloigneras plus, je suis tout près de toi, je ne peux plus me passer de toi. Paroles d'amour sachant célébrer le cœur aimé, je t'aime à en pleurer, tu as un pouvoir sur moi, et les mots n'atteindront jamais la puissance de mon amour.

Amour du fiancé sépharade, et à côté de son souffle, de son odeur enivrante, elle devenait l'infini réceptacle de lui, l'amoureuse aux yeux ouverts, elle était infiniment charmée, elle était très impressionnée, transie d'amour, n'osant bouger de peur de provoquer une onde sur l'éternité, c'était elle la grande inspirée, de son souffle d'amour le découvrant, le recouvrant du grand drap de l'amour, elle était l'adoratrice, actrice de leurs délices, l'amourachée, l'arrachée, la capricieuse au bonheur enfoui dans le creux d'un cou, elle était la perturbée, l'éberluée des sursauts de l'amour, elle aimait tellement quand il disait : c'est délicieux... Quand il disait : merci, merci, il disait : tu te donnes à moi, merci.

Mouvements du fiancé sépharade dans le corps de la fiancée, la moitié de son corps, la moitié de son cœur, la moitié de son âme, moitié d'elle, ne vivant que pour lui, par lui.

Abîme de la fiancée sépharade, lorsqu'il s'éreintait dans la profondeur de ses bras, et disait, tout bas : regarde, regarde-moi. Lorsqu'il proclamait : tu es le sens de ma vie. Et il disait encore : merci, merci.

Dans le lit, le soir, elle ne dormait pas. Elle le regardait, comme une sentinelle, elle veillait sur son sommeil, il rêvait, ses yeux bougeaient, et elle voulait savoir de quoi, elle n'osait le réveiller, le toucher, elle le regardait, trop bouleversée pour dormir. Le corps du fiancé sépharade... Corps massif, brun, animal, grande virilité, charnel et velu, aux odeurs de musc et de santal. Yeux fermés, longs cils. Le fiancé dormait dans sa sérénité d'homme heureux, fier du devoir accompli. Ce n'était pas le corps chétif et malingre, roussâtre et imberbe des fiancés ashkénazes, qui ne dormaient guère, eux, hantés qu'ils étaient par de longs cauchemars angoissés. C'était un corps mat, brut, posé en son repos de bienheureux. Pensées secrètes de la fiancée sépharade... d'amour transie, respectueuse, religieuse de son séjour.

Ô sépharade, à la fois fort, brutal, en sa mâle assurance, et assurément tendre. Violent dans la douceur, sucré dans le salé, puissant dans sa fragilité. À la fois maître et serviteur, enseignant et disciple, qui dans l'acte d'amour excelle car l'amour n'est rien d'autre que la générosité. Et voici que toutes les lumières ancestrales et traditions cabalistiques du don et du retrait se conjuguent dans le mouvement d'amour du fiancé vers la fiancée. Et voici que le fiancé se transforme lui-même en don, et que tout son corps devient caresse. Et voici le sépharade qui réinvente l'amour en sa grandeur et sa nostalgie, sa légèreté et sa profondeur, sa beauté sortie du néant, voici le sépharade qui orientalise le sentiment en plein Occident, préférant l'amitié à la passion, le bonheur au malheur, la plénitude au gouffre, vivant fièrement sa condition d'amoureux, claironnant son amour à tout-va, le chantant, le célébrant à la moindre occasion, et voici le sépharade qui donne aux ébats leurs lettres de noblesse, leur sens mystique et leurs mots lyriques, douceur sur l'amertume, miel sur le ciment, sucre sur les plaies et les blessures. Idéaliste, ombrageux, fougueux, il redresse sans honte l'étendard de l'amour. Fier d'être un homme, aimant les femmes, protecteur et dominateur, surplombant l'amoureuse de son ombre apaisante, le sépharade !

Ô murmures de la fiancée au fiancé, Charles fiancé, unique, trésor de mon cœur, pierre angulaire de la vie, âme, qui que tu sois, où tu que tu sois, attends-moi je viens vers toi, je t'ai compris, j'ai compris qui tu étais, ô sépharade.

Pourquoi n'était-il pas là ? Que signifiait son absence ? Que faisait-il ?

Des gouttes de sueur perlèrent sur son front, elle ne reconnaissait plus personne. Elle s'assit, et but le verre d'eau qu'une vieille femme aux yeux jaunes lui tendait. Charles était en retard, comme toujours. En retard à son propre mariage, ô sépharade ! Esther ôta le ruban noué autour de sa paume sur laquelle était imprimée maintenant la marque rouge orangé du henné. Elle se sentait toujours aussi étrange et brusquement, la salle lui parut un lieu scellé où se dévoilaient les plus noirs secrets. Celui de Sol et de son premier mariage avec Jacob Tolédano, celui de l'agonie de sa mère devant sa robe, celui du trésor de son père, celui de Charles et de son angoissant retard.

Alors elle le vit.

Aux côtés de son père Michel Tolédano, de son frère Ary Tolédano, et de son grand-père Jacob Tolédano, il était là, l'air serein et détendu, le sourire aux lèvres, comme si personne ne l'attendait. Charles.

Livre II

1.

Charles Tolédano

Il est un plat qui résume le monde sépharade : la *skhéna*, ou encore *tfina* qui signifie « la chaude ». Le mot vient de l'arabe *dafina*, qui veut dire « éteint ». Ce plat, que toutes les grands-mères juives marocaines préparent chaque vendredi à Paris, à Be'er Sheva, à Casablanca ou à Montréal, varie selon des recettes transmises de bouche à oreille, et de mère à fille. Chacune a ses spécialités, ses secrets, sa touche personnelle, mais les ingrédients sont toujours les mêmes : la viande de poitrine, les pois chiches trempés toute la nuit, les œufs, les pommes de terre, les patates douces, le riz, le blé, la tête d'ail entière, et les épices, sel, poivre, safran. Et encore, selon les variantes, le paprika, le piment fort, la cannelle, le cumin ou le curcuma, appelé en arabe *kherkoum*, l'épice principale de la dafina qui lui donne sa couleur brique orangé et son goût particulier. L'ensemble cuit dans une grande marmite, sur la plaque chauffante du chabbat, allumée la veille. Chaque aliment prend alors le goût des autres, enveloppé des épices, d'ail et d'oignons. Après ce plat roboratif, dont chaque élément en soi est un mets à lui tout seul, il faut impérativement boire un verre de thé à la menthe et faire la sieste.

Toute l'enfance d'Esther avait été rythmée par la dafina de sa mère, le chabbat midi, et son père la dégustait en pensant à la dafina de sa mère, et sa mère la mangeait en répétant les gestes de sa propre mère même si elle pensait que sa dafina n'était pas aussi bonne, et lorsque Esther partit de chez elle, elle téléphona à sa mère pour avoir la recette de la dafina, car elle en ressentait le manque, le besoin, elle en avait la nostalgie. Mais la dafina qu'elle préparait n'était pas comme la dafina de sa mère, elle n'était pas belle, elle était toute blanche car elle n'avait pas assez cuit, alors que celle de sa mère était dorée, brune et croustillante, presque noire parfois, ce qui représente le sommet de la dafina. Mais on n'apprend pas à la préparer du jour au lendemain, les mères et grands-mères ne donnent pas leur recette d'un coup, il faut la mériter, en la demandant et la redemandant, et parfois cela prend des années après avoir mené une enquête avec recoupements d'informations auprès des tantes et cousines, et puis il faut bien connaître son four, ou sa plaque de chabbat, car c'est important de savoir comment elle cuit. Et pour obtenir un aspect brun, chacune a son secret : on mettra des raisins secs, ou des dattes, ou même un sachet de thé brun. La couleur est aussi importante que le goût, et les connaisseurs savent, juste à la teinte, différencier une bonne dafina d'une dafina insipide.

Tous, famille et amis, attendaient chaque matin du chabbat de découvrir la dafina du jour. Elle n'était jamais la même, et le déjeuner s'ouvrait sur les commentaires, goût, couleur, texture, saveur, qu'elle suscitait immanquablement. La dafina, mets conçu spécifiquement en fonction du rituel du chabbat, devenait presque le chabbat. Y avait-il un chabbat sans dafina ? Au Maroc, c'était impensable, même dans la chaleur brûlante de l'été. Un chabbat sans dafina, c'était un chabbat sans saveur. Dans ce monde où la cuisine faisait loi, la dafina, plat abondant, symbolisait aussi la famille, père, mère, cousins, frères, sœurs, amis. Il était impensable de la préparer pour une personne seule. La dafina, c'était aussi le symbole du temps passé pour parvenir à l'excellence, une philosophie de la vie ; elle rassemblait à elle seule la totalité des valeurs du monde sépharade : le partage, la convivialité, la nourriture, le temps qui s'étire à l'infini dans l'insouciance et la gratuité, la famille, la religion, l'abondance... Inutile alors de faire la conversation, elle s'instaurait, naturelle, sans gêne, sans blancs, chaleureuse, familiale, décontractée : et le plus souvent, elle portait sur la dafina, et peu importait ce qui s'échangeait, puisqu'on était ensemble. La dafina permettait l'abondance et la luxuriance dans la pauvreté, car elle ne coûtait pas cher, à cause de ses ingrédients très simples. C'était sans doute un plat issu du monde berbère, adapté aux lois et aux coutumes juives.

Même si sa dafina était loin de valoir celle de sa grand-mère, Esther avait au moins le mérite d'en connaître la recette car rares étaient les femmes de sa génération qui savaient cuisiner la dafina, ciment de la famille, institution, pilier du judaïsme sépharade. Elle n'était pas comme celles de sa mère et de sa grand-mère car, par souci de sa ligne, elle évitait de mettre trop d'huile. Le plat était moins gras, moins onctueux, moins lourd, moins savoureux. Mais quelle idée avaient eue ses ancêtres de préparer un plat avec des pommes de terre, des œufs, du riz, du blé, des pois chiches et de la viande – en somme, l'antithèse de la cuisine moderne, surtout dans un pays où il fait si chaud. Quelle folie ! Celle de sa mère était faite dans les règles de l'art, mais elle n'avait jamais le temps de préparer la farce de la viande avec des amandes, qu'aimaient ajouter les vrais puristes. Celle de sa grand-mère Sol était parfaite. Épicée, veloutée, avec une couleur brun foncé presque noire, onctueuse et savoureuse ; mais elle ne donnerait pas son secret pour tout l'or du monde, elle l'emporterait avec elle dans la tombe.

Et celle d'Arlette Tolédano, la mère de Charles, n'était pas moins bonne. Elle aussi avait ses secrets, et sa façon de la préparer, avec ses épices et ses couleurs. C'était le grand plaisir de Charles de venir la manger le samedi midi. Pour lui, c'était comme le lait maternel qui ne cessait de s'écouler, ni tout à fait le même ni tout à fait un autre. Charles adorait sa mère, et il adorait sa cuisine, par laquelle il restait relié à elle comme par le cordon ombilical, et elle le savait, elle qui n'avait d'yeux que pour son fils.

– Alors, c'est la fête ! lança Charles, l'air heureux.

Il balaya la salle d'un air satisfait qui se figea soudain sur les *fazuelos*. Un large sourire s'afficha sur son visage, plissant ses yeux aux longs cils qui exprimaient une lueur mi-rêveuse mi-joueuse, dans ce regard velouté qui n'appartenait qu'à lui.

Il pensait à Esther et la cherchait des yeux. Il l'aimait depuis l'enfance. À la synagogue, il traquait ses yeux et lorsque leurs regards se croisaient, son cœur tressaillait. Était-ce sur lui qu'elle dardait ses yeux noirs ? ou sur son frère, ou un autre, peut-être, à côté d'eux ? Il se trouvait indigne d'elle. Il était un cancre, elle était bonne en classe.

Il était arrivé tard à Strasbourg avec ses parents. Déraciné dans cette ville du nord, il admirait qu'elle s'y sentît si parfaitement à l'aise, et qu'elle connût tout le monde. Ils s'étaient parlé pour la première fois bien plus tard, lors de ce fameux anniversaire, mais elle n'était pas venue au rendez-vous qu'il lui avait fixé. Elle restait inatteignable. Il pensait qu'elle était trop bien pour lui, et qu'elle ne voudrait jamais de lui.

La vie de Charles Tolédano était un amusement perpétuel dont il avait fait un métier. Il savait, au fond, tout le tragique sur lequel était fondée sa capacité à rire, mais il n'en laissait rien paraître – trop orgueilleux pour dévoiler ses failles. Il avait décidé de la séduire sur un coup de tête, sans y croire. Comblé, il avait eu du mal à faire face à ce beau cadeau de la vie, il avait même cherché à fuir. Mais il revenait, chaque fois, comme s'il était relié à elle par un fil invisible. Il était en connivence avec elle, de cœur et d'âme. Elle était si belle, si passionnée, si fragile ! Et il aimait être celui qui calmait ses phobies et la délivrait de ses inhibitions, et s'en émerveillait. Il voulait être celui qui la libérerait, même si parfois il se sentait fragile sous son air viril ; il n'était pas moins angoissé qu'elle. Il s'était affranchi de ses chaînes, de sa famille, de son père avec lequel il entretenait des rapports de rivalité, de sa mère qui refusait qu'il partît loin d'elle et n'avait pas compris qu'il avait grandi... sa mère qui lui était aussi précieuse que la prunelle de ses yeux. La tenir à distance n'allait pas sans heurts, sans remords, sans regrets parfois, il rêvait toujours de la famille unie et aimante de son enfance. À vingt ans, il s'était violemment révolté contre l'ordre parental, il avait tout cassé dans l'appartement familial, parce qu'il étouffait sous le joug, parce qu'il avait besoin d'être lui-même et qu'il ne pouvait l'être sans briser le lien fusionnel avec ses parents, avec sa mère en particulier. Elle était lui et il était elle. Il pensait qu'elle l'avait voulu ainsi à cause des générations de femmes qui vivaient dans l'ombre de l'homme et dans la

frustration d'être femmes. Pour elles, c'était un accomplissement de donner naissance à un garçon : et c'était aussi une
occasion de prendre une revanche, de devenir homme en
quelque sorte, de vivre cette vie secrètement jalousée à travers lui. Mais aussi de ne plus le laisser partir car, sans lui,
elle n'existait plus.

Cette famille n'était peut-être qu'un fantasme, voilà la
raison pour laquelle il préférait en rire. Parce qu'elle pesait
trop sur ses épaules, parce qu'il avait besoin de s'en affran-
chir, et quoi de mieux que le rire qui fait tout passer, qui ne
connaît aucune limite ni aucune norme, qui permet de tout
dire, comme par magie, même et surtout l'indicible ? Dans le
fond du cœur de Charles, il y avait tout le contraire du rire :
du désespoir, du tragique, le sens de la fatalité et du destin,
ce à quoi on ne peut échapper. Mais cela, Esther ne pouvait
le comprendre. Elle était tellement dans la vie, elle le poussait sans cesse à reculer ses limites et à aller au-delà de ce
qu'il croyait inatteignable. Que ce soit l'amour, auquel il ne
croyait plus lorsqu'il avait croisé à nouveau son regard, lors
de ce fameux mariage où il l'avait revue, ou encore le travail.
Elle lui disait de travailler, alors qu'il faisait le pitre. Elle était
l'aiguillon de sa vie qui le poussait dans ses derniers retranchements. Avec elle, en général, il n'était pas drôle, il était
sérieux, attentif, aimant, il savait que dans cette rencontre, se
jouait quelque chose de capital, de décisif pour sa vie.

Il était en retard. Elle devait être angoissée de ne pas le
voir. Elle devait certainement lui en vouloir. Il la craignait ; il
avait peur de ses colères, ses angoisses. Il la craignait comme
lorsqu'il redoutait les colères de sa mère, étant enfant. Elle
avait un tel ascendant sur sa personne que cela lui faisait
peur, parfois, lui qui était tellement épris de liberté. Il

n'avait pu la prévenir de son retard, à cause de ce rendez-vous sur la plage, qui lui avait pris plus de temps que prévu. Il tâta la poche de sa veste. Le précieux paquet était toujours là, contre lui.

Esther l'observait, alors qu'il ne l'avait pas encore vue. Juste derrière lui, elle pouvait le contempler à sa guise. Grand, beau, la peau mate, les cheveux et les yeux sombres, le corps ferme, il dégageait une aura, une puissance d'attraction telle que lorsqu'il entrait dans une pièce, celle-ci semblait s'organiser autour de lui. Il y avait en lui un mélange curieux de force brute, animale, et d'extrême sensibilité. Il observait avec acuité tout ce qui se passait autour de lui, et c'était comme s'il essayait de tout retenir, de tout noter. Il s'attachait au moindre détail : rien ne résistait à son regard vif, pénétrant.

Esther était bouleversée chaque fois qu'elle le voyait, elle ne savait pourquoi sa présence avait une telle influence sur elle, qui se sentait toute petite face à lui. Elle avait peur qu'il ne la trouvât pas belle ce jour-là, ou fatiguée, ou mal habillée. Elle se préparait toujours pendant une heure avant de le voir, pour pouvoir s'oublier ensuite, et se plaire dans le regard aimant de son aimé. En cet instant, plus que tout autre, elle était émue, émue et angoissée par ce que sa grand-mère lui avait dit, par ce que sa mère lui avait transmis, et par ce que sa sœur lui avait rapporté. Quelle était la raison de son retard ? N'avait-il pas assez d'égards envers elle pour se montrer ponctuel, au moins une fois, le jour de son mariage ? La colère en même temps que l'amour divisaient son cœur traversé d'émotions mêlées, incontrôlables. Elle avait envie de le serrer dans ses bras et, en même temps, de le frapper et de lui demander des comptes, de lui crier sa rage. Elle lui en voulait de l'avoir laissée seule au milieu de toutes ces femmes, de leurs fantasmes et de leur passé.

Mais lorsque les yeux de son fiancé se posèrent enfin sur elle, elle sentit son cœur fondre dans sa poitrine, et son ventre se nouer, comme si c'était la première fois.

Avant qu'Esther pût l'approcher, au moment où lui aussi la voyait, à la fois rassuré et inquiet, Charles fut happé par un groupe de vieux Marocains qui l'entourèrent en lui pinçant la joue comme s'il avait dix ans. Il leur sourit.

Ses sourcils arqués et ses longs cils dessinaient des ombres sur ses pommettes hautes. Esther aimait sa bouche aux lèvres charnues, son corps robuste bien que svelte, et son cœur se mit à battre plus vite.

Charles était profondément séduisant. Il était le charme même, il respirait la gentillesse et la bonté. Il n'était qu'écoute et sourires. À la radio, sur scène, avec les femmes ou les hommes, en public ou en privé, Charles restait un charmeur. Son arme était son sourire. Un sourire de joie, de bonté. Quand il souriait, ses yeux souriaient aussi, légèrement plissés. Tout le monde avait envie d'être son ami. Cette énergie chaleureuse qu'il savait communiquer faisait son succès. Il avait une présence telle qu'il éclipsait tous ceux qui l'entouraient, même lorsqu'il ne disait rien. Mais c'était rare, car il aimait parler, et faire rire. C'était sa manière à lui de donner.

Avant de rencontrer Esther, il avait eu bien des « maîtresses » dans sa vie, un carnet d'adresses rempli de prénoms féminins qu'il convoquait au choix, mais révoquait aussi vite. Autant il était passé maître dans le jeu de la séduction, autant il ne s'était jamais risqué à l'amour.

Pitre, amuseur public, bouffon, il jouait souvent sur les gammes d'un personnage que les juifs marocains affectionnent, et dont ils se racontent les histoires pendant des nuits entières : Joha, l'imbécile, ou plus exactement le faux naïf, qui joue à être plus bête que tout le monde, alors qu'il est le plus malin. Ce personnage, adoré de tous les Marocains, sous ses dehors simples et rustres, était rusé et manipulateur, et la truculence de ses histoires venait des rebondissements dus au fait que tout le monde était dupe de son double jeu. Charles avait aussi une palette de personnages nés de l'observation du quotidien, les fonctionnaires trop zélés, les machos, les vieilles femmes acariâtres. Dans ses one man shows, il tournait en dérision la culture sépharade, les mères juives, les fils juifs qui n'arrivent pas à s'en détacher, les pères et les grands-pères sépharades qui tentent vainement de s'acculturer en se ridiculisant. Il portait un jugement sévère sur les Marocains. Il disait que pour eux, tout était calculé, y compris l'amour qu'ils donnaient. Dans ses spectacles, il épinglait les maris qui pouvaient se fâcher contre leur femme si elle ne leur avait pas servi du poisson le vendredi soir. Il se moquait de leur orgueil, de leur façon de tout prendre de front.

Se livrant à elle, il avait raconté à Esther son angoisse de vivre avec ses parents qui se disputaient tout le temps, sa mère qui disait à ses enfants qu'elle ne restait que pour eux, son père qui voulait partir, qui faisait sa valise, sa mère qui le suppliait de rester, de revenir. Il en avait conçu une horreur des rapports de force, des histoires et des bagarres, il voulait trouver les mots qui détendent et qui apaisent, et ainsi, il avait construit sa vie dans le rire et la dérision.

– J'aime mieux rester en dehors de tout ça, avait dit Charles lorsqu'ils avaient abordé le sujet de la religion. De toute façon, je ne serai jamais un rabbin.

– La question s'est déjà posée pour toi ?

– Comme chez tout juif marocain, dernier de la lignée des sages. Dans ma famille, ils l'étaient tous de père en fils, jusqu'à mon père. Mais avec moi, c'est fini. Regarde ces fossiles, avec leur fort accent, alors qu'ils veulent faire croire qu'ils sont intégrés ! Tellement orgueilleux, alors qu'ils sont une espèce en voie de disparition ! C'est ça qui provoque l'antipathie pour le Marocain. Le rabbin marocain se laisse embrasser la main. Son orgueil n'a pas de limites ! Le judaïsme en diaspora n'a pas d'avenir, et ce n'est pas grave...

– Si tout le monde disait cela, nous n'existerions pas toi et moi.

– On existerait sous des formes différentes. Ou on n'existerait pas. Qu'est-ce que cela changerait ? L'important c'est de vivre, ici et maintenant, de prendre du plaisir. Mon objectif dans la vie, c'est d'arriver à en prendre et à en donner le plus possible.

Charles était parfaitement à l'aise en diaspora. Il était ce que l'on appelle, ce que les parents d'Esther auraient appelé, non sans mépris, un juif assimilé. Se marier avec une « goy » ne lui aurait posé aucun problème. Il ne s'effrayait pas davantage de perdre ses racines marocaines, de se dissoudre dans le monde.

– Mais crois-tu vraiment que « le monde » veuille de toi ? lui disait Esther. Dans quel monde vis-tu pour ne pas sentir ce qu'ils pensent ?

Esther pensait qu'aux yeux « des autres », ils seraient toujours des juifs. Même s'ils faisaient semblant, ils ne feraient jamais partie du même monde. Même s'ils étaient invités chez eux, ils ne seraient jamais admis, ils resteraient pour toujours des juifs.

Charles riait maintenant au milieu d'un groupe d'hommes d'une cinquantaine d'années. Il se laissait prendre par la taille, posait des questions avec le même accent, des questions bêtes pour des réponses bêtes, l'important étant de se prendre par le cou et de finir par une bonne accolade, une rigolade, simplement pour signifier qu'on était heureux d'être ensemble.

Et voici Charles au milieu de ses amis, Dan, son ami de toujours, David, son cousin, Éric, William, qui vivait à Paris avec femme et enfant, profondément désespéré par la vie. Joyeuse bande de sépharades, blagues à n'en plus finir, mâle identité affirmée toujours plus haut, plus fort, par de grands éclats de rire, des appels à la cantonade, des gestes affirmés, hommes heureux d'être des hommes, considérant leur masculinité comme une valeur sûre, comme une supériorité, mais aimant les femmes car aimant les dominer. Hommes dévoués à leur culture masculine, et si Dan était le seul à ne pas être en couple, personne ne se serait avisé de lui faire des remarques. Car ces hommes-là, ces mâles, aimaient les femmes comme on aime la bonne chère, les grands vins ou les bons cigares. Ils aimaient les regarder, les détailler, ils aimaient en parler ensemble, en discuter, faire état de leurs conquêtes et de leurs assauts, de leurs performances, sachant que l'essentiel, pour eux, était ailleurs : mais où ? Quelque part sans doute dans cette camaraderie, cette amitié, cette virilité partagée : dans l'affirmation d'eux-mêmes comme hommes. Les femmes n'étaient pas un but mais un moyen pour eux d'affirmer leur condition, leur pouvoir, leur puissance.

Éric, marié, deux enfants, inspirait le respect à tous par sa sagesse et sa philosophie désabusées mais légères : « C'est comme ça, vieux, et on n'y peut rien ; alors autant en rire. » Ils étaient ensemble, à bavarder, à expérimenter indéfiniment leur connivence, à se raconter l'histoire un peu fallacieuse mais agréable d'amis unis dans la vie. Ils se déplaçaient en bande, juste pour boire, jouer, séduire les filles. Ils aimaient refaire le monde. Mais en fait, en se tenant côte à côte, ils se forgeaient une sorte de personnalité commune, un mélange d'eux, de leurs expressions, de leurs pensées, de leurs opinions. Chacun était un hybride de l'autre. En tombant amoureuse de l'un, on pouvait aussi bien s'amouracher de l'autre, tant ils étaient, dans le fond, semblables, tant ils s'étaient construits l'un par rapport à l'autre, l'un par l'autre.

Le cœur battant, Esther s'approcha de Charles, qui lui sourit, enfin : sourire de salutation, de connivence amoureuse et respectueuse, puisqu'elle allait devenir sa femme, sourire presque timide, impressionné, distant.

– Ça va, Esther ?

Comme elle ne pouvait pas lui dire ce qu'elle avait à lui dire, tout le monde les regardait, elle murmura :

– Tu as l'air tellement à l'aise parmi eux. Tu parles comme eux, tu manges comme eux, tu les embrasses et les enlaces.

– Eux ? Qui « eux » ?

– Les sépharades.

– Pourquoi tu dis ça ? remarqua-t-il l'air surpris. Et toi, tu n'es pas sépharade, peut-être ! Laisse-moi admirer ma princesse sépharade dans sa robe des *Mille et Une Nuits* !

Paroles de miel et de sucre. Yeux de velours.

Il s'écarta d'un pas et surprit son regard embué de larmes. Il voulut l'interroger mais, avant qu'il pût ouvrir la bouche, il fut littéralement aspiré par une vague de vieux beaux Marocains.

Sépharade, se dit Esther : faire semblant, ne pas dire ce qu'on pense, et ne pas penser ce qu'on dit, dire une chose et en faire une autre, faire mille promesses et ne jamais les tenir, donner des rendez-vous et ne pas venir – ce rapport à la parole qui fait qu'elle était vraie sur le moment, mais plus le lendemain. Pour le sépharade, la parole est intimement liée au temps, alors que, pour l'Occidental, la parole lutte contre le temps, elle est ce qui perdure dans le fleuve d'Héraclite. Esther était droite comme un I, alsacienne, presque allemande. Elle était peu expansive, elle se sentait très bien dans les pays d'Asie où il est difficile de lire sur les visages. Elle trouvait cela rassurant : on ne pouvait y lire de fausses émotions.

Dans le grand salon, ils avaient recréé une ambiance qu'elle reconnaissait, et qui devait être celle du mellah. Ils se congratulaient, s'embrassaient et se pleuraient dans les bras. Ici, se dit Esther, tout n'est qu'émotions et affects. Il n'y a pas d'échanges en dehors de celui du cœur qui aime, qui pleure, soupire et s'angoisse. Les visages expressifs variaient au gré des conversations, en peu de temps, entre l'appréhension, la joie, le regret, la contrariété, la colère.

Pendant que Charles disparaissait dans un groupe d'hommes, Esther fut happée par les femmes. Elles lui racontèrent mille et une choses, elles lui parlèrent du Maroc.

Il y avait là une femme de Meknès dont le père avait un cinéma itinérant. Lorsqu'elle était enfant, il l'emmenait dans toutes les villes du Maroc : quand il avait reçu le film *Les Dix Commandements*, il l'avait envoyé au roi, qui l'avait fort apprécié, mais ils n'avaient pas eu le droit de le projeter en public. Une dame de Mogador se flattait que son père fût anglais, et disait, sans qu'Esther la connût : « Je t'adore, ma fille, je t'adore »... Mais quel était donc le sens de tous ces mots, et la vieille Simha qui disait qu'Esther était comme sa fille, même si elle ne l'avait vue que deux fois dans sa vie, et qui racontait des histoires de chaussures Bata dont l'usine était au Maroc, et qui parlait de son employée de maison qu'elle accusait de la voler ? D'autres femmes arrivaient, qui évoquèrent les ashkénazes en regardant à droite et à gauche pour s'assurer qu'il n'y en ait aucun : « Tu vois, il n'y a qu'un ashkénaze ici, eh bien, il est lourd, c'est le seul à être antipathique. Tu sais ce qu'il m'a dit ? Il m'a dit que les sépharades ne sont pas évolués, tu te rends compte ? Mais je lui ai dit : "Moi, monsieur, lorsque vos ancêtres vendaient des bestiaux, les miens étaient conseillers à la cour du roi !" »

Toutes les femmes étaient vêtues comme des princesses andalouses, maquillées de khôl à l'intérieur de l'œil, à la manière des Arabes et non des Occidentales qui le posent par petites touches à l'extérieur pour le souligner. C'est toute une conception de la beauté de la femme, cette façon de mettre le khôl. À l'intérieur, il rend l'œil plus petit, étiré, à moitié fermé, lascif et cajoleur ; à l'extérieur de la paupière, le fard fait l'œil innocent et grand ouvert. C'est l'Orient contre l'Occident, Salomé contre la Vierge Marie, Bethsabée contre sainte Thérèse. Ici toutes les femmes avaient le khôl à l'intérieur, qu'elles fussent du 16e arrondissement ou de

Neuilly, comme le signalaient leurs coupes au carré impeccables, telle cette Mogadorienne avec son accoutrement extraordinaire composé d'un foulard sur une frange bien épaisse à la Louise Brooks, des cheveux longs et raides poivre et sel, des yeux soulignés au khôl, le visage encadré de deux énormes boucles d'oreilles, et le corps emmailloté dans un tissu soyeux du même ton que sa peau hâlée. Elle aussi appelait Esther « ma chérie » et lui confiait des choses intimes alors qu'elle ne la connaissait pas… Elle parlait, n'arrêtait pas de parler, racontait Mai 68, Saint-Germain, Les Deux Magots, c'était comme la rue de Jérusalem du mellah de Meknès. Elle avait traversé la révolution sexuelle en pensant que c'était la période la plus romantique de sa vie. Elle disait : la France nous a tout donné, je ne me plains pas d'y vivre ; on s'habitue à tout, même au froid.

Mais en fait, comment s'habituer au froid de la rue et au froid des cœurs ? Le froid glacial des conversations qui s'étirent, parce que les gens ne savent pas communiquer. Entre ceux qui ne se parlent pas, et ceux qui se racontent, se livrent, se donnent tout d'un coup et disent « ma chérie » à quelqu'un qu'ils voient pour la première fois… où était donc sa place ?

Esther laissa les femmes pour retrouver Charles. Il avait les yeux brillants, un peu trop. Il avait fumé du haschisch. Elle le savait à présent. Telle était la raison de son retard. Il avait certainement fumé pour oublier. Oublier qu'il se mariait, qu'il allait perdre sa liberté pour devenir mari et père, plus tard, que sa vie nouvelle allait commencer et ce, par sa faute à elle.

Suzanne surgit alors, faisant un barrage de son corps pour empêcher Esther de parler à Charles.

– La nuit est tombée ! dit-elle. Je te rappelle que la

coutume veut que les époux ne se parlent plus jusqu'au dais nuptial.

Esther attendit patiemment, en essayant de faire des signes à Charles qui ne remarquait rien. Elle commençait à envisager de pousser sa mère pour passer, lorsque cette dernière fut entraînée par l'une de ses sœurs, et Esther se précipita vers Charles, pour lui dire quelques mots avant le moment fatidique, mais ce fut son père, Moïse, qui cette fois l'intercepta.

– Venez, Charles, dit-il, j'aimerais vous parler.

– Moïse ! Je suis désolé, je ne vous ai pas encore salué ! dit Charles, l'air avenant.

– Pas ici, dit Moïse, dans le bureau si vous le voulez bien.

Moïse avait un visage qui exprimait la gravité de l'heure.

Le regard de Charles, distrait, étonné, croisa celui d'Esther.

Interdite, elle le regarda quitter la pièce.

2.

Noam Bouzaglo

Charles et Moïse furent aussitôt suivis par les disciples du père, ses amis qui ne le quittaient jamais, ainsi que Michel Tolédano, le père de Charles. Étrange assemblée qui s'éloignait, avec des airs de conspirateurs.

Esther les observa avec inquiétude. Qu'est-ce que son père pouvait bien avoir à dire à Charles, lui qui n'avait pas daigné lui adresser un mot depuis le moment où elle et lui étaient sortis ensemble ? Quel était le sens de cette réunion ? Quel était ce mystérieux secret dont lui avait parlé sa mère ?

Esther sortit sur la terrasse et contempla la ville de Tel-Aviv, ses bâtiments modernes animés de lueurs dans la nuit. Cette ville qui ne s'arrêtait jamais de vivre et dans laquelle elle se sentait étrangement bien. Elle ne pouvait s'empêcher de penser à chaque fois qu'elle aurait dû vivre dans ce pays, qu'elle le pourrait encore, si elle le voulait. Et puis elle rentrait en France et elle oubliait qu'elle n'avait pas la force de partir. Était-ce par lâcheté, par indolence, par laisser-aller ? Ou parce qu'elle aurait eu du mal à s'exiler, puisqu'elle était française ? Elle se sentait attachée à son pays plus profondément qu'elle ne le croyait, chaque fois que se posait la question de savoir si elle devait partir. Et pourtant, elle ne pouvait s'empêcher de penser que sa vie était peut-être ici, en tant que juive, que la chance d'avoir une terre, après toutes ces errances, ces discriminations, ces persécutions qu'avait subies son peuple, rendait caduc tout autre projet. Esther ne savait pas au juste quand elle avait commencé à aimer l'idée d'Israël, ni d'où cela lui était venu. Sa culture ? son éducation ? Mais elle ne gardait aucun souvenir d'une quelconque injonction parentale ni d'une véritable éducation sioniste. À quinze ans, elle était partie en groupe dans un kibboutz, non loin de Jérusalem. Elle avait ressenti une émotion incroyable à l'idée d'être là, sans savoir pourquoi. Quand elle était revenue de ce voyage, elle avait changé. Elle en avait été définitivement transformée. Le sentiment exaltant de ne pas être seule, d'appartenir à un peuple, à un projet plus vaste, plus lointain que son destin individuel rendait son existence importante. En France, elle était en apesanteur. En Israël, d'une certaine façon, elle était à sa place. Ses racines étaient en Europe, en Afrique, au Maroc, mais c'étaient des vicissitudes de l'existence qui devaient l'amener vers sa véritable origine, Israël, terre des ancêtres, de ses ancêtres. En Israël, elle était chez elle. C'était un pays où elle ne se sentait pas singulière, différente, un pays où personne ne la voyait en tant que juive. En Israël, son identité juive s'épanouissait en même temps qu'elle disparaissait dans une identité collective. C'était le repos de l'âme, une âme pourchassée, une âme en exil au milieu des peuples et les cultures, transportée de pays en pays, de siècle en siècle, de pérégrinations en transmigrations, et qui trouvait enfin sa terre d'accueil. Cela venait d'un temps lointain, immémorial, où les sépharades expulsés avaient compris que l'Espagne n'était plus leur patrie, qu'elle ne le serait plus jamais, et leur cœur rempli de détresse s'était alors souvenu de Sion. Et, d'époque en époque, certains étaient partis, à pied, à cheval ou en bateau. Et d'autres, ceux qui restaient, n'avaient jamais cessé d'y penser. Mais à tout instant ils songeaient à Sion, l'évoquaient dans leurs prières. À toutes les époques, ils partaient sur les chemins aventureux, et nombre d'entre eux avaient péri sur la route, avant d'avoir atteint la Terre promise. D'autres étaient arrivés jusqu'au lac de Tibériade, s'y étaient installés, sans aller jusqu'à Jérusalem. Et elle, se demandait-elle à chaque voyage, que faisait-elle donc en diaspora ?

– Ça va, Esther ? lui dit une voix grave et chaude avec une pointe d'accent israélien.

Elle se retourna.

Dans la vie, se dit Esther, en reconnaissant son interlocuteur, tout arrive toujours en même temps. Il y a des moments de grand calme où rien ne se passe, et des moments où tout se précipite. Des années peuvent s'écouler sans que rien ne change, rien ne progresse, et en l'espace de quelques jours, de quelques mois, les événements se précipitent et bouleversent les destins. Et pour qui ne sait pas saisir sa chance, ni faire les bons choix entre toutes les occasions qui se présentent, la vie n'offre pas toujours une seconde chance, si bien qu'un jour il est trop tard.

Esther avait connu Noam Bouzaglo en même temps qu'elle rencontrait Charles. Noam était le fils d'Isaac Bouzaglo, le meilleur ami de son père, son ami d'enfance, parti vivre en Israël alors que Moïse émigrait à Strasbourg. Elle l'avait revu par hasard dans l'avion qui l'emmenait vers Tel-Aviv. Il s'était arrangé pour s'asseoir à côté d'elle. Esther avait été immédiatement séduite par lui.

Elle lui sourit. Il n'avait pas changé. De lui, émanait une sorte de force brutale et virile, qui le rendait presque irrésistible. À trente-trois ans, Noam était un athlète, au corps élancé et à la mâchoire carrée, il faisait partie de ces Israéliens pleins de *houtspa*[1] qui n'ont aucune honte et peur de rien. La houtspa avait chassé la *hchouma*[2] qui obsède les sépharades. Cette honte qu'il faut éviter à tout prix, pour préserver le sacro-saint orgueil. Son allure de soldat de Tsahal plaisait à Esther. Noam avait fait l'armée en tant qu'officier et menait depuis une carrière militaire. À travers le peu qu'il lui en avait dit, elle avait senti l'importance de sa mission, de sa vie consacrée à la défense du pays, et elle avait conçu pour lui une folle admiration. En fait, se disait-elle, il sacrifiait sa vie pour assurer une survie possible aux autres, au peuple juif en général, et il offrait une solution de repli à ceux qui persistaient, comme elle, à vivre confortablement en diaspora.

Ils avaient tissé pendant un été une relation platonique faite de fascination réciproque. Par sa famille maintenant bien enracinée dans ce pays, par sa façon d'être, rude, âpre, impoli mais passionné, par ses amis, camarades d'armée avec lesquels il avait partagé des moments que l'on devinait graves, intenses et dangereux, Noam était Israël. En se rapprochant de lui, elle s'abandonnait à sa terre, à la passion qu'Israël suscitait en elle et qui la dépassait. Avec Noam, elle pouvait fantasmer et envisager concrètement de vivre là-bas. Avec lui

---

1. Culot.
2. La honte.

et ses amis, elle avait sillonné le pays, parcouru le désert de Judée et celui du Néguev, fait connaissance avec chaque pierre, chaque vestige et chaque nouvelle maison. Ils avaient fait des randonnées en jeep dans le sable aride, dont, paraît-il, l'homme fut modelé en des temps anciens. Dans ces collines vallonnées qui servirent de refuge aux prophètes, aux rois d'Israël et aux esséniens, régnait un calme trompeur. Partout, Noam emportait son arme avec lui. Ensemble, ils avaient parcouru chaque centimètre de cette terre qu'il chérissait au plus profond de lui, et qui était sienne, et qui était devenue celle d'Esther par un contact charnel, matériel, intime. Une nuit, elle s'était baignée avec Noam et ses amis dans la mer Morte, elle avait eu alors l'impression de renaître, là, à l'endroit le plus bas du monde, entre les falaises escarpées de silex rose, les contreforts de calcaire, les oueds et les canyons, et les montagnes mauves de Moab et d'Édom, qui au crépuscule se détachent sur l'horizon aux couleurs pourpres. Lorsque l'aube était arrivée, ils avaient emprunté le chemin du Serpent jusqu'à Massada, le site archéologique le plus spectaculaire du pays, conçu par Hérode en 35 avant Jésus-Christ, pour être une forteresse imprenable destinée à servir de refuge contre toute rébellion. C'était un palais avec des mosaïques et de grandes citernes d'eau taillées à même le roc, des bains romains nantis d'un système de chauffage astucieux. Ils avaient visité les habitations des zélotes, avec leurs synagogues, leur bain rituel, vestiges qui avaient échappé à l'incendie pour traverser le temps, tel un témoignage de pierre. En 66, un groupe de rebelles juifs surnommés sicaires à cause de leur arme favorite, une dague appelée *sica*, avaient arraché Massada aux troupes romaines qui l'occupaient, déclenchant la guerre contre Rome. Après la chute de

Jérusalem en 70, avec leur chef, ils s'étaient réfugiés dans la forteresse. Mais la Xe légion romaine, avec à sa tête le général Flavius Silva, comptait plus de quinze mille hommes, contre les juifs qui étaient moins d'un millier. Les citernes contenaient suffisamment d'eau pour tenir un long siège mais les Romains, selon leur technique fatidique, avaient incendié le site. Le brasier calmé, ils avaient pénétré dans Massada, où les attendaient neuf cents cadavres alignés. Les révoltés avaient préféré se donner la mort plutôt que de tomber aux mains des Romains. Ce récit raconté par Flavius Josèphe dans *La Guerre des juifs*, fait partie des mythes fondateurs de l'État moderne d'Israël. Noam avait expliqué à Esther que c'était là, à Massada, qu'il avait prêté serment, au sommet de la forteresse, en disant : « Massada ne tombera plus jamais. » Esther avait retenu son souffle devant les tessons de poteries portant des inscriptions : ils avaient servi de tirage au sort pour désigner celui des résistants à qui incomberait la terrible mission de tuer les autres. Sur l'un de ces tessons figurait le nom de Ben Yaïr. Massada était le symbole d'Israël, pays-forteresse, assiégé de toutes parts par ceux qui n'attendaient que sa chute – ou son suicide collectif.

En redescendant vers la mer Morte, Esther s'était sentie partie intégrante du paysage. Elle était la terre, et la mer, et au-dessus d'elle, le ciel étoilé, et elle était le jour et la nuit, et elle était le désert, son identité dissoute dans la nature particulière de ce pays aux confins de l'Orient et de l'Occident, de l'Asie, de l'Europe et de l'Afrique, quelque part sur la Terre, au centre de l'Univers, là où tout avait commencé.

Plus tard, elle avait rendu visite aux parents de Noam qui vivaient à Be'er Sheva, dans le désert du Néguev. Elle avait rencontré ses amis, hommes au franc-parler et à la rude fierté, charpentés dans leur cœur comme dans leur physique. Ils étaient pilotes, commandants d'armée ou des services secrets, mais ils ne s'en glorifiaient pas, même s'ils avaient beaucoup d'estime les uns pour les autres. Au milieu de ces soldats, elle était comme une petite poupée de porcelaine, et c'est ainsi que Noam la traitait. C'était étrange de les sentir à la fois si différents et si proches. Il aurait fallu qu'Esther s'aguerrît, qu'elle devînt vraiment israélienne, pour partager la vie de Noam. Pour vivre à ses côtés, elle aurait dû devenir une femme forte, s'occuper des enfants, assumer toute l'intendance de leur maison, le quotidien, rester seule et vaillante, tandis qu'il serait à la guerre.

Plus elle se rapprochait de Noam, plus elle découvrait sa force psychologique. À l'armée, il avait subi une préparation physique et mentale, avec des coups ou des passages à tabac pour habituer le corps aux sensations douloureuses, des nuits sans sommeil, des rations alimentaires diminuées, autant d'épreuves indispensables pour préparer le corps aux souffrances physiques, aux lavages de cerveau, aux traitements insupportables qu'impliquaient les missions.

En vertu de son air sépharade, de la couleur de sa peau et de sa facilité à parler la langue arabe qu'il connaissait depuis l'enfance, Noam avait été envoyé en mission d'infiltration auprès des terroristes palestiniens.

Il avait subi l'entraînement qui permet de résister à la torture. On lui avait appris à en reconnaître les phases, à s'y habituer peu à peu sans céder à la panique. Il fallait apprendre à accepter d'avoir peur, d'avoir mal, de devenir misérable, sans cesse humilié dans son corps et son âme. Après l'entraînement, il passait la nuit en observation à l'hôpital, tremblant de froid, les yeux pleins de larmes. Mais aussi se sentant fort, toujours plus fort. Rompu aux courses à travers les buissons d'épines, des heures durant, dont il revenait ensanglanté. Les tirs, les cours de langue, la géopolitique : Israël était un tout petit pays entouré d'ennemis, qui avait dû et devait encore lutter pour sa survie. Israël, le pays-forteresse, c'était Massada : la citadelle assiégée.

Les mouvements palestiniens étaient aussi nombreux que variés, groupes gauchistes, extrémistes religieux, branches des armées officielles et unités secrètes qui exécutaient les ordres... il était difficile de savoir à quel ennemi on avait affaire. Dans cette mosaïque, il ne fallait pas réfléchir rationnellement, à la façon occidentale, et cela, Noam l'avait compris. Il n'était pas question d'appartenir à un parti en détestant le parti adverse. C'était mal vu, voire incorrect. On était ami avec tout le monde, ce qui n'empêchait pas de se planter un couteau dans le dos, si l'occasion s'en présentait : Noam le comprenait intuitivement, ce n'était pas étranger à sa culture, et c'est ainsi qu'il était devenu une recrue d'élite pour son unité. Il savait qu'en pays oriental, il n'y avait pas de parole donnée, et qu'il fallait cesser d'aborder la politique, en terre d'Islam, d'une façon occidentale. Il s'était dit que si les sépharades avaient été au pouvoir en 1948 au lieu des *yekke*, ces juifs allemands, les choses auraient pris un tout autre tour. Il n'y aurait pas eu ce dialogue de sourds et ce choc des cultures, facteur de tant de guerres.

Infiltré parmi les membres du Hamas, il avait dû montrer qu'il était l'un des leurs. Un jour, dans une réunion, devant le discours fanatique d'un mollah, un homme avait hoché la tête en baissant les yeux. Remarqué, il fut molesté. Il avait protesté, alors il fut lynché par la foule en délire, frappé à coups de poing et de pied. Le crâne ouvert dans une mare de sang, le visage et les côtes fracassés, l'homme gisait, mort. Noam avait pensé à ses amis de gauche, en France, en Israël, aux associations de soutien aux Palestiniens. Il avait du mal à ne pas pleurer en songeant à leur naïveté. Il songeait à tous ces attentats, celui du bus de la station centrale à Jérusalem qui avait fait vingt-six morts. Celui du bus de la rue Jaffa, à Jérusalem, dix-neuf morts. Celui du centre commercial de Dizengoff, Tel-Aviv, treize morts... La liste était longue, si longue... C'était une mission vitale qu'il remplissait, et il avait voué sa vie à ce but, et Esther ne pouvait que le respecter et l'en admirer.

Si, au début de leur relation, Noam trouvait sa délicatesse charmante et exotique, et s'était amusé de ses peurs et de ses phobies, de son incapacité à prendre l'avion ou à se déplacer seule, il avait fini par en être agacé. Les attentions et les égards qu'il avait eus pour elle s'étaient insidieusement transformés en ordres. Il s'était mis en tête de la commander. À la manière des soldats, il tentait de briser ses particularités et les inhibitions qui la rendaient mièvre et fragile. Il n'avait pas l'habitude de ses faiblesses, lui qui n'avait eu à faire qu'à des femmes fortes, qui n'avaient peur de rien. En Israël, pays entouré d'ennemis où les habitants étaient déchiquetés par les bombes, il était intolérable d'avoir peur la nuit. Esther avait tenté de changer, de faire des efforts, de se montrer plus indépendante, responsable et solitaire, mais la rudesse de Noam, qui l'avait tant séduite, était devenue insupportable à son cœur avide de tendresse, de reconnaissance, de paroles de sucre et de miel. Noam ne comprenait pas davantage la puissance des liens qui l'unissaient à sa famille. Il ne savait pas au fond qui elle était ni ce qu'elle voulait, et ce qui était au début source d'excitation et de curiosité – leur différence culturelle – avait bientôt engendré conflits et anxiété. De nouveau, Esther se sentait prise en étau. Elle était israélienne en France, et française en Israël. Française dans son rapport aux autres, par la politesse. Française par son rapport à la nourriture, aux repas pris sur le pouce, dans un sandwich-falafel, alors qu'elle avait l'habitude d'un certain cérémonial. Française dans sa rigidité empruntée à la vieille Europe et sa façon d'être et d'aimer – désabusée, à la fois romantique et cynique, idéaliste et désespérée, alors qu'ici tout brûlait d'énergie et de nouveauté, du désir d'avancer dans la vie, de faire la fête et des enfants, d'acheter un appartement, de s'établir bien vite dans un monde incertain.

Lors d'une grande fête donnée pour les cinquante ans de l'État d'Israël, Esther avait ressenti tout le poids des siècles de l'Europe. Cinquante ans pour un pays qui couvrait deux départements français, qui ne cessait de s'inventer et de s'affirmer : c'était peu face à un vieux pays comme la France, perdu dans la routine séculaire d'une splendeur passée, et qui faisait semblant d'exister. En Israël, tout semblait plus fort, plus intense, plus dense. À Tel-Aviv, les longues queues devant les boîtes de nuit jusqu'à cinq heures du matin témoignaient d'une volonté de vivre, de profiter de chaque instant quand l'incertitude du lendemain était le quotidien de chacun. Mais Esther était-elle capable de vivre dans cette énergie ? Voulait-elle fonder une famille, habiter un pavillon, s'adonner aux tâches ménagères pendant que son mari défendait le pays ? Française elle était, tranquille, pouvant se permettre le luxe d'avoir des névroses à soigner, des angoisses autres que celle de voir sa vie menacée par un attentat.

Plusieurs fois durant son séjour, il y avait eu entre eux des moments de flottement. Ils s'attendaient, sans oser faire le premier pas. Esther, parce qu'elle ne voulait ni tromper Charles ni lui mentir, et Noam, parce qu'il était impressionné par elle, et parce qu'il avait des scrupules à la prendre à un autre. Ils se voyaient tout le temps, au point que cela devenait étrange aux yeux de leurs amis, qui ne comprenaient pas pourquoi l'ultime distance n'était jamais franchie. Mais ils étaient restés dans cet état, et s'étaient quittés à la fin de l'été. Chacun avait promis d'appeler, de se revoir bientôt. Bizarrement, ni l'un ni l'autre n'avait tenu sa promesse.

Ce soir, Noam était séduisant dans sa chemise blanche toute simple sur un pantalon noir. Sa peau burinée, ses muscles saillants, son regard sombre et déterminé rassurèrent Esther. Elle se sentit en sécurité près de lui.

– Que fais-tu ici, Noam, qui t'a invité ?

– Pas toi, en tout cas ! Tu aurais pu me prévenir ! C'est mon père qui m'a dit de venir. Tu n'es pas contente de me voir ?

– Je me marie…

– Oui, murmura Noam, à mon grand regret.

Finalement, se dit Esther. Il avait décidé de se déclarer ! Cette déclaration qu'elle avait attendue pendant tout un été, c'était maintenant qu'il la lui faisait. Avec cette houtspa qui le caractérisait.

– Comment vas-tu depuis…

– Deux ans…

Oui, Noam, ce soir, était vraiment beau : grand, massif, ses yeux noirs dévoraient son visage aux traits fins.

Un court instant, Esther regretta leurs tête-à-tête aux terrasses des restaurants hyérosolomitains, ou sur la plage de Tel-Aviv, à discuter pendant des heures, les yeux dans les yeux.

– Je ne m'attendais pas à te voir ici...

– Voyons, Esther Vital qui se marie ! Je ne pouvais pas rater ça. Te voir dans cette robe, quel spectacle !

Elle se sentit vaguement ridicule, et tenta de détourner l'attention.

– Et toi, toujours dans l'armée ?

– Toujours. Je suis très content. On a des projets qui me rendent heureux, qui correspondent à mes envies. Des choses un peu différentes...

Il se tut et Esther vacilla sous son regard. Elle rougit, avec l'impression de planter un couteau dans le dos de Charles, en proie à ce vieux sentiment de culpabilité. Pourquoi ne parvenait-elle pas à parler à un autre homme sans avoir l'impression de commettre un acte infâme ? On aurait dû lui voiler la tête. Sépharade, oui... Cette lignée de femmes prisonnières de leurs fichus et de leur cuisine qui jamais ne sortaient et jamais ne parlaient aux autres hommes.

– Je prendrais bien un verre, dit Noam. Pas toi ?

Il s'absenta quelques minutes et revint avec une bouteille de mahia. Esther but d'un trait. L'alcool lui brûla l'œsophage, puis le feu monta à ses joues. Elle sourit bêtement pour cacher son embarras.

– Ça me fait de la peine que tu te maries, Esther.

– C'est gentil de me dire ça, dit-elle avec sarcasme. Tu sais choisir tes moments, toi.

– Quand je l'ai appris, j'ai eu un choc. Mais je me suis dit qu'il n'était pas trop tard et je suis venu.

– Pourquoi ne s'est-il rien passé entre nous, il y a deux ans, si je t'intéresse à ce point ?

– J'avais peur...

– Peur de quoi ?

– Peur de toi. Tu étais si... française !

– Ça te dérangeait ?

– Non, pas du tout. J'aime les femmes françaises et j'aime la France, tu le sais bien, après tout... Enfin non, je ne les aime pas. Je dis n'importe quoi. Tu me troubles. C'est toi que j'aime. Écoute, Esther, j'ai été stupide. J'ai commis l'erreur de ma vie.

– Pourquoi es-tu venu, Noam ? Pour me donner des regrets ?

– Non, des envies...

– Je me marie. Je me marie ce soir. Je me marie demain. Je me marie pour toute la vie.

– Tu n'es pas sérieuse, Esther !

Lui avait l'air sérieux. Esther se dit qu'il la considérait comme l'enjeu d'un combat qu'il fallait gagner, tant que tout n'était pas perdu, il restait une chance.

Il regarda sa robe, l'air sceptique. À nouveau elle se sentit mal à l'aise. Et soudain elle comprit à quel point elle s'était trompée, le mariage ne libérait pas, bien au contraire, il aliénait la part sauvage et sensible qui était en elle. Elle passait de la domination du père à celle du mari. Elle ne serait pas davantage libre de ses choix, de son corps, de son plaisir, du moins de l'accomplissement de son désir.

En ce moment, par exemple, en ce moment suprême où elle allait se marier, pouvait-elle affirmer qu'elle ne désirait pas Noam ?

– C'est vraiment le bon moment pour te poser cette question, Esther.

– Laquelle ?

– Il n'est jamais trop tard. Te souviens-tu ? Moi je crois qu'il n'est jamais trop tard. C'est ce que je crois.

Esther se rappela cette cérémonie de mariage dans les mines du roi Salomon, près d'Eilat, dans le désert du Néguev, à laquelle Noam l'avait emmenée… Ils venaient de se rencontrer, et pourtant, ce jour-là, ils avaient ressenti la même chose ; cela aurait pu être leur mariage. Ce pourrait l'être un jour. Noam avait tout fait pour l'impressionner. Il l'avait présentée à sa famille, à ses amis, puis ils étaient partis ensemble un peu à l'écart de la fête. Et là, au pied des carrières, dans le souffle du crépuscule sur le désert rougeoyant, il lui avait parlé ; de lui, de ses frères, de son rapport avec la famille, de son père, personnage terrible, dominateur, qui avait élevé ses fils avec une poigne de fer.

Esther repensa à cette soirée de confidences sous les étoiles du Néguev avec un pincement au cœur. Qu'était-elle en train de faire de sa vie, et quel était le sens de tout cela ? Elle aurait pu, en cet instant, être en train de se marier avec Noam. Peut-être l'aurait-elle dû ? Troublée par la présence de Noam, son cœur se mit à battre soudain plus vite, plus fort.

Et à ce moment précis, il y eut une coupure de courant. Pendant deux minutes, ce fut le noir total. Esther sentit le souffle de Noam se rapprocher de son visage. Elle en vacilla d'émotion. Il prit sa bouche. Comme si c'était la chose la plus naturelle du monde. Comme si c'était lui qu'elle devait épouser le lendemain, et non un autre.

Quelques minutes plus tard, la lumière revint. Noam et Esther se regardèrent, bouleversés, transportés malgré eux dans une autre dimension.

Ce fut alors qu'Isaac Bouzaglo surgit sur la terrasse.

– Esther ! Noam ! Mes enfants ! Il s'est passé quelque chose. Quelque chose de grave. Esther, viens avec moi !

Elle le regarda. Il semblait hors de lui, paniqué, des gouttes de sueur perlaient sur son front.

Isaac Bouzaglo : l'ami d'enfance de Moïse Vital, son alter ego, son inséparable compagnon des jeunes années, mais aussi son mauvais génie.

– Je te laisse, dit Noam en glissant sa carte à Esther. Appelle-moi à ce numéro.

« Je te rejoindrai n'importe où. Je t'emmènerai où tu veux, quand tu veux, lui souffla-t-il à l'oreille. À la mer Morte, tu te souviens ? »

Esther le vit s'éloigner et emporter avec lui son propre destin, son destin d'Israélienne ou peut-être simplement son destin de femme ; et elle pouvait encore le retenir. La mer Morte…

Mais Isaac Bouzaglo lui saisit le bras.

– Cette robe, dit-il, visiblement ému, bouleversé même, c'est la robe de ta mère ?

– De ma grand-mère, murmura Esther éberluée. Pourquoi ?

Il la regardait, halluciné, sans pouvoir détacher son regard.

– Que se passe-t-il, Isaac ?

– Quelque chose de grave, Esther, de très grave. Viens immédiatement.

Tel un automate, elle se laissa entraîner par l'ami de son père.

3.

Isaac Bouzaglo

Isaac Bouzaglo regardait Esther dans sa robe de mariée, troublé, comme s'il ne la connaissait pas. Elle ressemblait à Suzanne dans l'éclat de sa jeunesse. Elle avait son allure, sa grâce, sa beauté. Elle ne ressemblait pas à son père.

Moïse était le meilleur ami d'Isaac, depuis toujours. Les chemins des deux amis s'étaient séparés une première fois, lorsqu'ils avaient vingt ans. Moïse avait épousé Suzanne. Isaac se répétait cette phrase, toujours incrédule quarante ans plus tard. Car c'était lui qui devait épouser Suzanne, elle était sa fiancée, sa promise, sa future. Isaac se souvint de la veille du mariage de Moïse. Les deux hommes s'étaient violemment disputés, au point de se battre, une scène mémorable qui avait défrayé la chronique du tout-Fès et du tout-Meknès. Puis Moïse, après son mariage, était parti pour la France : et Isaac savait bien que son départ avait été motivé autant par l'indépendance du Maroc et la création de l'État d'Israël qui avait rendu la situation périlleuse pour les juifs, que par la terrible rivalité qui les avait opposés. Isaac, lui, avait immigré en Israël où il avait rencontré sa femme. Les deux hommes s'étaient séparés, jusqu'au jour où, à la grande surprise de Moïse, Isaac l'avait rappelé pour lui demander d'être son témoin de mariage, signe qu'il lui avait accordé son pardon. Moïse avait pris l'avion, et il l'avait rejoint. Depuis, ils étaient restés en contact étroit l'un avec l'autre.

Entre eux, c'était à la vie à la mort depuis le scoutisme qui avait créé entre eux des liens étroits plus forts que ceux du sang. Dans les camps d'été, les jeunes partageaient une vie commune, des valeurs telles que le courage, la camaraderie, la solidarité, des aventures incroyables dans les forêts de l'Atlas, l'amitié à toute épreuve, l'esprit de conquête des terrains vierges, et la vie au grand air. Si le scoutisme avait conquis les jeunes juifs du Maroc, c'était parce qu'il s'était merveilleusement greffé sur les valeurs du judaïsme marocain telles que la famille, la convivialité, et pour tout dire, l'esprit de tribu. Les scouts étaient avant tout une tribu, une bande de nomades dont on faisait partie ou pas, avec ses codes, ses rituels, ses rites de passage. Chez les scouts, comme dans les tribus, on était totémisé : ainsi, on accédait au rang supérieur de chef, mais au prix de certaines épreuves entourées de secret et de mystère, que personne ne dévoilait jamais, car chacun était lié aux autres par un pacte sacré.

Tous les frères et sœurs d'Isaac Bouzaglo étaient partis avec le mouvement de l'Alyah, après le massacre de Petit-Jean, quand les Arabes avaient sauvagement tué plusieurs juifs du mellah, ainsi que des Français de la ville. Dans les années cinquante, quatre-vingt-dix mille juifs, soit plus de la moitié de la population, avaient quitté le Maroc pour Israël. Il y avait la peur. Et il y avait, inscrit profondément dans le cœur de chacun, cet attrait pour la Terre promise. Depuis des temps anciens, des rabbins venaient convaincre les juifs du Maroc de partir, insufflant en eux la foi en ce pays où coulaient le lait et le miel ; ils semaient en eux le désir, de génération en génération, viscéral, tragique, d'embrasser la terre d'Israël. Souvent, ces émissaires d'Israël, au lieu de repartir vers la Terre promise avec les juifs marocains, s'installaient au Maroc envoûtés par sa beauté et ses sortilèges.

La désertion la plus mémorable fut sans doute celle de rabbi Amram Ben Diwan, natif de Hébron, en Palestine. Il avait été envoyé au Maroc, en 1773, où il fut reçu royalement par la communauté juive. Le premier chabbat de son séjour à Meknès, rabbi Amram Ben Diwan fit un discours enflammé sur le devoir d'Alya en Terre sainte, dans la plus grande synagogue de la ville. Après son appel, de nombreux départs eurent lieu. La rumeur parvint jusqu'au gouverneur de Meknès qui fut obligé de convoquer Amram Ben Diwan pour l'exhorter à plus de modération. Pour le plus grand bonheur du gouverneur, la guerre contre des tribus rebelles empêcha de nombreux juifs de partir ; et rabbi Amram Ben Diwan dut lui-même rester à Meknès pendant près de huit ans. Durant ce séjour, il forma toute une génération de rabbins.

Sa mission accomplie, Amram Ben Diwan devait naturellement reprendre la route et revenir dans son pays. Cependant, au lieu de partir, il entreprit un long voyage à travers le Maroc. Il se rendit à Fès, accompagné par rabbi Zikri Messas qui, sous son influence, avait lui-même décidé de partir en Terre sainte. Rabbi Amram Ben Diwan continua vers Sefrou puis vers Ouezzane où il s'installa définitivement, jusqu'à sa mort...

Ce qu'Isaac Bouzaglo trouva en Israël dans les années cinquante était très éloigné de la Terre promise vantée par

Amram Ben Diwan. Il fut accueilli comme un paria. Un paria, parce que l'immigration orientale faisait peur à ceux qui gouvernaient le pays – des ashkénazes –, en lutte contre les Arabes. Ils pensaient que les sépharades menaçaient l'idéal occidental de l'État et risquaient de transformer l'image idéale de l'Israélien, bâtie sous les traits de dirigeants russes ou allemands : celle d'un nouvel homme, proche de la terre, fort, intellectuel, ashkénaze forcément. Obsédé qu'il était par le spectre de la « levantinisation », l'establishment judéo-européen avait refusé la culture orientale à cet État qui l'était pourtant, par sa situation géographique et sa population, constituée pour moitié de juifs d'Orient.

Ben Gourion, qui détestait les juifs du Maroc, disait qu'ils n'avaient aucune éducation et que leurs mœurs étaient celles des Arabes. « Le juif du Maroc, professait-il, a beaucoup emprunté à l'Arabe marocain et je ne vois pas ce que nous pourrions apprendre des Arabes marocains. Je ne voudrais pas de la culture marocaine ici. » Il y avait aussi la fameuse phrase de Golda Meir : « Ceux-là, ils confondent leur pyjama avec un drapeau. » On parlait de *Maroco sakin*, « Marocain au couteau », et les juifs marocains étaient surnommés les *Shehorim*, « les Noirs », par opposition, bien sûr, aux Blancs.

Les victimes de cette idéologie furent envoyés dans les villages de tentes, les *Maabaroth*, qu'on leur octroyait en plein milieu du désert du Néguev, pour le repeupler, et dans les yéchivas pour les plus pieux d'entre eux qui y apprirent le yiddish, la tradition religieuse rigoriste, et le port du borsalino.

En Israël, Isaac avait découvert que son passé sépharade était une trace honteuse, négative, qu'il fallait cacher à tout prix. À l'école, à l'armée, au travail, dans tous les lieux administratifs, il était classé sur la mauvaise liste. On lui reprochait sa nationalité d'origine, et il avait fini, comme beaucoup d'autres sépharades, par changer de nom.

À leur arrivée, Isaac et sa femme Perla avaient d'abord été accueillis dans les camps de transit, où s'entassaient les familles entières. Puis on les avait transférés dans les baraquements empruntés aux surplus de l'armée britannique. Ce qui était censé être une habitation temporaire, meublée de lits de fer garnis de matelas de paille, était devenu pour eux un logement à l'année. Au bout de deux ans, on les avait transférés à Dimona, en plein désert, ville de quarante baraques de bois et de tôle, et en guise de bienvenue une tempête de sable. Lui et les autres avaient crié, pleuré, insulté les services de l'immigration. Mais le gouvernement était demeuré intraitable : Dimona dans le Néguev devait naître, de gré ou de force, de trente-six foyers du Maroc abandonnés en plein désert. Comme Ashdod, comme tant de villes dans des coins reculés du pays.

Alors Isaac avait fait comme les autres : il fallait défricher, irriguer, reboiser, construire routes et maisons sous la direction d'anciens pionniers ashkénazes. Dans l'armée où il avait été recruté, il faisait partie du gros des troupes tandis que les élites combattantes étaient constituées par les ashkénazes. C'est alors qu'il avait vu les Roumains émigrer en Israël et occuper les nouveaux logements construits par les Marocains, puis les Russes arriver et obtenir les meilleures places, pendant que lui, le sépharade, restait toujours dans sa petite baraque, parmi les siens qui formaient le prolétariat du pays.

Isaac n'était ni un idéologue ni un politique. Il n'était pas non plus un révolté de nature, mais à force de vexations et de frustrations, à force de vaines tentatives d'intégration, de sectarisme passif ou agressif, de querelles de famille dans les logements étroits et surpeuplés, d'échecs scolaires de ses enfants, et de sous-emploi, il avait tendu l'oreille à la contestation marocaine dont le ton ne cessait de monter, au fur et à mesure des années. Finalement il avait trouvé son exutoire dans l'action politique.

Tout avait commencé un certain 8 juillet 1959. Un policier venu mettre de l'ordre dans une bataille avait blessé un chômeur. Dès lors, tout le quartier, ameuté, s'était réuni. La foule excitée avait affronté les policiers venus en renfort à coups de pierres. Tous hurlaient à l'injustice et à l'exploitation. Puis l'union des immigrants nord-africains avait pris le contrôle de la foule, et l'avait dirigée vers le quartier général de la police. Le combat avait repris de plus belle, lorsque les émeutiers, armés de pierres, avaient envahi les beaux quartiers, ainsi que les locaux historiques de la Histadrout et du Mapaï socialistes. Ils avaient brûlé les voitures, et cassé les vitrines des magasins. Les émeutes s'étaient répandues dans d'autres villes où suivaient les sépharades, Ashqelon, Be'er Sheva, Tibériade.

Isaac avait rejoint les rangs des « Panthères noires », avec d'autres jeunes juifs d'origine marocaine, marginalisés à la suite d'échecs scolaires. Nés pour la plupart à Musrara, faubourg pauvre de Jérusalem, ils étaient révoltés contre l'injustice de leur condition sociale. Ils dénonçaient les abus et organisaient des manifestations pour réagir contre la ségrégation sociale.

Lors de ses voyages à Strasbourg, Isaac racontait à Moïse l'histoire des Panthères noires ; il tenait à lui expliquer ce qu'il était en train de se passer : le gouvernement, essentiellement d'Europe de l'Est, avait fait venir les sépharades pour les loger dans des baraquements au fin fond du désert, dans des villes de développement. Il lui expliquait que le temps était révolu où le statut d'Oriental était une condition sociale, et que, désormais, il était devenu un combat politique. En vertu de la place importante que Moïse occupait à Strasbourg, et de leur amitié, il lui enjoignait de venir en Israël pour mener le combat : le grand combat des sépharades. Il lui disait qu'il ne pouvait refuser sous peine de désertion. Il fallait qu'il prît position.

Pourtant Moïse avait décliné l'offre de son ami. Pourquoi ? Pourquoi Moïse, qui tenait d'ardents discours sionistes, ne partait-il pas puisque le moment était venu ? Il était profondément sioniste, certes, mais ne parvenait pas à quitter le mellah de Strasbourg. En fait, il s'était attaché à la France. Sa vie était satisfaisante. Il n'envisageait aucunement de quitter cette ville, où il avait une position, une mission, qui était justement celle d'envoyer les autres en Israël, comme autrefois Amram Ben Diwan. Et puis, c'était dans cette ville sombre et froide qu'il avait réussi à recréer le doux parfum de son enfance.

Isaac, d'abord déçu par l'attitude de son ami, avait commencé à lui en vouloir. À chaque visite, de l'un à Strasbourg, de l'autre en Israël, c'était la même rengaine, la même question : pourquoi ne viens-tu pas, ici nous avons besoin de toi ? Les années passaient, Moïse restait, gagnait en notoriété et Isaac voyait s'effriter les dernières chances de le convaincre de le rejoindre en plein désert, pour mener la grande lutte de l'égalité.

Lorsque la droite l'avait emporté en Israël, portant le coup de grâce aux travaillistes au pouvoir depuis la création de l'État, les sépharades avaient enfin relevé la tête. Pour eux, cette victoire signifiait le rejet d'un système de valeurs incontesté depuis plus de trente ans. Begin, chef de l'Irgoun, avait mené des actions terroristes lors de la guerre d'indépendance : il comprenait la réalité de leur révolte.

À nouveau, Isaac était revenu voir Moïse à Strasbourg, et après avoir mangé un bon couscous et évoqué les souvenirs de jeunesse, il avait de nouveau tenté de le convaincre.

– Cette fois, c'est le moment. Je comprends que tu aies attendu, c'était trop dur de vivre dans cette condition alors qu'ici tu es si bien, n'est-ce pas ? Tu habites le meilleur quartier de Strasbourg, tu as tout ce qu'il te faut. Mais maintenant, avec Begin, je t'assure que les choses vont changer. Maintenant, crois-moi, nous allons redresser la tête avec fierté. Tu dois venir à présent, tu ne peux plus reculer. Nous avons besoin de toi, d'intellectuels, de penseurs, de dirigeants tels que toi. Il y a une place pour toi, en Israël. Une place de choix. On a tourné en ridicule la religion de nos parents. On nous a ôté l'estime que nous avions de nous-mêmes. Je leur aurais tout pardonné sauf notre honneur perdu, celui de nos parents, celui de notre communauté. Quand ils étaient au pouvoir, ils nous cachaient dans les trous, ces villes de développement, pour que les touristes ne nous voient pas, pour ne pas donner d'Israël une image sale, pour que l'on croie que c'est un pays de Blancs.

» Aujourd'hui, nous allons enfin régler nos comptes avec l'establishment judéo-européen. Nous avons déjà du pouvoir. Nous sommes devenus majoritaires. Nous avons un président sépharade en Israël, Itzhak Navon. Et David Lévy…

Isaac avait une grande admiration pour David Lévy, fierté du monde sépharade israélien. Il avait fait une brillante carrière ; il avait été plusieurs fois ministre. Il avait assisté dans son enfance à l'humiliation de ses parents et il avait le sens de ce qu'Isaac appelait « l'honneur familial brisé ». Travailleur agricole dans un kibboutz, il avait connu le chômage et la prison avant de s'engager dans le syndicalisme. Lorsqu'il s'était présenté aux élections municipales de sa ville sur une liste du Herout, il s'était fait remarquer par sa combativité et son talent d'orateur. Il avait fini par être élu député et Begin l'avait nommé ministre de l'Intégration des nouveaux immigrants. Père de douze enfants, porte-parole des masses orientales défavorisées, il était devenu le symbole de leur combat.

– Oui, à présent, dit Isaac, il y a un combat à mener. Les sépharades sont en train d'acquérir une meilleure place dans la société et un certain pouvoir de décision.

– Ici aussi, répondit Moïse, nous avons un rôle à jouer. Nous avons un grand rabbin sépharade, René-Samuel Sirat. Les centres communautaires se sont développés, avec à leur tête des Marocains comme Raphy Marciano au Centre Rachi, ou Shlomo Malka, à la radio juive, ou encore Arié Bensemoun à l'U.E.J.F.

– Alors ils n'ont plus besoin de toi !

– Si, ils ont besoin de moi…

En fait, Moïse pensait que l'élan sépharade ne pouvait s'épanouir qu'en France, grâce aux valeurs et à la culture françaises. En France, il était possible d'évoquer l'âge d'or judéo-espagnol pendant la conquête arabe, cette civilisation raffinée qui avait produit d'illustres hommes de sciences et de lettres, de nobles guerriers et de grands conseillers auprès des rois et des califes. Ici, on retrouvait la noblesse de l'âme sépharade, sensible et raffinée, pieuse et tolérante, ayant le sens de la douleur et du tragique, de la spontanéité, de l'hospitalité, de la tolérance. C'était une âme faite d'intuition, de capacité à ressentir, à s'identifier aux autres, de disponibilité à l'accueil, de douceur, de chaleur humaine mêlée au baroque, au lyrique et à l'exubérance. Elle avait le goût du raffinement et du prestige, et surtout de la noblesse. Tout ce qui s'opposait au dogmatisme excessif, à la froideur rationnelle, et au pragmatisme de l'ashkénaze. En France, l'image joyeuse et généreuse des sépharades permettrait aux sépharades d'Israël de relever la tête.

– Ici, vous devenez des ashkénazes, alertait Isaac, vous ne vous en rendez même pas compte, vous perdez toutes vos valeurs, toutes nos valeurs ancestrales. Vous vous mariez avec des askhénazes, vous vous comportez comme eux. Vous voulez être comme eux ; ils sont votre modèle.

– Au contraire, c'est nous qui civilisons les ashkénazes, qui les adoucissons, qui leur enseignons les valeurs de vie. Nous n'avons jamais adopté le rigorisme de certaines communautés d'Europe centrale et orientale. Nous pratiquons la religion de façon ouverte et tolérante, avec amour et modération. Nous n'avons jamais été fanatiques. Et pourtant nous observons à la lettre les commandements de la Loi. Nous avons fourni au monde un nombre incalculable de savants, de rabbins et de cabalistes et nous avons toujours témoigné une grande fierté pour notre patrimoine. Voilà ce que nous réussissons à démontrer ici. Voilà pourquoi il est important que nous restions.

– Tout cela est très beau, mais reste théorique, intellectuel. En Israël, nous avons notre héritage en actes, en rites, en fêtes. On fête la Mimouna comme là-bas, et Lag Baomer, tu devrais voir ! La vénération autour de Baba Salé ! Tu ne sais pas tout ce dont tu te prives. Tu retrouverais le Maroc, tout ce que tu aimes, tout ce que tu as laissé derrière toi. Un monde perdu.

– Ce n'est pas ça le sépharadisme, Isaac, dit Moïse avec un mélange de déception et de condescendance. Ce n'est pas la Mimouna et Baba Salé... Ça, c'est du folklore. Tu vois, c'est ça qui me fait peur, lorsque tu me parles d'Alyah. C'est quoi l'âme sépharade, en Israël ? Les rabbins et les personnalités politiques de droite et d'extrême droite, les marchands de falafels, la station centrale des bus à Tel-Aviv, la musique, les senteurs de viande grillée parmi les odeurs des pots d'échappement ? Mais l'âme sépharade est autre !

– L'âme sépharade, c'est le sentiment messianique qui a mené les juifs de l'Atlas vers Israël. Toutes ces familles nombreuses, ces vieux parents, ces villages entiers, partis avec toute leur foi vers la Terre promise qui n'était pas prête à les accueillir avec un enthousiasme à la mesure de leur espoir. Aujourd'hui, il est possible d'accomplir les rêves de nos pères. Nous ne sommes plus un corps étranger, parasitaire, sale et misérable, une communauté moyenâgeuse comme ils disent car ils ont honte de nous et même honte de vivre à côté de nous. Aujourd'hui, les choses ont changé, après trente années de découragement, d'abandon, de fuite, de refus et de haine de soi. Il y a enfin une place pour nous en Israël. Il est révolu le temps où les journalistes écrivaient que nous sommes un peuple primitif.

» Nous sommes quatre cent mille : la plus forte communauté du pays. Nous avons un parti politique entré à la Knesset avec trois députés. Nous avons le parti Shass, composé de nombreux rabbins originaires du Maroc. Ce parti est devenu, avec six députés élus, le troisième par ordre d'importance en Israël après le Likoud et le Parti travailliste. Tu te souviens, je t'ai dit, il y a quelques années, qu'il y avait un rôle à prendre ici ? Eh bien c'est fait. Notre leader s'appelle Ovadia Yossef, c'est un penseur, et tu sais quoi, Moïse, cette place, elle aurait pu être la tienne ! Ici, tu crois que tu as de l'importance, mais tu passeras toujours après les ashkénazes. T'ont-ils déjà invité à parler dans leur synagogue ?

– Oui. Une fois.

– Une fois ! Tu vois ! Tu te crois en Espagne, mais ce n'est pas vrai ! Tu n'es pas à la cour du roi, tu n'as aucun pouvoir de décision. En France, le juif marocain en est encore à se demander s'il est marocain, français ou juif...

– C'est faux. Nous sommes fidèles à notre tradition et attachés à la culture française, aux valeurs et au mode de vie de la civilisation occidentale. Nous sommes la synthèse de l'Orient et de l'Occident.

– Vous avez laissé les Loubavitch vous absorber. Ils vous ont appris le yiddish avant d'écouter ce que vous aviez à dire.

– Comme vous avec le Shass, le parti des hommes en noir ! Vous êtes nés à Meknès mais vous vous habillez comme les ashkénazes du XVIIe siècle.

– Rappelle-toi nos rêves de jeunesse ! On ne pensait pas à la France ! Après tout ce qui s'est passé dans ce pays, après Vichy et la collaboration, la déportation des juifs, la Shoah, en vérité, Moïse, je ne comprends pas ce que tu fais ici.

Cette fois encore, Isaac était rentré seul en Israël. Les deux hommes s'étaient embrassés avant de se séparer, mais leur dernière dispute avait jeté un froid. Chacun était incapable de se conformer au choix de l'autre ; et Isaac en était très malheureux. Chaque fois qu'il revenait à Strasbourg et qu'il voyait Moïse, ils avaient la même discussion. Isaac regardait

l'appartement, les couverts, les meubles, tout le confort bourgeois d'un Français moyen, ce luxe relatif qui le renvoyait à
son propre échec, et la rancœur lui brûlait les lèvres. Israël,
loin de l'avoir épanoui, l'avait aigri, et Moïse, dans sa volonté
magnanime de lui plaire et de le combler, ne se rendait pas
compte qu'il offensait son ami.

Isaac, après avoir suivi ardemment Ovadia Yossef pendant
quelques années, avait commencé à être déçu par son engagement politique. Rien n'avait vraiment changé et il voyait
bien que cette action politique sur laquelle il avait fondé tant
d'espoirs n'était qu'un leurre. Il restait pauvre, assailli par les
problèmes d'argent. Son fils Noam, qui était parti à l'armée,
ne voulait plus le voir, et pensait que pour s'intégrer, il devait
mépriser ses origines et se fondre dans la nouvelle culture
israélienne. Beaucoup de jeunes de sa génération s'étaient
éloignés de leurs parents qui exigeaient une soumission totale
et aveugle à leur autorité.

Et maintenant Isaac talonnait Moïse depuis le début de la
soirée, ne le lâchant pas, telle une ombre, un alter ego
déformé. Non, Moïse ne pourrait jamais comprendre ce qu'il
avait vécu, lui qui venait à présent fêter le mariage de sa fille,
Esther, en Israël. Alors que son fils aîné, qui avait un poste
important dans l'armée, n'était pas près de se marier… Non,
Moïse Vital, qui pavoisait dans son beau costume, et qui
mariait sa fille dans une villa qui n'était occupée qu'une partie de l'année, ne savait pas ce que c'était que vivre dans ce
pays, il ignorait combien la vie était dure, il avait oublié les
siens, les avait délaissés.

Alors Isaac Bouzaglo regarda Esther, et l'air plein de componction, il lui raconta la chose terrible qui venait de se produire. Et au fond de son regard, elle lut la délectation de celui qui voit soudain la vie de l'autre s'écrouler.

4.

Moïse Vital

Le mauvais œil, se dit Esther... il était sur elle. Elle comprenait pourquoi il était tant redouté. Les femmes le craignent plus que les hommes.

Elle avait trop parlé, elle s'était réjouie, et à présent, le mauvais œil était sur elle. Ancestrale peur, ancestrales frayeurs de la vie quotidienne, le samedi soir il ne fallait sortir de la maison ni objet ni argent, les invités du chabbat devaient rester jusqu'au lendemain, et, par superstition, on ne mangeait pas d'olives noires, on ne buvait pas de café, on ne se douchait pas après minuit, certains ne portaient pas de vert, et d'autres pas de noir, si une femme était malade, si un enfant tombait, c'était à cause du mauvais œil, et lorsqu'on entrait dans une nouvelle maison, il ne fallait pas manquer d'apporter un kilo de sucre et de l'huile, et partout, partout, pour se prémunir du mauvais œil, il y avait la main de Fatma, le khamsa, le chiffre 5, qui symbolisait la puissance, la force, la bénédiction, car il correspondait à la valeur numérique de la lettre hébraïque « Hé » qui évoque le nom de Dieu, il y avait les talismans glissés sous les oreillers des enfants, un couteau, du sel, des gousses d'ail, du henné, des pierres telles que l'alun ; et toutes les superstitions à propos des femmes enceintes.

Le henné, dit-on, protège la mariée contre le mauvais œil, car la mariée est très sensible aux rites magiques, mais pourquoi n'avait-il pas protégé Esther ce soir-là ? N'avait-elle pas fait assez de présents aux djnouns pour ne pas attirer l'esprit mauvais ? Ne s'était-elle pas ainsi vêtue de la « robe » pour tromper les esprits mauvais qui ne cessaient de rôder autour d'elle ?

Cette peur inscrite dans son cœur depuis toujours, les djnouns, toute la vie des Berbères ordonnée par les superstitions, cérémonies païennes, sacrifices, rites pour conjurer la malice des esprits, toute la vie organisée pour contrer les djnouns et les empêcher de répandre le mal autour d'eux, forces aveugles du corps et de l'esprit qui venaient de si loin, des Berbères, que douze siècles et l'islam n'avaient pas effacées, car ils étaient tous fétichistes et idolâtres, les Berbères contemplateurs des montagnes de l'Atlas, de l'eau, du vent, de la terre, des contrastes de la nature au soleil couchant, dans la rase campagne ou sur les sables chauds du désert, les Berbères agissaient en elle.

Noces berbères. Noces barbares. Esther avait fait tout ce chemin pour assister à une lutte tribale. Elle croyait avoir échappé à sa famille, et elle se voyait soudain plongée dans l'horreur de l'ancestral nœud.

Voici donc ce qu'Isaac Bouzaglo rapporta à Esther.

Moïse Vital avait convoqué Charles avec ses amis, Michel Tolédano et Isaac Bouzaglo, sa femme et sa fille Myriam pour lui révéler un secret, un secret important, d'une valeur inestimable, disait-il.

Moïse Vital, le père d'Esther, était une figure imposante

dans sa vie, si importante qu'elle s'était toujours dit qu'elle ne trouverait jamais un mari qui fût à sa hauteur.

Son père, initié de la tradition esotérique et cabalistique, était né à Fès et cela voulait tout dire. Cela signifiait qu'il faisait partie de la caste nobiliaire du Maroc. Son visage rayonnait d'une lumière particulière, lorsqu'il enseignait la Cabale à ses disciples. Avec ses filles, il avait une relation très forte : elles étaient, plus que sa chair, sa possession. Esther avait toujours trouvé qu'il avait un rapport particulier à elle, comme une gêne, même si elle était loin de se douter de la raison pour laquelle Moïse semblait plus distant et moins chaleureux avec elle qu'avec sa sœur. Elle en souffrait, et se disait qu'il devait certainement lui préférer sa sœur. En ce jour de mariage néanmoins, il semblait être en proie à une grande agitation, une émotion extrême.

Alors que Moïse parlait, et expliquait pour quelle raison extraordinaire il les avait réunis en cet instant, Isaac Bouzaglo se balança sur son siège, portant la main à sa bouche, en proie à la plus vive émotion, Myriam, sentant un brouhaha sur le flot de ses rêves, ouvrit un œil hagard, qu'elle referma aussitôt. Michel Tolédano rajusta sa cravate. Charles l'observait, Suzanne ne le quittait pas du regard. Et lorsqu'il alla plus loin, montrant la petite boîte en fer qui contenait l'objet – celui qu'il avait reçu, celui qu'il allait donner, les disciples ouvrirent l'œil, attentifs à ce qui était en train de se produire. Isaac choisit ce moment pour intervenir, mais son cafouillage verbeux ne fit que masquer la lumineuse pensée du maître. Michel Tolédano regarda sa montre en pensant au couscous de sa femme qui devait être en train de mijoter doucement sur le feu.

Ils étaient là, présents dans leur absence même, reflet de la transmission qu'il était en train d'accomplir tandis qu'il continuait, prophète en son désert. Et il s'enflammait, son regard s'animait, ses yeux se remplissaient de tendresse, de son esprit coulaient les vagues de ses pensées, révélées comme si elles venaient d'ailleurs, du fond des âges, de l'abîme de l'oubli, pour être apportées au jour qui meurt.

C'était là, dans cette pièce, avec ses disciples, que se situait son empire, traversé d'une inspiration qui l'habitait comme le souffle sacré.

– À présent, avait-il dit, en ouvrant une petite boîte de fer, regardez bien : cet objet va permettre de propager la flamme, de génération en génération, d'essaimer des étincelles dans les esprits afin qu'elle se répande et ne meurt pas.

Ainsi avait-il parlé, dans la conscience aiguë, de la nécessité de sa mission. De semaine en semaine, d'année en année, il continuait, source intarissable, puits sans fond, d'initier ces âmes simples et ignorantes aux profonds mystères de la philosophie et de la religion, du Talmud et de la Cabale comparés et évalués à l'aune des doctrines des philosophes. Et eux, les élèves, l'admiraient, le vénéraient.

C'était un moment solennel. Moïse Vital les avait convoqués avant le mariage, pour leur montrer cette pièce inestimable, legs d'un passé ancien, qu'il avait en sa possession, et qu'il désirait dévoiler à tous, désormais. Ce n'était pas la valeur marchande qui l'intéressait, bien qu'elle fût considérable. C'était le fait qu'elle fût unique, fruit de recherches et aboutissement d'une longue réflexion menée par des générations et des générations de cabalistes. Et ce trésor, Moïse Vital avait décidé de le confier à son futur beau-fils, Charles, puisqu'il n'avait pas de fils, afin de perpétuer l'ancestrale tradition.

Moïse Vital sortit l'objet de son écrin, le posa sur la table. Il y avait Michel et Isaac, à côté de Moïse, Suzanne, et juste en face, il y avait Charles. Et tous penchés sur l'objet, stupéfaits, n'en croyaient pas leurs yeux.

– Voici, avait dit Moïse. Voici, mes amis, ce que m'a transmis mon père, Saadia. Voici ce que je dois admettre à mon tour en ce jour de mariage de ma fille. Voici ce que des générations et des générations de sépharades se sont donné, d'époque en époque, voici le secret des sépharades.

Il y eut un silence. Les disciples se regardèrent, sans y croire. Même Isaac resta coi, ne sachant que dire, se demandant si Moïse n'avait pas perdu la raison.

Tous, penchés sur l'objet, n'arrivaient pas à comprendre pourquoi Moïse avait fait une telle mise en scène pour une simple amulette.

Une petite amulette anguleuse, argentée, pas même étincelante sur laquelle se trouvaient des signes cabalistiques.

– Voici le secret, avait répété Moïse.

Il y eut un silence consterné. Tous se penchèrent sur l'objet, pour tenter de déchiffrer les signes, les lettres, qui formaient un motif évoquant un corps humain.

– Voici, avait-il ajouté, le moyen d'inverser le processus du temps… Cette amulette est une condensation de la pensée et elle agit comme un ferment sur les corps en présence desquels on la met.

Les disciples poussèrent des sifflements admiratifs, se penchant plus près de l'objet, sans vouloir y toucher, pour tenter de percer le mystère de l'étrange calligramme.

– C'est une plaisanterie ! avait glapi Isaac.

Les disciples se regardaient, en proie à la plus grande stupéfaction. Moïse répondit lentement.

– « Descends dans les entrailles de la Terre, tu trouveras la pierre de l'œuvre », disent les alchimistes, ce qui a un sens métaphorique : « Descends au plus profond de toi-même, et trouve la base solide sur laquelle tu pourras construire une autre personnalité, un homme nouveau.

» Alors seulement tu verras le monde non comme une œuvre faite et terminée mais comme en train d'advenir, de s'élever, se développer, de se renouveler, et tu sauras que tout mouvement, même une chute, une descente, est le croissant lunaire avant le renouvellement, la marée basse avant la marée haute, le sommeil qui permet le réveil, l'inconscient qui est l'essence de la conscience. Nous sommes tous en chemin, en transit… La réalité fondamentale n'est pas la matière mais l'énergie et l'homme véritable, celui qui est apte à maîtriser cette énergie, est celui qui est passé maître dans l'art de se connaître.

» L'homme est un instrument de musique dont il faut sortir les sons les plus harmonieux par les vibrations intérieures. C'est ce processus d'évolution vitale qui vous permettra d'atteindre des forces créatrices inouïes, dont vous n'avez pas encore idée, mais que les sépharades ont réussi à transmettre, de génération en génération… C'est ainsi que nos ancêtres ont survécu… jusqu'à nous !

Soudain, la lumière s'éteignit. Il y eut des bruits, des murmures, des frôlements. Lorsqu'elle revint, quelques instants plus tard, l'amulette avait disparu. Moïse se leva. Aidé de ses disciples, il se mit à chercher la pièce et il fut clair aux yeux de tous que quelqu'un dans l'assistance l'avait subtilisée. La pièce était presque vide, il y avait juste un tapis sur le parquet, un buffet près de la fenêtre aux lourdes tentures, les chaises, et la grande table de bois verni. Moïse Vital fit signe à tous de rester assis, puis il chercha par terre, au cas où l'objet perdu aurait roulé, glissé. Ses yeux scrutèrent un à un les disciples.

Ils se posèrent sur les visages inquiets, comme pour les percer à jour. Mais personne ne dit rien. Certains yeux se baissèrent, d'autres fixèrent le maître, comme pour lui résister. Silence. Bientôt il fut clair pour tous qu'il ne restait désormais qu'une question possible et vertigineuse : qui, parmi les présents, Isaac, Michel, Myriam, Suzanne ou Charles, avait volé le trésor des sépharades ?

Était-ce Isaac Bouzaglo, le plus proche, l'indéfectible ami de Moïse, qui par envie et jalousie la lui avait prise ?

Était-ce Michel Tolédano, l'homme influent, proche conseiller du roi du Maroc pendant des années, et grand amateur d'antiquités marocaines dont il approvisionnait le roi ?

Était-ce Myriam, par révolte contre son père et par jalousie envers sa sœur ? Était-ce Suzanne ? Mais pour quelle raison obscure aurait-elle pris la pièce que son mari attribuait à Charles ? Le détestait-elle tellement qu'elle ne supportait pas qu'il eût le joyau de la tradition sépharade ? Était-ce une abominable plaisanterie de Charles ?

Moïse Vital, très gêné, murmura :

– Mes amis, cela me fend le cœur de vous dire ceci, mais je vais devoir vérifier que chacun de vous n'a pas l'amulette en sa possession.

Tous le regardèrent. Il n'avait jamais eu l'air aussi sérieux. Isaac s'avança le premier, tendit ses bras, laissa Moïse lui faire les poches, sans dire un mot, en essayant de prendre l'air le plus naturel et le plus loyal du monde, sans y parvenir car un rictus involontaire trahissait son énervement. Myriam s'exécuta également, se laissant fouiller avec un petit sourire ironique aux lèvres. Michel Tolédano s'avança ensuite, l'air franchement indigné, regardant en l'air, comme s'il prenait le ciel à témoin.

– C'est incroyable, dit Michel. On se croirait chez les scouts !

Et Moïse Vital continuait, sans sourciller, puis vint le tour de sa femme, qui le considéra, l'air outré.

Mais il ne trouva pas l'amulette.

Il ne restait plus que Charles.

– Excusez-moi, mais vous voyez bien que je n'ai rien trouvé sur mes amis.

– Non, avait dit Charles, calmement, à sa manière. Avec tout le respect que je vous dois, monsieur Vital, vous ne me fouillerez pas.

Nouveau silence.

– Écoutez, avait dit Moïse. Je dois insister. Vous connaissez la valeur de cet objet. Et pour moi, vous n'ignorez pas ce qu'il représente. Je viens de vous l'expliquer. Enfin, les autres ont accepté. Pourquoi pas vous ?

Charles le regarda sans répondre, l'air insolent.

– Est-ce que vous auriez quelque chose à cacher ?

– Non, avait répondu Charles sans se démonter. C'est une question d'honneur. Vous ne me fouillerez pas.

– Ce n'est plus une question d'honneur. C'est une simple question de logique, avait dit Moïse Vital. À présent, je voudrais que vous me rendiez l'amulette.

– Je ne l'ai pas.

– Alors prouvez-le !

Moïse Vital le regardait, l'air terrible. Mais Charles soutint cet œil flamboyant, reflet d'une colère ancestrale devant laquelle il refusait de s'incliner.

– Cette amulette, Charles, il était inutile de la voler. Je

peux vous le dire, maintenant. Elle était pour vous, énonça Moïse Vital, la voix éteinte. Comment puis-je donner la main de ma fille à un voleur ?

Voilà ce qu'Esther entendit de la bouche d'Isaac Bouzaglo, lorsqu'elle le rejoignit dans le bureau ou s'était déroulée l'étrange cérémonie.

Et Moïse Vital était sombre, mutique, avec dans ses yeux la flamme de la colère.

Et Isaac exultait, comprenant que Moïse Vital, qui était en train de maudire ce mariage au lieu de le bénir, allait commettre l'irréparable.

Alors Esther pensa à son père, lorsqu'ils étaient ensemble dans ce pèlerinage au Maroc. Comme il était heureux de voir les Berbères qui avaient réduit leur vie à sa plus simple expression, pas de meubles, mais des nattes ou des tapis, ni lits, ni fourchettes, ni cuillers, ni assiettes, seulement quatre murs et un toit où ils dormaient et mangeaient. Il disait souvent qu'il aimerait vivre comme eux. Mais des Berbères, n'avait-il pas gardé aussi le sens de l'orgueil offensé et de la guerre tribale ?

Et Moïse, à présent hors de lui, regardait Esther. Et Esther, sous le joug de la loi paternelle, elle-même dépendant de la loi mosaïque, était, plus que jamais, terrifiée par son père.

– J'aimerais qu'avant de te marier, dit-il, tu réfléchisses sur ton choix. À mon avis, tu t'égares dans les bras d'un homme qui n'est pas le bon. Tu ne viens pas de nulle part et tu n'es pas hors de la société et de l'Histoire.

– Et que lui reproches-tu, enfin ? N'est-il pas juif, marocain, de Meknès, d'accord, mais de la même culture que toi, que nous ?

— Il m'a manqué de respect, et avec insolence en plus ! Cela, je ne peux le tolérer. Je ne le tolérerai pas de qui que ce soit, et encore moins de lui. J'ai bouché mes oreilles sur ce que certains m'ont rapporté. Mais il m'a donné une preuve que ce qu'on dit de lui est vrai. Esther, Charles est un voleur !

Voilà : Moïse Vital avait sorti les armes… Esther n'était pas assez forte pour le combattre. Elle qui avait été élevée depuis toujours dans la loi, le respect et l'amour du père, qui représentait pour elle, non seulement le pilier de sa vie, mais aussi son horizon et son sens, elle comprit qu'elle était au bord de la rupture – soit avec Charles, soit avec son père. Et cette fois, c'était le jour du henné, veille de son mariage. Pourtant, même en ce moment où son père se montrait si cruel en ayant réussi à piéger l'homme qu'elle aimait, elle ne supportait pas de le rendre malheureux, elle restait convaincue que son père lui avait tout donné, et c'était bien normal qu'elle le lui rendît, il ne pourrait pas survivre sans elle, et elle que ferait-elle sans lui ? Envahie de culpabilité, prise en tenaille entre le bonheur de son père et son propre bonheur, Esther ne savait plus quoi dire.

— Qu'est-ce que c'est, au juste, que cette amulette ? demanda-t-elle.

Moïse Vital plissa son front sillonné de rides compréhensives, considéra sa fille, avec un sourire nostalgique.

— Mon enfant, dit-il, je voulais la lui donner comme cadeau de mariage.

— Comme cadeau de mariage ?

— Oui, j'y tenais. J'aurais voulu que tu sois présente en cet instant, mais les fiancés n'ont pas le droit de se voir, tu le sais.

Moïse Vital souriait, tout à son idée, de son sourire

éternel, comme gravé sur son visage. Des yeux clairs, intelligents. Un regard perçant.

— Alors, dit Esther, peux-tu m'expliquer quel est le sens de cette amulette ?

— Dans chaque famille sépharade, il existe un vieux manuscrit d'une valeur inestimable. Celui qui sait le lire reçoit le secret qu'il contient et qui a traversé les âges pour arriver jusqu'à lui. C'est cela la Cabale.

— Qu'as-tu trouvé ? demanda Esther. Que devons-nous recevoir ?

— Cette amulette... Elle est dans ma famille depuis des générations ; on la transmet de père en fils... Elle vient d'Espagne, de Tolède. Sur cette amulette, il y a toutes les indications qui permettent de faire, enfin d'accomplir un certain rituel...

— Pourquoi voulais-tu donner cette amulette à Charles ? Tu sais bien qu'il n'est ni cabaliste ni alchimiste.

— Être « *mekoubal* », être cabaliste, ma fille, c'est être reçu. La Cabale n'est pas une affaire de méditation solitaire, elle se pratique à l'intérieur d'un groupe. Le cabaliste est celui qui a été initié. Tout disciple est destiné à devenir un maître à son tour.

— Et tu voulais faire de Charles un disciple, un initié ? C'est à lui que tu voulais révéler le secret ?

Esther n'en croyait pas ses oreilles. Ce rêve, ce vieux fantasme : Charles en disciple de son père, initié à l'inouï, l'invisible, l'immatériel. Comment Moïse Vital attendait-il d'un être aussi matérialiste, drôle et léger que Charles, la moindre disposition pour la science secrète des maîtres de la Cabale ?

— Quel est ce secret ? Que voulais-tu transmettre à Charles ?

— Cela, je ne peux te le dire, en tout cas pas ici ni maintenant.

— Tu sais bien que Charles n'est pas concerné.

— Chacun est concerné. Et surtout vous qui fondez un foyer, qui voulez avoir des enfants !

— Pourquoi ne me l'as-tu pas donné à moi ? Parce que je suis une fille ?

— Non.

— Pourquoi alors ?

Moïse Vital s'approcha de sa fille, et lui souffla :

— Je ne te l'ai pas donné, Esther et je n'ai pas souhaité que tu sois là, parce que tu le connais déjà !

Esther tourna son regard vers l'assistance : Isaac Bouzaglo, Suzanne, Myriam, Michel Tolédano, Charles. Isaac, à la droite du père, avait pris une mine inquiète.

— Esther, dit Isaac, tout va bien ? Tu m'as l'air un peu pâlotte. Hein, dit-il en prenant à partie Suzanne, tu ne la trouves pas un peu pâlotte ?

— Laisse-la, dit Suzanne, l'air protecteur. Tu ne vois pas qu'elle est bouleversée, la pauvre ?

Esther pensait à ce qu'avait dit Sol.

Le mauvais œil.

Le mauvais œil était à l'œuvre ce soir.

Elle avait maintenant la conviction que quelqu'un lui avait lancé un chhour.

— Alors, dit-elle. Lequel d'entre vous l'a volé ?

Son regard balaya toute l'assemblée, Suzanne, Charles, Michel Tolédano, Isaac Bouzaglo, puis il se fixa sur sa sœur, Myriam.

5.

Myriam Ohayon

Esther et Myriam se voyaient rarement depuis que Myriam était partie vivre au Canada. Mais Esther était toujours émue par ce qu'elle pensait être la détresse silencieuse de sa sœur. Malgré la rivalité latente qui les opposait, et qui n'était certainement pas étrangère au fait que la cadette se fût mariée avant l'aînée, Esther ressentait pour sa sœur une sorte de pitié, car elle ne la voyait ni heureuse ni épanouie.

Elles étaient sœurs, mais comme elles étaient différentes ! Myriam, avec sa carrure assez forte, ses cheveux courts, ses traits réguliers, était toujours vêtue de pantalons informes, et chaussée de sandales, au grand dam de son mari ; ce soir pourtant, pour le henné de sa sœur, elle avait fait un effort particulier et revêtu une robe de cocktail en taffetas rose pâle un peu ringarde qui moulait ses formes trop volumineuses.

Cela faisait déjà huit ans qu'elle s'était mariée. Au début, il y avait eu l'amour, et puis l'amour peu à peu s'était épuisé, tout doucement, sans faire de bruit, comme dans la chanson. Elle était lasse. Elle n'avait plus d'enthousiasme. Elle perdait ses idéaux. Elle et Patrick n'avaient plus d'élan. Ils ne savaient plus se retrouver comme avant. Le matin, Myriam se réveillait déprimée, avec l'impression d'être à bout. Elle s'était mariée très jeune, à vingt-deux ans, avec le fils du meilleur ami de leur père. Sa mère ne pouvait pas refuser de la laisser partir dans ces circonstances, même si c'était dans un pays lointain. Mais elle avait quitté le foyer paternel pour trouver le même univers, à des milliers de kilomètres. Elle était tombée amoureuse de Patrick, bien sûr; mais peu à peu, elle avait remis en question cet amour de jeunesse qui n'aurait pas dû la conduire à se marier aussi vite, aussi jeune. Elle n'avait pas eu le temps de vivre sa vie de femme. Elle était passée directement de la domination du père à celle de son mari et de ses enfants.

Elle qui n'avait jamais beaucoup lu, s'était mise à dévorer des livres de psychologie grand public. Elle aimait beaucoup ces livres simples qui expliquaient son destin de fille aimante et d'épouse soumise qui n'avait jamais connu d'indépendance. Puis elle avait trouvé la réponse à toutes ses questions dans le bouddhisme, qui lui permettait de vivre dans l'instant présent. Grâce au bouddhisme, elle avait compris que, dans notre civilisation occidentale, on était séparé de son intuition, prisonnier de son ego et de l'héritage familial et culturel qui le constituait. C'était au cours d'un voyage en Inde qu'elle avait rencontré la nouvelle vérité qui désormais orientait sa vie.

Esther n'avait pas vu sa sœur depuis les dernières fêtes de Pessah, durant lesquelles elle s'était rendue à Montréal. Tout le monde était là, autour de la table familiale : Max et Claire, ses beaux-parents, Myriam et Patrick avec leurs deux enfants, Daniel, le frère de Patrick, sa femme et leurs trois enfants, et aussi Jacques Amsellem, président de la communauté, avec sa femme et leurs deux fils. Tout était fait dans les règles de l'art, avec une profusion de plats de Pessah, la soupe de fèves, les céleris farcis. Le rituel avait été dit par Max Ohayon, le grand-père, chef de famille, avec les chants sépharades et notamment le *Bibhilou* : chanté en arabe, en promenant le plateau du Seder où reposaient les aliments rituels, et la *matsa*, le pain azyme, au-dessus de la tête de chaque invité. Ce rituel marocain symbolisait la libération individuelle à travers la libération collective qu'est la fête de Pessah, qui commémore la sortie d'Égypte des Hébreux grâce à Moïse. Esther croqua la matsa, « pain de misère », en pensant à la libération de sa servitude. De toutes ses servitudes. Son père, sa mère, sa sœur, sa famille… n'étaient-ils pas un poids dans sa vie ? Charles était libre. Il ne faisait pas Pessah ni aucune fête. Avec lui, elle sentait qu'elle pourrait se libérer. C'est à ce moment, sans doute, que commença – bizarrement – à éclore en elle l'idée du mariage, en croquant la matsa qu'avaient mangée les Hébreux : ils étaient partis dans la précipitation, ainsi le pain qu'ils avaient préparé n'avait-il pas eu le temps de lever. Au fond, Pessah, fête de la transmission par excellence, l'angoissait. C'était comme s'il fallait tout retenir, tout garder, alors qu'elle s'apercevait, chaque année, à quel point tout se perdait.

Au Canada, pourtant, les juifs mettaient un point d'honneur à perpétuer les traditions. Ils étaient fiers de leur particularité, revendiquant fièrement leur statut de « sépharades », qui évoquait pour eux l'Espagne et leur passé glorieux. Leurs écoles portaient le nom de Maimonide, le plus grand philosophe juif, un sépharade de la ville de Cordoue ; leurs associations défendaient leur culture face aux ashkénazes qui n'étaient pas toujours accueillants. C'était un compromis par rapport au continent américain qui les faisait rêver depuis la guerre et le débarquement des G.I. accueillis en sauveurs, en véritables héros, au Maroc. Le rêve de toute jeune fille juive marocaine était de travailler dans l'une des bases américaines pour y rencontrer un G.I., juif si possible, l'épouser et partir vers l'Eldorado. Mais aux États-Unis, en 1950, les portes de l'immigration étaient fermées, alors que le Canada était ouvert. Le Canada, pour les juifs marocains, devint la Terre promise. Il y faisait froid, et le climat était rude, mais, au moins, on y parlait français, et pour eux, c'était important. Là-bas, il y avait moyen de réussir, de faire fortune. Il y avait aussi une fierté, cette abondance de moyens propre au continent américain, comme le montraient tous les restaurants cacher, les hôtels, les centres culturels, les écoles, les maisons de retraite juives. Tout était beau, scintillant, organisé. On voyait qu'il y avait de l'argent et aussi le désir de préserver son appartenance. On ne faisait pas les choses en catimini comme en France, presque honteux de son communautarisme. Au Canada, les juifs avaient recréé le Maroc, avec une authenticité qui n'existait pas en France où la tradition s'était dissoute peu à peu dans la société – sauf à Strasbourg, un cas particulier, sans doute dû à l'histoire même de la ville, la seule qui ait maintenu le Concordat après la séparation de l'Église et de l'État, en vertu de son ancien statut de ville indépendante. Au Canada, les juifs marocains étaient restés tels qu'ils étaient au Maroc : les mets, les fêtes, la façon de vivre, l'accent n'avaient pas changé d'un iota. Pour la première génération, bien sûr. La deuxième était composée de Canadiens, jeunes gens dynamiques qui rêvaient souvent de partir en Amérique, au moins d'y faire leurs études, et bien souvent finissaient par y immigrer et se marier avec des Américaines wasp.

Esther considéra sa sœur, qui semblait absente et étrangère à tout ce qui se déroulait autour d'elle. Depuis qu'elle avait découvert le bouddhisme, tout cela ne voulait sans doute plus rien dire pour elle, elle connaissait la libération intérieure, pensait-elle. La libération de quoi ? Ou plutôt de qui ? pensait Esther. De son père, bien entendu. Il fallait au moins le bouddhisme pour mettre de la distance, de la sérénité et de l'apathie dans la relation trop brûlante que Myriam entretenait avec son père. Sa belle maison victorienne, située dans le plus beau quartier de Montréal, sur les hauteurs, d'où l'on avait une vue sur toute la ville, ce service de porcelaine, ces coupes de vin, ces paroles ancestrales : tout semblait l'ennuyer, alors qu'au début ce statut bourgeois lui avait plu. Myriam, qui arborait un calme olympien, dû selon ses propres dires à ses heures de méditation, ne prêtait guère attention aux convives ni à Esther. Dans l'ambiance détendue et sympathique, où l'on parlait de tout et de rien, sans poser de question à personne, le but du jeu étant de monopoliser l'attention le plus longtemps possible par son charme et sa bonne humeur, elle écoutait d'un œil morne Max Ohayon évoquer les souvenirs du Maroc avec Jacques Amsellem.

– Nos frères ashkénazes, disait ce dernier, sont peut-être les premiers à être allés en Amérique, mais il n'y a pas que Bergson, Freud ou Einstein, il y a aussi Modigliani, Primo Levi, Albert Cohen, Elias Canetti et Pierre Mendès France ! Nous sommes aussi le peuple de la mémoire vivante...

Jacques Amsellem était un militant de l'action communautaire sépharade. Son engagement s'exprimait notamment par l'attribution chaque année de distinctions telles que le prix du Mérite sépharade, le prix de la Reconnaissance communautaire, à ne pas confondre avec le prix du Leadership communautaire au sein de la communauté sépharade du Québec, ou encore le prix de la Culture sépharade, attribués chaque année en grande pompe par le président de la communauté.

Malheureusement, ses enfants réunis autour de la table du Seder n'étaient pas dignes de tous ces prix. L'aîné faisait un M.B.A. à Harvard, le cadet, après avoir fait des études de finances à Montréal, avait bien réussi dans la banque, mais il était parti vivre à Toronto. Tous deux étaient venus seuls car leurs fiancées n'étaient pas juives.

Ces fêtes avaient-elles encore un sens ? Elles représentaient une contrainte pour ces jeunes. Qui parmi ceux-là, ceux de la nouvelle génération, était capable d'organiser une fête sans les parents, les anciens ? Et pourtant, les enfants avaient plus de trente ans, ils étaient en âge de le faire. Obligés par une force obscure de se plier à la tradition, ils étaient présents, bon gré mal gré, pour Pessah, même si, dans le fond, nul ne savait plus pourquoi.

Et leurs enfants à eux, que feraient-ils ? Viendraient-ils à la table de Pessah à condition que celle-ci existât encore ? La tradition ancestrale, millénaire, se perdait, en une génération. Le commandement suprême de la Torah, « Souviens-toi », s'éteignait sous leurs yeux. Les deux ou trois générations réunies pour cette Pâque ne partageaient plus les mêmes valeurs, quand bien même lisait-on encore, comme des millénaires auparavant, les questions des « Quatre Fils ».

Moïse, à chaque table de Seder, expliquait comment la Torah en appelait au père, afin qu'il répondît à son fils sur la sortie d'Égypte ; et combien cet événement ne prenait sens que dans sa transmission de père en fils, de génération en génération. Recevoir et donner : ces deux actes fondamentaux permettaient au fils de devenir père à son tour et de s'inscrire dans l'histoire commencée avec Abraham et qui finirait avec les temps messianiques. En attendant ce temps, il était impératif de transmettre, selon l'injonction biblique. Les quatre fils de la Haggadah représentaient les quatre dimensions de la transmission. Le premier, le sage, énonçait la question : « Quels sont les témoignages, les lois et les préceptes que l'Éternel notre Dieu vous a prescrits ? » et se situait à l'intérieur de la Tradition. Le deuxième, le méchant, demandait : « Quelles sont ces lois que *vous* observez ? », il se dissociait de la communauté et se définissait contre elle, en dehors du peuple qui était pourtant le sien. Le troisième, le « simple », qui disait seulement : « Qu'est ceci ? », question réduite à sa plus simple expression, ne possédait pas les outils pour en poser une plus intéressante. Enfin, venait le dernier, le quatrième, « celui qui ne sait pas poser la question ». Celui-ci était vraiment en dehors de la chaîne de la transmission, bien plus que le méchant qui questionnait le texte, puisqu'il ignorait qu'il ne savait pas. Le pire des quatre fils n'était donc pas le méchant, qui s'intéressait aux choses du passé, même sur un mode négatif. Le pire, c'était le fils qui ne savait pas poser la question, parce qu'il avait oublié qu'il y avait une question à poser.

Et cette génération, issue de l'immigration, était celle des méchants ; mais la prochaine, celle de leurs enfants, la génération à venir, serait celle de ceux qui ne savaient pas poser la question ? La transmission passait par l'éducation faite par la mère, disait-on, mais lorsque la mère elle-même ignorait tout de la Loi, que restait-il ?

Allait donc venir la génération qui ne cherchait plus rien sinon à éviter de chercher, à s'absenter des fêtes de famille, non pas à s'émanciper – ce qui eût été une action – mais à éviter la Tradition. Ils étaient canadiens, américains, français, israéliens avant d'être juifs. Or leurs pères et leurs aïeux étaient juifs avant d'être marocains. Ils étaient juifs avant tout, et cela définissait leur vie et leur être. Pourquoi ces authentiques sépharades n'avaient-ils pas réussi à transmettre leur culture et leurs traditions à leurs enfants ? Ce qui avait pourtant perduré jusque-là, depuis des générations et des générations, mais qui n'avait pas résisté... À quoi ? À qui ? Pourquoi trente-cinq siècles de culture s'éteignaient-ils soudain, en une génération ? Était-ce à cause de l'exil ? de l'Occident ? De la modernité, certainement. De cette modernité qui accomplissait la révolution silencieuse de se couper tout à fait de ses racines, qu'elles soient juives, chrétiennes ou musulmanes. Ou alors, elle y revenait de façon réactive, sur le mode du fanatisme qui rassurait les identités vacillantes de la modernité. Les gens mouraient de ne pas savoir qui ils étaient et d'où ils venaient. Et ils étaient prêts à mourir pour qui leur disait qui ils étaient.

C'était peut-être ce qui rendait la fête de Pessah si douloureuse aux yeux d'Esther : Pessah, fête de la Transmission, était en train de devenir la fête de ceux qui ne savaient pas poser la question.

Myriam était en révolte contre son père qui l'avait forcée à suivre les préceptes de la religion, ce qui était pour elle un vrai cauchemar. Elle se disputait avec lui au sujet du chabbat, lorsqu'il ne comprenait pas que sa fille détestât venir à sa table, qu'elle préférait suivre sa voie spirituelle, et qu'il devait la respecter. Elle essayait de ne pas s'énerver mais, malgré toutes les méditations, les retraites de dix jours, les processus de coaching pour apprendre à être elle-même, tous les exercices bouddhistes pour réussir à aimer l'autre sans vouloir se l'approprier, devant ses parents elle avait le plus grand mal à garder son calme. Tout l'arsenal bouddhiste s'effondrait face à une simple remarque de son père. Il lui fallait pourtant tout le bouddhisme pour éliminer des siècles d'ego sépharade bâti sur le pathos et la culpabilité, l'exil et la souffrance, la passion et la famille. Mais elle n'arrivait pas à éliminer le conflit. Elle essayait de vivre en accord avec ses nouveaux principes, selon lesquels toutes les choses qu'on fait avec difficulté et souffrance ne font pas partie des vraies valeurs. Elle avait diminué sa consommation de cigarettes, voulait arrêter le Prozac, elle était plus à l'écoute d'elle-même, cultivait les petites choses que donne la vie *car ce sont les petites choses qui font la vie, ce ne sont pas les grandes choses.* Elle avait même eu une aventure avec un autre homme, et lorsqu'ils avaient rompu elle n'avait pas souffert, car elle avait pratiqué l'exercice bouddhiste de ne pas s'attacher. En fait, c'était l'être sépharade qu'elle cherchait à abolir, même s'il était plus fort qu'elle, plus fort que le bouddhisme, plus fort que la mort.

Esther était revenue de ce voyage au Canada avec un sentiment de tristesse et de compassion, pour sa sœur, cette compassion qu'elle ne pouvait s'empêcher d'avoir pour elle, elle qui faisait mine de la ressentir pour le monde entier.

Mais ce soir, quel jeu jouait-elle ?

Avait-elle volé l'amulette par esprit de rébellion, pour défier son père, et par jalousie envers Esther ?

– Est-ce toi qui as volé l'amulette, Myriam ?

– Ce n'est pas moi, Esther, dit Myriam. C'est eux ! dit-elle en levant les doigts au ciel.

– Qui, eux ?

– Les djnouns...

– Qu'est-ce que tu racontes ?

– Pour les enfants... je ne te l'ai jamais dit mais... un an après mon mariage, je n'étais toujours pas enceinte, Sol était désespérée. Tu te souviens lorsqu'elle est allée chez Rachel au Canada ? Elle s'est employée à m'administrer toutes sortes de drogues pour avoir des enfants. Le matin, à jeun, elle me faisait absorber de l'ambre dans un peu de thé, ou des épices dans de l'eau. J'avais droit à des confitures, et aussi des bouillons infâmes. Pendant que je buvais, Sol récitait des formules magiques.

» Puis pendant la grossesse, elle n'a pas arrêté d'intervenir. Si l'on parlait devant moi d'un objet rare, j'étais obligée de me le procurer, sinon je risquais de faire une fausse couche. Il fallait aussi éviter la rencontre de gens difformes ou monstrueux de crainte que l'enfant naisse infirme. Si je voyais un infirme, je devais cracher par terre.

» Pour savoir si c'était un garçon, Sol a pris un morceau de papier blanc qu'elle a mouillé avec un peu de sécrétion lactée, puis elle l'a passé au feu. Si le papier devenait rouge ce serait un garçon. S'il restait blanc, ce serait une fille. Et lors de l'accouchement, elle psalmodiait.

– Quoi ? demanda Esther.

– Elle appelait les djnouns !

– Tu es folle, ma petite ! Folle à lier !

– Ce que je veux te dire, c'est qu'il est encore temps... Écoute-moi. Tu te souviens, quand tu m'as demandé pourquoi je restais avec Patrick, lors de ton séjour à Montréal, lorsque je t'ai parlé du bouddhisme et de mon voyage en Inde, et que je t'ai dit que j'avais rencontré quelqu'un ?

– Le physicien nucléaire qui a tout quitté pour devenir bouddhiste ?

– S'il n'y avait pas eu les enfants, je ne serais pas restée avec Patrick, et j'aurais refait ma vie...

– Pourquoi tu me dis ça maintenant ? s'écria Esther. Toi non plus tu ne veux pas que je me marie ! Au prétexte que tu as raté ta vie ?

Myriam regarda Esther d'un air stupéfait.

– Je n'ai jamais dit ça !

– Alors pourquoi ? Pourquoi vous êtes tous contre lui ?

Myriam la regarda dans les yeux.

– Écoute, dit-elle, voilà. Tout à l'heure, j'étais sur la promenade près de la plage, je faisais mes exercices de chi cong, lorsque j'ai vu Charles.

– Et... ?

– Il était avec un type bizarre, un vieux un peu louche, l'air oriental. Je me suis approchée. Cet homme lui a remis un paquet, un petit paquet kraft bien ficelé... Tu vois ce que je veux dire ? Je n'ai rien contre le fait de fumer de temps en temps, mais...

– Que racontes-tu ? Tu cherches à dissimuler quelque chose, Myriam. Je te connais trop. C'est pour cette raison que tu m'égares, en voulant faire porter les soupçons sur Charles.

– Je n'ai pas pris l'amulette, Esther. Tu n'es pas obligée de me croire. Mais réfléchis. Pourquoi te mentirais-je ?

Esther se mordit les lèvres. Elle était perdue, cette fois. Elle ne savait plus que penser. C'est alors que Michel Tolédano s'approcha d'elle. Pour une fois, il ne souriait pas.

6.

Michel Tolédano

Malgré ses pérégrinations et son exil, Michel Tolédano restait toujours attaché à sa ville. Sympathique, liant, bon vivant, bon convive, drôle, avec un sens aigu de la famille, qui représentait pour lui une valeur essentielle marquant son être de la façon la plus intime, il était un vrai Meknassi. Toujours le sourire aux lèvres, chaleureux, accueillant, il avait pour chacun un mot agréable, mais il pouvait aussi être très colérique. Il était beau pour son âge, avec ce sourire qu'il arborait en toute circonstance. Dans ses yeux bleus, il y avait une sorte de douceur inaltérable, surprenante pour un homme d'affaires aussi redoutable.

Ce qu'il désirait au plus profond de lui, c'était avoir une belle maison dans un coin tranquille, avec une cour intérieure ou un jardin. Matérialiste, pragmatique et fondamentalement intéressé par l'argent, il avait poursuivi sa carrière de façon à accomplir son rêve, le but de sa vie, qui était d'acheter sa maison en Israël, et d'offrir cette belle réception à son fils qui se mariait, au milieu de tous ses amis. Pour lui c'était, plus qu'un accomplissement, l'aboutissement de toute une vie. Et il n'admettait pas que la fête fût gâchée par la faute de Moïse Vital.

Dans le salon, il y avait des photos de Michel Tolédano avec Hassan II, avec un ministre américain, un président de l'État d'Israël, Haim Herzog, puis avec Shimon Peres, Golda Meir, et aussi nombre d'ambassadeurs.

Michel Tolédano avait-il volé le trésor des sépharades ? Non, c'était inconcevable, à moins d'un coup de folie. Le père de Charles était une figure au Maroc : proche conseiller des rois, ami de Hassan II, il était très respecté dans la communauté juive marocaine, dont il avait su, lorsque c'était nécessaire, garder les secrets. Il était homme de principe : en mission à Washington, il avait refusé de serrer la main d'un dignitaire considéré par l'État d'Israël comme un terroriste.

Il n'avait pas eu une vie facile. Self-made-man à la marocaine, il s'était construit à partir de rien. À dix-huit ans, il était parti de Meknès pour vivre à Casablanca, il avait commencé à travailler dans une banque, sans rien dire à personne. Au bout d'un an et demi, il était allé à Marrakech où il avait trouvé du travail au ministère de l'Agriculture. Là, il y avait des ingénieurs agronomes de renom, des Russes blancs chargés par l'administration française de dresser la carte géologique du Maroc. Il avait commencé à travailler avec eux, prenant des cours de physique et de chimie. Puis il avait rejoint les Américains dans le nord du Maroc, à Sidi Slimane, non loin de Meknès.

Il décida alors de se lancer dans la politique, militant pour l'indépendance du Maroc. À la différence des autres, il n'avait pas opté pour Israël, le Canada ou la France. En France, il y avait eu la collaboration et les rafles de juifs. Il en ressentait un effroi d'autant plus viscéral qu'elle lui rappelait l'histoire de sa propre famille, pourchassée par l'Inquisition. Il en était marqué dans sa chair. Et c'était sans doute la raison pour laquelle il refusait de vivre en France.

Il préférait rester au Maroc qui était son pays. Il avait une double préoccupation : le nationalisme marocain et le sort des juifs. André Malraux l'avait inspiré ; chez les scouts, il avait appris le judaïsme et le sionisme. C'est la raison pour laquelle il opta pour le parti de l'indépendance, accomplissant pour la communauté juive marocaine dans le domaine politique ce que Moïse Vital accomplissait sur le plan spirituel pour sa communauté strasbourgeoise. Malgré toute son admiration pour Moïse, une grave divergence l'opposait à lui, concernant les relations actuelles avec les pays musulmans. Il se disait juif arabe, fidèle à ses racines, fidèle à son pays.

Michel Tolédano était entièrement marocain et entièrement juif, même si, malgré sa lignée rabbinique (il descendait du célèbre rabbin rabbi Shimon Tolédano), il n'avait pas choisi de rester dans la stricte tradition. Ce qui l'intéressait en premier lieu, c'était son entreprise d'engrais, et son activité politique : antifrançais, promarocain, il avait pris le parti de son pays. Les Français pour lui étaient des ennemis, et le départ des juifs du Maroc était un drame.

En 1956, date à laquelle Moïse Vital comme beaucoup d'autres quittaient le Maroc par peur autant que par amour de la France, Michel, lui, s'engagea auprès des indépendantistes, tout en étant élu président du Conseil des communautés israélites du Maroc. Il vécut cette période troublée, qui vit la mort du roi Mohammed V, douloureusement pleuré par les juifs qui vouaient un culte à celui qui les avait protégés contre le nazisme et contre Vichy, faisant d'eux des citoyens à part entière. Pendant la guerre des Six Jours, le rôle de Michel prit de l'importance dans la communauté juive, qui se repliait sur elle-même, dans la peur et l'abandon. Souvent les départs, de plus en plus nombreux, avaient lieu la nuit, dans des conditions précaires, sans sécurité. Michel Tolédano fit de son mieux pour aider l'immigration clandestine vers Israël, tout en maintenant le dialogue avec le nouveau roi Hassan II.

Avant cela, il y avait eu la tragédie du bateau *Pisces*.

C'était le mercredi 11 janvier 1961. Le bateau qui devait effectuer la traversée clandestine vers Gibraltar était une ancienne vedette de l'armée britannique, qui avait servi pendant la Seconde Guerre mondiale, avant d'être reconvertie en bateau de contrebande. Ce soir-là, il y avait à son bord dix familles de juifs marocains, quarante-deux personnes en tout, prêtes à faire le grand voyage vers la Terre promise. Parmi eux se trouvaient, outre le capitaine et ses hommes d'équipage, un délégué du Mossad, chargé de la radio, qui effectuait sa dernière mission avant de rentrer se marier en Israël ; Jacques et Denise Ben Haroch, mariés la veille ; David Dadoun et ses deux enfants qui voulait rejoindre en bateau sa femme et ses deux autres garçons déjà arrivés en Israël ; Henri Maman, barman à Casablanca, avec sa mère de quatre-vingts ans ; Hana Hatchwel et ses enfants, impatiente de retrouver ses deux filles parties avec un groupe d'enfants le 2 janvier, et bien d'autres personnes encore…

Après trois cent cinquante kilomètres de route depuis Casablanca, les passagers montèrent enfin à bord du bateau. Ils avaient traversé toute la chaîne du Rif dans la neige et le brouillard. Pour ne pas attirer l'attention de la police, le groupe avait annoncé qu'il entreprenait un pèlerinage à

Ouezzane, sur la tombe d'Amram Ben Diwan. En cas de contrôle, ils devaient prétexter une invitation à un mariage aux environs d'Al-Hoceima. Vers minuit, ils s'étaient arrêtés près d'un pont où deux hommes masqués les avaient guidés par un chemin rocailleux qui menait à la plage. Là, des hommes armés, membres du réseau du Mossad, le visage couvert d'une cagoule, les avaient aidés à embarquer sur les canaux de sauvetage pour rejoindre le bateau.

La tempête se leva d'un coup. À dix miles de la côte marocaine, la coque se fendit. En moins de cinq minutes, le bateau coula à pic. Le réseau du Mossad de Gibraltar parvint à capter les S.O.S. Au lever du jour, un chalutier espagnol recueillit le capitaine et deux marins qui avaient réussi à s'enfuir à bord de l'unique canot de sauvetage.

On avait repêché vingt-deux cadavres flottant à la surface de l'eau. Mais on ne retrouva jamais l'épave du bateau, ni les corps de vingt passagers, dont seize enfants.

Cet événement avait bouleversé Michel Tolédano. Au nom de la communauté juive, il avait requis une audience auprès du prince héritier Moulay Hassan, pour obtenir l'autorisation d'enterrer les morts religieusement. À la suite d'une longue négociation, le prince avait fini par accepter, à condition que la cérémonie se réduisît au strict nécessaire et qu'aucun parent ne fût admis. Les vingt-deux corps furent inhumés à la hâte dans un coin reculé du cimetière espagnol d'Al-Hoceima. Au bout d'années d'efforts et de tractations menées par le gouvernement israélien, des associations en Israël et des personnalités internationales, le roi Hassan II autorisa le rapatriement des ossements des naufragés qui eurent droit à des obsèques nationales au mont Herzl à Jérusalem.

Quelque temps après cette tragédie, Michel avait été convoqué par le roi Hassan II, qui le reçut, autour d'un thé versé rituellement, dans des verres somptueux, accompagné de cornes de gazelle, et de beignets, les plus fins délices marocains. En ami, comme si rien ne différenciait vraiment les deux hommes. Qui aurait pu dire lequel des deux visages, aux traits aussi semblables que ceux de deux frères, à la fois soucieux et avenants était le juif, était l'Arabe ?

– Je voulais vous rencontrer pour vous dire combien j'ai été affecté par la tragédie du *Pisces*, lui avait dit le roi, mais il y a quelque chose que je voudrais savoir… Du fond du cœur, dites-moi : pourquoi les juifs marocains veulent-ils quitter leur pays ? Certains de mes conseillers me disent qu'il n'y a d'autre explication que la propagande sioniste, l'embrigadement idéologique, et l'encadrement de l'Agence juive internationale. Ils pensent que la naissance d'Israël a constitué un point de rupture dans la longue coexistence entre juifs et musulmans. Que les dirigeants d'Israël n'ont jamais été autre chose que des sionistes. Qu'Israël est fondé sur une idéologie raciste, y compris entre juifs occidentaux et juifs orientaux. Alors pourquoi les juifs veulent-ils quitter le Maroc ?

– Majesté, dit Michel Tolédano, les juifs sont profondément attachés au Maroc qui est leur pays, et ils sont sincèrement attachés à Israël, qui est leur terre d'origine. C'était il y a longtemps, mais la mémoire juive est très vive, et de génération en génération elle perpétue le désir de retour chez ceux qui en furent chassés. Souvenez-vous du grand Amram Ben Diwan, venu pour convaincre les juifs de partir vers la Terre promise. Il a insufflé dans leur cœur l'amour de la terre d'Israël, même si l'amour du Maroc était toujours présent.

» Dans ce pays, je ne me suis jamais senti minoritaire, bien qu'appartenant à une minorité. Et sachez-le, Majesté, ces juifs qui quittent le Maroc gardent toujours le Maroc dans leur cœur. Je vous fais le serment que partout où les juifs émigrent et vivent, ils sont les ambassadeurs du Maroc. Nous sommes présents dans ce pays depuis des siècles, nous l'avons aimé et nous l'aimons encore d'un amour profond et inaltérable, car c'est notre pays. Et pour ceux qui, comme moi, souhaitent rester, il doit être possible de le faire dans de bonnes conditions de sécurité et de bien-être. Mais pour ceux qui préfèrent quitter le Maroc, il devrait être possible de le faire aussi, sans mettre leur vie en danger.

– Pourquoi partir ? demanda le roi. Pourquoi nous laisser ici sans vous, alors que vous faites partie de notre histoire, puisque vous êtes marocains ? Vous savez que la nationalité marocaine ne peut se perdre... Pourquoi vous séparer de nous, de vous ? Nous ne désirons pas votre départ. J'appartiens à la dynastie des Alaouites : nous vous avons toujours bien traités. Dans l'histoire du Maroc, il y a eu des pogroms et des massacres, je le sais, mais depuis que nous sommes au pouvoir, notre dynastie entretient une relation privilégiée avec les juifs. Comme l'a dit mon père, le regretté roi Mohammed V : « Les Marocains israélites ont les mêmes droits et les mêmes devoirs que les autres Marocains. »

Michel Tolédano avait été bouleversé par les paroles du roi. Cet entretien l'avait décidé à rester au Maroc, à travailler pour l'intégration de la communauté juive, malgré les départs et malgré les temps troublés, malgré l'antisémitisme du peuple. Il avait été confronté aux conversions forcées des mineures juives : ces jeunes filles enlevées à leur famille et converties avant d'être mariées de force à des Arabes. Puis il y eut un massacre de juifs : Samuel Boussidan, qui avait quarante-deux ans et onze enfants, fut battu avec des barres de fer avant d'être jeté dans un sac et brûlé ; Chalom Elfassi fut lynché par une foule en délire, qui le tua à coups de briques, avec son fils ; des bûchers furent allumés sans qu'il y eût aucune riposte ni intervention de la police. Ils furent nombreux à périr ainsi tragiquement et à être brutalisés, surtout pendant la visite du président égyptien Nasser au Maroc. Un vent de panique souffla sur le Maroc, qui vit la fermeture des bureaux d'immigration et l'expulsion des émissaires israéliens.

Michel, lui, continua d'œuvrer sans relâche pour l'entente secrète entre le gouvernement israélien et le gouvernement marocain. Mais le gouvernement commença à réduire la liberté de circulation des juifs. Le ministère de l'Intérieur interrompit l'octroi de passeports aux juifs. Le mot d'Israël devint tabou. Lors de la guerre des Six Jours, pour la première fois les Marocains furent appelés à boycotter les juifs. En 1967, sept mille juifs quittèrent le Maroc pour l'Espagne, le Canada ou la France. À Meknès, Michel eut le cœur brisé de voir son mellah, celui dans lequel il avait passé son enfance, les meilleurs moments de sa vie, se vider peu à peu de sa population. Les synagogues furent fermées, certaines transformées en magasins ou en restaurants. Michel gardait en lui, pour toujours, la saveur du mellah de Meknès. Il en connaissait chaque maison, il savait exactement quelle famille l'habitait du temps où les juifs étaient là. Et en les voyant, il ne pouvait s'empêcher d'être envahi de nostalgie. Il avait voyagé en France, en Europe, aux États-Unis, mais il disait qu'on ne peut aimer que dans sa langue maternelle, cette langue maternelle qui était l'arabe.

Et Michel voyait chaque jour, le cœur serré, le Maroc se vider des siens.

Il se souvint du temps où pas un recoin du pays n'était sans juifs, et il regrettait l'artisanat qui s'était perdu avec leur départ. Enfant, il allait avec sa mère au bain des femmes. Lorsqu'il retourna aux bains, des années plus tard, l'homme aveugle qui le gardait lui toucha le visage. Il le prit dans ses bras et se mit à pleurer, il était l'employé du grand-père, le fidèle M'bark, et lui aussi regrettait le temps où les juifs vivaient au Maroc.

Sur la pression de sa femme, qui pensait à l'avenir de leurs enfants, à leurs études, à leur vie future, il finit pourtant par partir, avec sa famille, puis il fit venir ses parents, qu'il installa confortablement dans un bel appartement de Strasbourg. Et voici qu'un jour où ils prenaient le thé, un samedi après-midi, dans son salon marocain, Yacot sa mère lui dit en soupirant : «Je donnerais tout ça, mon fils, pour avoir deux mois de notre vie à Meknès.»

Comme il la comprenait ! Parce que c'était une vie qui avait un sens, le chabbat y avait un goût spécial et la vie juive était très structurée.

Et voici que, vingt ans plus tard, il était confronté au même problème, au même exode. Les derniers juifs du Maroc s'étaient mis à émigrer, petit à petit, et la communauté juive se dépeuplait chaque jour un peu plus. Secrètement, il avait œuvré pour le rapprochement avec Israël, et notamment pour la venue de Shimon Peres, à la suite de laquelle Hassan II avait ouvert les portes de son royaume aux touristes israéliens. En guise de reconnaissance, à la mort du roi, Israël avait fait baptiser soixante-dix rues et avenues du nom du «cher disparu». Le gouvernement israélien dirigé alors par le travailliste Barak et les organisations juives marocaines avaient participé en force aux adieux de leur inoubliable ami. Depuis qu'il était installé en France, Michel n'avait plus la même joie de vivre, le même enthousiasme, ni même l'élan généreux qu'il avait par le passé. Il n'était vraiment heureux que dans les paysages aux couleurs chaudes de son enfance, lorsqu'il retrouvait les amitiés de son adolescence. Le lendemain de l'attentat islamiste à Casablanca – où quatre des bâtiments visés étaient juifs –, il s'envola pour le Maroc afin de soutenir la communauté. Malgré le choc, ceux qui étaient restés n'étaient pas prêts à partir, et il les comprenait. Vendre une affaire du jour au lendemain n'est pas facile. Pour l'instant, ils attendaient, se disant que ce n'étaient pas seulement les juifs qui étaient visés par cet attentat, mais tout le Maroc. C'était une provocation contre le prestige du nouveau roi du Maroc, Mohammed VI, fils de Hassan II. Ses prédécesseurs sur le trône, son père et son grand-père, n'avaient-ils pas protégé la communauté pendant la Seconde Guerre mondiale et la guerre du Golfe de 1991 ? Au fond, ils savaient que l'ambiance de tolérance religieuse qui faisait la particularité de la société marocaine avait changé depuis la montée des fondamentalistes musulmans : depuis qu'un juif avait été poignardé dans la rue, les juifs avaient cessé de porter la kippa dans les lieux publics comme ils en avaient l'habitude en toute quiétude. Ils vivaient dans la peur : de leurs voisins, des attaques terroristes. Si quelque chose se passait, ils savaient qu'ils seraient les premiers visés. Même si les juifs tentaient de se rassurer en voyant que certains Marocains exprimaient leur solidarité, ils pensaient au fond d'eux-mêmes que le temps était venu de faire leurs bagages et de rejoindre les deux cent mille juifs marocains qui avaient immigré en Israël.

Après l'attentat de Casablanca, Michel Tolédano sollicita un entretien avec le jeune roi du Maroc, exactement comme il l'avait fait, des années auparavant, avec son père Hassan II, après la tragédie du *Pisces*.

Et Mohammed VI le reçut, dans ce même palais où, des années plus tôt, Hassan II lui avait dit son attachement au peuple juif, dans ce même salon où on lui avait servi le thé, dans les mêmes verres, avec des gâteaux semblables...

– Majesté, dit Michel Tolédano, je suis ému de voir le fils de celui à qui j'étais tellement attaché. Et à nouveau, je viens vous demander protection pour les juifs qui restent au Maroc. Nous savons que la mouvance islamiste dénonce ce qu'ils appellent vos « accointances avec le sionisme ». Mais je voulais vous dire aussi que nous espérons tous du fond du cœur que l'islamisme ne poussera pas Mohammed VI à rompre les contacts officiels avec Israël.

– Pour eux, le plus important est que je rectifie l'erreur de mon père Hassan II et mon grand-père Mohammed V. Malgré toutes les pressions, mon père n'a jamais rompu les contacts avec Israël. Grâce à lui, Rabat et Tel-Aviv ont toujours entretenu des relations privilégiées. Nous restons plus que jamais attachés à la Constitution de 1972 qui ne fait aucune distinction entre Marocains, qu'ils soient juifs ou musulmans. À Casablanca, vous le savez, il y a des synagogues qui accueillent les fidèles tous les jours, des restaurants cacher, qui offrent la possibilité de mener une vie juive, avec tous ses impératifs, dans le respect de votre Torah. Depuis toujours, les juifs sont intégrés à la nation, en plus de la protection que nous leur devons.

– Majesté, je sais que l'identité juive et marocaine, maintes fois confirmée par le roi, s'est trouvée renforcée par sa politique de modération dans le conflit du Moyen-Orient, en dépit des paroles haineuses des médias arabes. Et je continue, comme nombre de vos sujets, à obéir à l'injonction de votre père Hassan II, lorsqu'il nous disait : « Je vous demande d'être les ambassadeurs du Maroc dans chacun des pays d'émigration. »

En prononçant ces mots, Michel Tolédano n'avait pu s'empêcher d'être ému. Pourquoi le roi s'intéresserait-il à une communauté qui se réduisait comme une peau de chagrin, au point d'être réduite à sa plus simple expression ? Quatre ou cinq mille juifs, sur une population de trente-quatre millions d'habitants, cela paraissait dérisoire. Comme s'il comprenait son interrogation, le roi répondit :

– Vous savez ce que disait mon père, ce qui l'a tourmenté jusqu'à la fin de sa vie ? Il disait : « Pourquoi nous ont-ils laissés ? Ils ont été bien traités. Pourquoi sont-ils partis ? » Vous étiez là avant nous ! Vous étiez là depuis deux mille ans. Le Maroc était votre pays avant d'être le nôtre. Comme le disait mon père Hassan II, le Maroc est un lion qu'il faut mener avec une ficelle. Il luttait sans relâche contre l'islamisme, il disait aussi : « Religion de liberté, l'islam est contre l'islamisme. » Et je suis comme lui. Si vous partez tous, je serai seul dans la lutte.

– Majesté, nous sommes en exil à présent, dit Michel. Mais dans le cœur de chaque juif marocain, il y a une souffrance, une nostalgie, une blessure profonde.

– Nous allons condamner les islamistes, et ce sera une chose unique dans le monde musulman. Il y aura des procès et des arrestations, et nous serons un exemple pour le monde entier, justement à cause de notre histoire particulière, et vous les juifs vous avez un rôle à tenir dans ce projet. Je prononcerai moi-même un discours pour expliquer que l'attentat terroriste était perpétré contre le pays tout entier, pas seulement contre les juifs.

» Malheureusement cela ne vous empêchera pas de partir. Je voudrais… j'aurais tant voulu comprendre, et donner des assurances suffisantes pour dissuader ceux qui veulent s'en aller. Vous êtes parti, Michel. Vos enfants sont partis… Bientôt il n'y aura plus de juifs au Maroc. Malgré tous nos efforts et toute notre bonne volonté, nous avons été abandonnés par vous, les responsables de la communauté juive marocaine. Depuis votre départ, les gens qui devaient vous succéder brillent par leur silence. L'organisation que vous aviez mise sur pied n'existe plus : elle a failli dans sa mission qui était de servir de cadre de rassemblement aux juifs marocains au Maroc, de maintenir la présence d'une culture florissante. Elle n'a pas réussi, non plus, à intégrer les juifs, ni dans la société civile ni dans la vie politique nationale.

» Maintenant, au lieu de s'occuper du sort des juifs au Maroc, les responsables de la communauté juive passent leur temps à voyager, entre leurs résidences new-yorkaises, londoniennes, parisiennes ou québécoises. Une élite financière, doublée de globe-trotters, qui s'investit davantage dans ses propres affaires que dans ses obligations vis-à-vis des juifs résidant régulièrement au Maroc, et vis-à-vis de leur roi !

– Certains reviennent vivre ici. Après avoir fait leurs études en France, ils reviennent pour travailler dans l'entreprise de leur père. J'en connais plusieurs, et c'est un phénomène récent, lié au développement du tourisme, à l'essor du Maroc. Beaucoup veulent travailler dans ce secteur.

– C'est une poignée de gens riches qui vivent dans plusieurs pays, avec un pied-à-terre occasionnel au Maroc. Je connais la vérité, vous n'avez pas besoin de me la cacher : la communauté juive marocaine a toujours été traversée par des courants d'idées et des influences venus d'Israël. Les antennes locales des services israéliens ont été réactivées. Les agents font du porte-à-porte. Tous les moyens d'incitation au départ sont bons. On m'a rapporté des cassettes vidéo et des CD-ROM qui sont envoyés par Israël pour être vus par les familles juives marocaines. Ils vantent les délices de la vie quotidienne en Israël.

» Bien sûr, ce ne sont plus les mêmes discours qu'il y a quarante ans. Ce n'est plus le grand voyage messianique. Le propos est réadapté. Il est devenu pragmatique. On parle de scolarisation, d'emploi et de logement. On ne parle pas des faibles capacités d'assimilation des nouveaux migrants, ni du chômage, ni de l'ostracisme que subissent les juifs d'Afrique du Nord en Israël. Pour vaincre les dernières hésitations, toutes les garanties sont données pour que ne se reproduise pas l'expérience des premiers immigrants mis en quarantaine dès leur arrivée en Israël.

» Mais moi, j'aimerais vous dire de ne pas partir dans un pays où vous êtes en danger. Les relations entre Israël et les pays arabes sont au plus mal. Toute la région peut basculer à chaque instant dans une nouvelle guerre. Pensez à votre situation en cas de conflit israélo-arabe. Rappelez-vous l'animosité et les exactions dont vous avez fait l'objet !

» C'est la phase finale d'un processus entamé il y a quarante ans et qui aboutit à la disparition d'une culture deux fois millénaire.

Après un silence, le roi ajouta :

– Et lorsque les derniers juifs du Maroc partiront, ce sera un désastre national. En effet, que peut le Maroc sans ses juifs ?

– La culture, Majesté, avait rétorqué Michel Tolédano, notre culture, ne disparaîtra pas. Votre père et votre grand-père l'avaient demandé : les centaines de milliers de juifs marocains disséminés de par le monde continuent à faire vivre le flambeau du patrimoine marocain. Où qu'ils soient, ce sont les mêmes plats, les mêmes fêtes, les grandes rencontres familiales et religieuses à l'occasion des fêtes et des mariages sur fond de musique arabo-andalouse. Des airs de Salim Halali, Sami Maghribi, Albert Souissa, Raymonde El-Bidaouia et tant d'autres. Des airs de chez nous, Majesté. Les immigrés ont conservé, et garderont toujours le Maroc au fond d'eux-mêmes. Beaucoup reviennent au Maroc parce qu'ils en ont besoin, parce qu'ils aiment le Maroc et qu'ils l'aimeront toujours.

Pourtant, Michel Tolédano savait bien que le roi avait raison, que cette époque était celle d'une histoire perdue, à jamais disparue.

Quelques jours plus tard, il prit un bus au hasard pour le simple plaisir de se promener dans son pays, sa ville, et sentir encore le vent du Maroc. Un homme assis en face de lui l'avait reconnu et lui avait dit :

– Monsieur, je crois que vous devriez partir car ils vont mettre le Maroc à feu et à sang.

Alors Michel Tolédano avait quitté son pays le cœur brisé sans même la consolation de savoir que son fils continuerait la lutte.

Autant Michel était ouvert et sympathique à l'extérieur, autant, chez lui, il faisait régner une autorité absolue qui n'admettait aucune contradiction. Il avait voulu forcer ses fils à reprendre le flambeau et avait obtenu le résultat contraire. Ses fils ne respectaient plus aucun aspect de la religion, sauf Kippour. Charles, en effet, était devenu le plus mauvais des quatre fils de la Haggadah de Pâque : le méchant. Un provocateur, un questionneur de l'extérieur qui ne cherchait qu'à renverser le système. Son opposition à toute forme de religion attristait son père. Mais Charles était son fils, et en cet instant où Moïse Vital l'accusait d'être un voleur, où son honneur et l'honneur de sa famille étaient mis en question, il ne réfléchissait plus en diplomate conciliant, il ne souriait plus, il écumait de rage, d'une rage ancestrale.

Michel Tolédano regardait tour à tour Esther et Moïse Vital, avec, dans les yeux, une lueur de colère, celle du Bédouin offensé. Un instant, Esther crut qu'ils allaient en venir aux mains et s'entretuer.

– Tu es venu dans ma maison apporter le scandale ! commença Michel.

– Ce n'est pas moi qui l'ai apporté, c'est ton fils ! Ton fils qui prétend être le mari de ma fille, ton fils est un voleur ! Demande-toi comment tu l'as éduqué et si tu l'as éduqué !

– Mon fils n'est pas un voleur, dit Michel. Mais toi, tu es un pervers. Piéger son gendre le jour de son mariage ! Fouiller ses amis ! Tu prétends être un sage mais tu n'es qu'un fou ! J'ai gaspillé ma vie à rester diplomate avec des gens de ton espèce. Tu peux t'en aller ! Sors de ma maison.

Alors Moïse se tourna vers sa fille. Elle comprit qu'il allait partir et il attendait qu'elle le suivît. En quelques heures, son père avait discrédité la famille adverse, jeté l'opprobre sur son fiancé et anéanti son mariage. Ô père sépharade ! Père passionnel à l'amour si brûlant que rien ni personne ne peut l'égaler. Père tribal et juif, ayant mis l'interdit de l'inceste entre lui et sa fille, seul interdit pouvant contrer la force et la flamme de son amour. Père aimant, enveloppant, caressant, dominant, impitoyable contre ceux qui osent toucher à sa progéniture, et capable contre elle des colères les plus terribles comme des mots les plus doux, aucune parole ni aucun geste ne peut rivaliser avec ceux du père sépharade lorsqu'il lui dit, mon amour, car elle est son amour. Ô père sépharade, quand laisseras-tu un peu d'amour à recevoir ?

Comme hypnotisée, Esther esquissa un mouvement vers son père, mais soudain :

– Non. Je reste.

Elle vit son père chanceler une fraction de seconde et blêmir. Elle vit ses prunelles se dilater sous le coup de la surprise. Et puis elle le vit, lui, son père, mortellement, doublement offensé, tourner les talons et, sans un regard derrière lui, partir.

Sa mère la toisa des pieds à la tête.

– Tu le regretteras, dit-elle. Toute ta vie, Esther Vital, tu le regretteras !

7.

Les deux patriarches

La famille d'Esther, les siens, étaient tous partis, à présent. Son père, sa mère, sa sœur, sa grand-mère avaient quitté la maison. Ses tantes étaient restées, qui remplissaient leurs assiettes de pâtisseries et leurs verres de thé à la menthe pour calmer leur angoisse, ainsi que les deux patriarches qui souriaient comme si de rien n'était.

Esther était assise sur le canapé, entre ses deux grands-pères, Saadia Vital, le père de Moïse, et Sidney Hatchwel, le père de Suzanne.

Saadia était un beau vieillard, grand, un peu voûté. Pour l'occasion, il avait revêtu la *zokha*, apanage des rabbins et des dirigeants du mellah, et le foulard bleu à pois blancs qui coiffait les juifs au siècle dernier. Ensemble, zokha – entre djellaba et *panjabi* – et foulard produisaient un certain effet. Saadia ressemblait à ces personnages des célèbres photographies d'Élias Harrus, juifs marocains parmi les Berbères, jeunes femmes d'un autre temps qui émondaient des amandes et rinçaient dans la rivière le blé qu'elles destinaient à la fabrication du pain du chabbat ; épouses qui portaient l'eau comme dans la Bible ; enfants à l'école juive ; tisserands de laine sur les métiers ou assis devant leur maison. Ces photos montraient à quel point la vie des musulmans et celle des juifs s'entremêlaient au Maroc, dans les campagnes. Souvent, les familles voyageaient ensemble pour une *hiloulah*, un mariage ou une autre cérémonie.

Sidney Hatchwel, l'autre grand-père d'Esther, arborait la redingote, le col amidonné qui serrait son cou à la peau mate, un peu fripée, un chapeau qui recouvrait son visage aux traits fins et aux cheveux gris et raides, à la coupe impeccable, et des gants blancs, bien sûr. Pour appeler les serveuses dans les cafés, il enlevait un gant, et frappait, à la mogadorienne, de ses deux doigts repliés contre son col rigide. Bien entendu, en général, elles ne réagissaient pas. Il refaisait le geste plusieurs fois, et en désespoir de cause, il agitait le petit doigt avant de s'avancer tout doucement derrière elles pour leur murmurer à l'oreille : « Vous n'avez point entendu que je vous appelais ? »

– Comment vas-tu ma chérie ? s'inquiéta Sidney, l'air soucieux.

– Ça va.

– Tu n'as pas l'air bien, darling !

Il prit place à côté d'elle.

– Tu sais que j'ai reconnu un Mogadorien tout à l'heure, ici même ?

– Ah oui ! Un ami à toi ?

– Non, pas du tout.

– Comment tu as su qu'il était mogadorien ?

– Ce ne peut être qu'un Mogadorien qui se promène tout en ayant la main posée sur la hanche ainsi.

Il imita le port de main avec un déhanchement comique.

– Mais oui, ma fille. Et toi, dis-moi, tu te maries, c'est merveilleux, que Dieu bénisse, que Dieu bénisse !

– Merci, Papy, merci.

– Je crois qu'il est de Meknès, c'est ça ?

– Oui, c'est ça… Enfin, sa famille est de Meknès.

Un voile d'inquiétude passa sur les yeux du vieil homme, rapidement recouvert par un sourire angélique.

– C'est pas grave, ma fille. C'est pas grave. L'essentiel, c'est que vous soyez bien ensemble, non ? On a déjà vu des filles de Mogador se marier avec des garçons de Meknès. Oui, c'est déjà arrivé… J'en suis sûr…

Ainsi parlait Sidney Hatchwel, dans un mélange d'arabe, d'anglais et de français, les mots prenant parfois les accents et les tournures propres à la ville de Mogador.

Avec sa coupe de cheveux comme dans les années trente et ses yeux noirs, malgré sa petite taille, Sidney Hatchwel avait de la prestance, cela devait venir de sa démarche. Lorsqu'il marchait, Sidney, on aurait dit qu'un tapis rouge se déroulait en permanence sous ses pieds. Sidney était un pur produit de Mogador ; car cette ville, pour ceux qui y sont nés, ne sera jamais Essaouira, le nom ancien qui lui fut redonné après l'indépendance. Partout où il se trouvait, Sidney construisait son monde autour de lui, avec la mer et un horizon que lui seul savait voir. Sidney avait son propre code d'éthique, fondé sur la finesse de la langue, et le culte de l'élégance et des bonnes manières, hérité des Anglais, qui incarnaient à ses yeux le sommet du chic. Ainsi, il portait toujours un stylo en guise de pochette, même le vendredi soir à la table du chabbat, ce qui avait le don d'horripiler Moïse Vital car la Loi interdit de toucher le stylo, instrument de travail, en ce saint jour de repos. Mais peu importait la Loi, le chic l'exigeait, et le chic, c'était la règle qui régnait sur toutes les autres pour les Mogadoriens. Chaque vendredi soir, c'était la même sérénade. Moïse bouillait, lançait des regards furibonds en direction de Suzanne qui se penchait discrètement vers son père pour lui dire d'ôter l'objet du délit, ce qu'il faisait fort aimablement, jusqu'au vendredi suivant où il revenait, droit comme un I, fier de son élégance marquée par le stylo dans la pochette.

Plein de tact et de savoir-faire, Sidney connaissait aussi l'art de la litote et de l'euphémisme. Pour saluer une personne, il touchait sa main avant de la retirer aussitôt, comme pour dire : je vous fais cadeau du salut. Si la soupe était froide, il disait : « elle est tiède », si elle était tiède, il opinait : « elle n'est pas trop chaude ».

Lorsque Sidney était jeune, à Mogador, il se levait tôt pour aller prier. Il prenait le thé en écoutant les récits des hauts faits des rabbins, puis il se rendait à la boutique de marqueterie qu'il avait héritée de son père, avec ses objets en thuya, dont on utilisait les racines, naturellement sculptées de motifs par la nature. Il faisait venir le bois brut des exploitations qui se trouvaient à une dizaine de kilomètres de la ville. Le thuya, essence rare, était contingenté, et seules les personnes habilitées pouvaient en faire le commerce. Le thuya, ou *arar*, était difficile à travailler en large surface, car il avait tendance à éclater, c'est pourquoi il était surtout utilisé en placage. Les marqueteurs travaillaient à la loupe les motifs en citronnier, très pâle, ou en ébène de Macassar, à la profonde couleur noire, qu'ils enjolivaient de nacre, de fils d'argent ou d'aluminium. Les dessins se détachaient sur le fond brun rosé du thuya au parfum caractéristique : l'odeur même de Mogador.

Le samedi, Sidney aimait à déambuler dans la ville, sur le port aux jetées parallèles, puis le long de la Scala, la longue muraille qui longe la côte avec ses créneaux et ses canons du XVIIIᵉ siècle.

La lumière baignait les remparts d'une beauté singulière. Un soleil transparent voilait la ville d'un blanc diaphane. Au crépuscule, une nuée d'un orange profond dorait les murailles. Le vent envahissait les rues et les ruelles, ébouriffait les passants et soulevait les robes des femmes et les djellabas blanches, bleues, vertes ou terre de Sienne. Vêtu de son costume blanc, Sidney errait dans le dédale des rues saturées d'odeurs et de lumière, celles des bijoutiers, des graveurs de bois, des marchands assis à même le sol devant leur boutique d'étoffes ou d'épices. Il se perdait dans les passages sombres où œuvraient les cordonniers, les drapiers, les rétameurs, les boulangers, et les fabricants de coussins. Boutiques blanches, volets bleus, tissus chamarrés, vaisselle peinte, poterie de Safi : la lumière du crépuscule, voilée d'un halo gris les jours de brouillard, nimbait ces éclats de couleur d'une douce aura. Sidney aimait aussi frôler la mer, et s'abîmer dans ce paysage d'une extrême beauté, indompté, qui, les jours de tempête, prenait des airs de côte anglaise. L'océan se fracassait alors au pied des murailles, explosait en une écume mousseuse. Les vagues se chevauchaient ainsi depuis des siècles, comme elles le feraient pendant des siècles encore, et aussi lorsque tous les juifs seraient partis de Mogador, et que seul le drapeau marocain flotterait sur la petite ville au pied du rocher.

Lors d'un voyage au Maroc, Esther avait passé l'après-midi avec ses parents à Mogador, à déambuler dans les rues étroites. À cinq heures du soir, le soleil avait déserté la terrasse du Café de France meublée de tables et de chaises dépareillées, d'un vieux bar, que prenaient d'assaut hippies, écrivains et journalistes, et les vagues de touristes qui avaient acheté du thuya marqueté. Les pêcheurs rentraient au port. Les plus pauvres, qui n'avaient pas de barque, arrivaient plus tard, juchés sur une grosse chambre à air qui leur servait à voguer au loin, dans le ressac. Les enfants demandaient des stylos. Les jeunes femmes revenaient de leur promenade à la plage, dans des caftans colorés. Les surfeurs rentraient à leur hôtel. Au loin, on entendait deux *gnaouas* qui frappaient sur des tambours, dans un concert ponctué par les cris des mouettes et des cormorans. Les échoppes fermaient, les vendeurs rangeaient les tissus, les graines, les poissons, les légumes et les fruits.

Moïse s'était levé, l'air bouleversé. Au milieu du café où il avait pris place avec sa famille, il y avait une étoile de David peinte sur une table… Le café était une ancienne synagogue, lui avait expliqué le patron.

– Ici, ici même, des mariages ont été célébrés, avec un dais recouvert de velours rouge, les mariés debout l'un contre l'autre, et les invités autour. Le rabbin récitait une prière en hébreu puis prenait le verre enveloppé d'un linge, qu'il brisait, avant d'entamer des chants en arabe. Sous les youyous des femmes et les cris des hommes, les musiciens jouaient de la mandoline et du tambourin, et chaque invité repartait avec un cône rempli de gâteaux. (Il s'était penché vers Moïse et avait murmuré, l'air nostalgique :) Depuis que les juifs sont partis, il n'y a plus d'étoiles au ciel de Mogador.

– On nous a chassés, répondit Suzanne, les émeutes de Marrakech, on aurait dit le moteur d'un camion, entre le mellah et la médina, qui grossissait et soudain le feu ! Je me souviendrai toujours de la fuite des gens de terrasse en terrasse pour ne pas être repérés, des murs qu'on escaladait, et du chant du muezzin, pendant que la fumée s'élevait sur la ville... Il n'y a pas de regrets à avoir. Ils ne voulaient plus de nous. Ils nous ont chassés ! Ici même, chez nous !

Moïse avait contemplé le café comme s'il voyait l'ancienne synagogue.

– Il aurait fallu enlever cette synagogue et l'emporter à Jérusalem ! Mogador... C'est fini..., ajouta-t-il en soupirant.

Son regard était plein d'une douleur contenue.

Au cimetière de Mogador, un vieux cimetière marin sur les récifs de la ville, il fut difficile de retrouver les tombes familiales. Les noms étaient à moitié effacés par le vent et la mer, et par le temps qui passe, inéluctablement. Suzanne cherchait en vain les tombes de ses ancêtres, les Pinto, parents de Sol. Les centaines de tombes, blanches, droites, étroites ou arrondies, étaient si serrées qu'il fallait les escalader à certains endroits, à travers les vieilles ronces.

– Mogador, c'est fini, avait répété Moïse. C'est fini.

Le cimetière de Mogador ne s'étendrait plus, il n'accueillerait plus de nouvelles tombes, il resterait ainsi, intact, blanc, achevé pour l'éternité, car l'histoire des juifs au Maroc était terminée. Des générations qui avaient survécu aux guerres, aux pogroms, aux famines, aux maladies s'éteignaient soudain, elles ne vieilliraient pas ici, elles ne mourraient pas ici. Ils étaient de passage, juste pour visiter les morts du passé, ils étaient en pèlerinage au Maroc pour rendre hommage au judaïsme sépharade tel qu'il était, tel qu'il ne serait plus jamais.

– Mogador, c'est fini, murmura Moïse.

Sidney, le père de Suzanne, avait souvent raconté à sa petite-fille comment il avait quitté très tôt ses parents qui, pour parfaire son éducation, l'avaient envoyé à Londres afin d'y effectuer ses études. Il avait à peine quatorze ans.

Sidney avait donc pris à Mogador le bateau qui l'emmenait au loin, jusqu'aux rivages de l'Angleterre. Il savait qu'il partait pour longtemps, et il avait pleuré tout au long de la traversée, déchiré de quitter ses parents alors qu'il était si jeune. Mais ils en avaient décidé ainsi : il fallait qu'il fût instruit, et c'était à Londres qu'il recevrait la meilleure formation, et d'où il reviendrait, un jour, en leur faisant honneur dans tout Mogador. Pour eux aussi ce départ était un sacrifice, mais en même temps qu'ils souffraient, ils s'en enorgueillissaient.

Ainsi, il partait : loin des rivages enfiévrés le long des murailles, loin de Mogador dans la brume, recouverte d'un manteau de fumée, floue déjà dans le lointain, il partait loin de son enfance alors qu'il était encore enfant. Il partait vivre seul. À cette idée, son cœur battait, d'excitation et aussi d'effroi, d'appétit et de peur, de jeunesse. Toute la vie s'ouvrait, s'offrait à lui, et il était prêt à l'affronter : il n'était pas mogadorien pour rien.

Entre Londres et lui, ce fut le coup de foudre. La ville avait comblé toutes ses attentes, incarné ses rêves de grandeur et d'élégance. Sidney avait étudié très sérieusement pendant cinq ans l'anglais et le commerce. Puis à dix-neuf ans, au lieu de rentrer à Mogador, il décida de rester. Pour gagner sa vie, comme il était beau garçon, le soir il était figurant dans des spectacles dansants et des pièces de théâtre. Ce fut là qu'il la rencontra.

Elle était menue, fragile, gracieuse. Elle avait des cheveux blonds coupés au carré avec une frange, et lorsqu'elle dansait, ses jambes fines et longues n'en finissaient pas de dessiner des points d'interrogation sur son cœur. Au premier regard, il fut bouleversé. C'était comme si le monde se réorganisait soudain devant ses yeux, sans qu'il sût ni pourquoi ni comment.

Il lui fit la cour à travers mille mots, comme on offre des fleurs, sur tous les tons, heureux lorsqu'elle riait, lorsqu'elle souriait, et surtout, lorsque le spectacle était fini et qu'ils restaient là, alors que le jour avançait. Ils vécurent ainsi pendant un an. Un an de bonheur, d'amour le jour et d'amour la nuit, et le soir, elle dansait et lui figurait parmi les acteurs, pas loin d'elle, parfois tout près. Ils ne se quittaient plus.

Du Maroc il avait tout oublié, le paysage de son enfance, la mer sur les contreforts de Mogador, l'odeur du thuya, la petite synagogue. Le visage de sa mère, dans la brume de Marrakech, de jour en jour, de mois en mois, s'estompait. Il en oublia ses traits, son contour perdit sa netteté. À ce visage se superposait celui de son amie.

Lorsqu'il reçut un télégramme de ses parents, lui disant de rentrer rapidement, il pensa à la maladie, il pensa à la mort. Le voyage durait plus d'une semaine. Il n'emporta qu'une petite valise, et laissa à Londres son cœur et le reste de ses affaires. Avant de partir, son amoureuse lui confia qu'elle craignait de ne jamais le voir revenir.

– Je reviendrai, dit Sidney. Je te le promets.

En 1927, le voyage de Londres à Mogador était une aventure ; il fallait prendre le bateau pour Paris, puis le train à vapeur jusqu'à Marseille, puis le bateau durant trois jours et deux nuits, jusqu'au détroit de Gibraltar, puis le car. À

Algésiras, on quittait l'Europe pour l'Afrique. Lorsqu'il arriva à Casablanca, Sidney fut surpris par l'intensité des odeurs et du bruit, le brouhaha des voitures à cheval, des cochers de fiacre sur la place de France, place principale de Casablanca. Les enfants des rues, les portefaix, le soleil, les habitants vêtus de burnous aux visages voilés, il avait tout oublié. Cela faisait si longtemps qu'il avait quitté le Maroc, mais le Maroc n'avait pas changé. Il le retrouvait tel qu'il l'avait laissé. Mais lui, il avait terriblement changé. Il comprit qu'il n'était plus le même ; que son identité n'était plus la même, que l'Angleterre désormais était inscrite en lui.

Ses parents habitaient toujours la même rue étroite, dans la même maison avec la cour intérieure que se partageaient trois familles, telle qu'il l'avait laissée, dix ans auparavant. Il posa sa valise dans la cour. Sa mère, comme si elle avait senti sa présence, accourut. Il l'étreignit, en larmes, et aussi son père. Ses frères avaient tellement grandi qu'il ne les reconnaissait pas, et il rencontra les deux autres, âgés de trois et cinq ans, pour la première fois.

Il goûta à la cuisine de sa mère, et toutes les saveurs de son enfance revinrent à sa conscience. Sa mère avait préparé avec amour tous ses plats favoris, le tajine d'agneau aux olives, le plat de boulettes au céleri, des artichauts farcis, les salades de tomates... Et le thé à la menthe avec le palébi, ce gâteau moelleux au sirop et à la fleur d'oranger.

Elle avait fait le pain. Il lui souvint qu'étant petit, il la regardait le matin pétrir la pâte dans un grand plat en terre cuite. Puis elle la recouvrait d'un drap pour la laisser lever. La bonne apportait le lourd plateau au four collectif, en le mettant sur un coussinet qu'elle posait sur sa tête. Quelques heures plus tard, elle repartait chercher le pain cuit à point.

Il retrouva sa Mogador natale. La plage, le fort portugais, le port de pêche où il vit arriver les chalutiers chargés de poissons ; le thuya au bois odorant, la rue des artisans où son père avait sa boutique. Tout était là. Toute la saveur de son enfance.

Trois mois s'écoulèrent et la danseuse ne reçut pas de nouvelles de Sidney. Au bout de six mois, toujours rien. Au bout d'un an, elle comprit qu'il ne reviendrait pas.

Quand Sidney était arrivé chez lui, ses parents l'attendaient en effet. Avec une jeune fille qu'ils voulaient lui présenter et qui se nommait Sol, Sol Pinto. Ils avaient appris par un ami que leur fils était tombé amoureux d'une femme, non juive, une danseuse, et qu'il ne pensait plus à rentrer au Maroc. Alors ils lui avaient écrit.

Sidney ne voulait pas épouser Sol Pinto. Malgré son amour pour les siens et pour sa ville, il pensait à son autre amour, celle qui l'attendait, là-bas. Il voyait sa mère pleurer, son père insister, et comme il persistait à faire sa valise, un soir sa mère entra dans sa chambre, pâle, tel un fantôme.

– Alors tu pars, dit-elle.

– Oui, je pars.

– Je ne te reverrai plus ?

– Si, je reviendrai te voir, c'est promis.

– Mais quand ?

– Le plus souvent possible.

– Non… tu ne reviendras pas. Tu nous oublieras, à Londres. Et pourtant, c'est nous qui t'avons envoyé là-bas. C'est pour elle que tu t'en vas, n'est-ce pas, mon fils ?

– Qui ?

— Cette femme ? Je sais tout, je vois tout. On ne peut pas tromper le cœur d'une mère. N'est-ce pas fils, c'est pour elle, dit-elle en s'asseyant près de lui. Je te connais, tu sais, je t'ai fait. Tu ne peux pas mentir à ta mère.

— Oui, c'est pour elle, admit Sidney.

— Tu l'aimes ? dit la mère.

— Oui.

— Tu sais, mon fils, dans la vie, on ne fait pas toujours ce qu'on veut.

— Je sais, Maman.

— Et l'amour, quand on est jeune, on croit que c'est pour toujours. Mais c'est pas vrai, tu sais… L'amour ça passe. Ça passe plus vite qu'on ne le croit.

— Je sais, Maman, mais pour l'instant je l'aime. Et tout ce que je veux c'est la revoir.

— Tu crois que tu vas pouvoir partir et tout laisser derrière toi ?

— Je ne vous oublierai pas. Je vous enverrai de l'argent tous les mois. Vous serez fiers de moi ! Je vous ferai venir là-bas, si Dieu veut !

— Nous ne viendrons pas, mon fils, parce que tu nous auras tués.

— Maman, dit Sidney, le cœur dévasté, ne dis pas ça !

— Lorsque tu es parti, je ne te l'ai jamais dit, mais je suis tombée malade, très malade. J'ai bien failli mourir. Et cette fois, si tu repars, je sais que je ne survivrai pas.

Effectivement, la veille de son départ, sa mère tomba malade. Alitée, elle disait qu'elle étouffait, qu'elle ne pouvait plus se lever. Et tous les jours, Sidney devait reculer son voyage, car elle l'appelait à son chevet, lui disant qu'elle voulait l'embrasser encore une fois avant de mourir.

– Mon fils, cria-t-elle un soir, je t'en prie, ne pars pas ! Attends encore un peu. S'il ne me reste que quelques jours à vivre, je veux les vivre avec toi.

– Oui, Maman, dit Sidney. Bien sûr que je reste. Je resterai jusqu'à ce que tu ailles mieux.

– Ah ! c'est mon fils, ça ! c'est bien mon fils, grâce à toi, je vais pouvoir mourir en paix.

Elle ferma les yeux, avec un sourire apaisé. Puis les ouvrit à nouveau et dit :

– Jure-moi que tu resteras jusqu'au bout !

Et le fils aimant répondit :

– Bien sûr, Maman, je ne vais pas te quitter. Je serai là jusqu'au bout.

– Il y a des filles merveilleuses ici, tu sais, qui te rendront heureux… Tu vas l'oublier, tu verras, et elle aussi. Loin des yeux, loin du cœur.

C'était là-dessus qu'elle comptait. Elle le savait, elle qui avait vécu : même les plus grands amours ne résistent pas au temps. Elle avait fait appel aux sorcières qui pratiquaient le chhour. Le cœur de son fils encore tout enflammé de désir allait se calmer peu à peu comme un feu qui s'éteint.

Et Sidney se rendait tous les jours au port de Mogador, et il voyait le bateau partir, et son cœur partait avec lui, brisé comme une vague sur les récifs.

Mais le temps fit son œuvre et l'amour inconditionnel qu'il portait à ses parents aussi.

C'est ainsi que, quelques semaines plus tard, ses parents organisaient les fiançailles de Sidney avec la jeune Sol. Sol, que le mauvais œil avait si durement frappée étant enfant, cette fille jolie mais voûtée, dont personne ne voulait – mais c'était mieux que la danseuse d'opérette qui n'était pas juive, et qui avait pris le cœur de leur fils, loin d'eux, loin de ses parents, loin de la famille.

– Sol et moi, tu vois, on ne s'est jamais entendus, dit Sidney à Esther. Ce sont nos parents qui nous ont mis ensemble parce que cela les arrangeait. Non, vois-tu... nous n'étions pas faits pour nous marier. J'en aimais une autre lorsque je l'ai rencontrée. Et cela, on le sait dès le premier regard. C'est pour cette raison que je veux retourner à Londres. Je dois retourner là-bas, tu comprends ?

– C'est elle ? dit Esther. Ta fiancée de jeunesse... Tu veux la retrouver ?

– Non, ma fille... Elle est décédée.

– Alors c'est quoi ?

– Je veux revoir cette ville que j'ai tant aimée, et où j'ai été heureux.

Il marqua une pause.

– Ne fais pas la même chose que ton grand-père, ma petite fille. La famille, la tradition, c'est important, mais crois-en un vieux Mogadorien, ce qui compte c'est l'amour que l'on ressent au moment où on le ressent... Et même si l'amour ne dure pas, c'est lui qui donne son sens à la vie, et c'est lui qui fait qu'elle vaut la peine d'être vécue. C'est une chose suffisamment rare pour qu'on ne s'en détourne pas... Alors ne les laisse pas détruire ta vie !

Esther embrassa son grand-père pour lequel elle ressentit soudain une grande tendresse. Entre tous, il lui sembla que c'était Sidney qui la comprenait le mieux. Elle eut envie de pleurer en pensant à toute l'affection qui débordait de son cœur en cet instant, et qui n'avait jamais pu s'exprimer.

Sidney Hatchwel se leva, servit une grande rasade de mahia à Saadia, qui était toujours là à côté d'Esther, perdu dans ses pensées.

– À petite dose, c'est une bénédiction ! dit Saadia. Mais il ne faut pas en abuser ! Chez nous, on ne la sert que pour les fêtes et le chabbat.

Ses pensées le conduisaient vers le mellah de Fès, la ruelle principale commerçante, le réseau complexe de rues, d'impasses, jusqu'à la plus petite unité, la *driba*, et ses quelques maisons. Comme au Moyen Âge, certaines rues restaient spécialisées dans une activité, la rue des bijoutiers par exemple qui, pour des raisons commerciales, était à la lisière du mellah.

Les habitations des juifs ne différaient pas de celles des arabes, étanches à la rue et aux regards, éclairées de l'intérieur par le patio, cœur et centre de la maison.

Saadia Vital était un vrai fassi. Calme, imperturbable, sans émotion apparente, à l'inverse de beaucoup de Marocains qui vivaient dans le drame permanent, il pouvait aussi être facétieux et pince-sans-rire. Doux et fin, fier de sa culture espagnole et de l'histoire millénaire de sa communauté qui faisaient de lui et sa famille les héritiers par excellence du judaïsme marocain, depuis l'époque de la fondation de la ville par Idriss II, puis, plus tard, celle du développement intellectuel dans la ville à travers la littérature talmudique, la poésie liturgique et la grammaire hébraïque. À Fès, les juifs avaient beaucoup d'influence : ils occupaient des postes importants tels que ministres ou ambassadeurs. Ils étaient banquiers et conseillers auprès des ministres, familiers et intimes du sultan. L'un de ses vizirs, qui était juif, l'accompagnait partout, y compris à la mosquée, se tenant debout à la porte, puis il s'asseyait là, jusqu'à la fin de la prière.

Les ancêtres des Vital étaient arrivés à Fès vers 1492, après l'édit d'expulsion des juifs d'Espagne : les *Merogachim*, comme on les appelait, étaient plus de trente mille à embarquer à Cadix et Puerto de Santa Maria tout près de Palos où Christophe Colomb avait levé l'ancre. Une flottille de vingt bateaux partie dans la terreur, les tempêtes, de nefs ballottées par les flots, déroutées, gagna tant bien que mal la côte espagnole pour aller jusqu'à Fès, terre d'accueil où vivait une importante communauté juive. Mais ce n'était pas la Terre promise : à Fès en ce temps-là sévissaient la famine et la peste. Les exilés d'Espagne méprisèrent leurs coreligionnaires, les *Tochavim*. Ils affirmèrent leur supériorité en créant leurs propres communautés, en exigeant leurs synagogues et des places dans les cimetières. Ce fut à cette époque que Fès conquit ses lettres de noblesse en devenant un grand centre intellectuel avec de nombreuses universités, qui formèrent d'éminents rabbins tels que rabbi Shlomo Vital, ancêtre de la famille, Abraham Hatchwel ou Ilan Ben Labi, célèbre pour son poème « Bar Yohaï », que chante tout grand-père marocain qui se respecte. On y publia les *takkanot*, règles des exilés de Castille qui firent office de Loi pendant plusieurs siècles. On y ouvrit l'Imprimerie hébraïque du Maroc, l'une des premières du monde. La richesse, le savoir-faire des Espagnols donnèrent une grande impulsion à l'artisanat et au commerce, tout comme le travail de l'or et de l'argent, et la frappe de la monnaie. Il y avait là aussi des cercles de cabalistes, qui perpétuaient une riche tradition ésotérique.

Mais les Fassis eurent à subir de dures persécutions : celles des Almoravides, tribu berbère venue du Sahara occidental aux guerriers voilés et fanatisés qui pourchassa les juifs, tout comme la nouvelle dynastie des Almohades, au XIIe siècle. Les juifs furent contraints de porter des vêtements différents, bleus et larges, de se couvrir la tête d'un châle jaune. De temps en temps, la population arabe se rendait au quartier juif pour passer les habitants au fil de l'épée.

C'est ainsi que les juifs de Fès, accusés d'avoir profané une mosquée, furent obligés de s'installer dans un nouveau quartier, près d'une mine de sel. C'est de là que vient le nom de *mellah*, qui signifie « sel ».

Et Esther, en ce jour de henné, assise entre ses deux grands-pères, Sidney et Saadia, le Mogadorien et le Fassi, Esther était, malgré elle, l'héritière du Maroc tout entier, de ses castes nobiliaires, trônait en grande sépharade, le cœur à la fois gonflé d'amour pour les deux vieillards et oppressé par le trop lourd héritage, prise malgré elle dans leur histoire, leurs secrets, les vies qu'ils avaient vécues, et celles qu'ils n'avaient pas pu vivre.

– C'est toi, Saadia, dit-elle, qui as confié le trésor à mon père.

– Oui, c'est moi, dit Saadia.

Il y eut un silence.

– Tu veux connaître le secret des sépharades, fille ?

Encore un silence lourd de sens, durant lequel le vieil homme sembla hésiter.

– Allez, dit Sidney. Dites-le-lui, Saadia. Et si vous ne le dites pas à la jeune génération, qui s'en souviendra ?

– Non, dit Saadia, après un temps de réflexion. Ce n'est pas à moi de le lui dire. C'est à son père.

8.

Esther face à elle-même

Esther quitta les deux patriarches, et retourna dans la chambre où elle s'était habillée, essayant de rassembler les idées qui s'entrechoquaient dans sa tête. Tous ces événements depuis le début de la soirée, le chrour, Sol, Suzanne, la déclaration de Noam, la dispute entre son père et Charles, puis le départ de ses parents. La rupture avec eux. Avec sa famille. Toute sa famille était partie et elle était seule. Ce secret, qui n'avait pas pu être transmis. Ce secret, quel était-il ?

Seule face à elle-même. Elle se mariait donc, maudite de ses parents. Rejetée, excommuniée, le *herem* était sur elle. Impure, sale, reniée par les siens. Et elle avait fait le choix de ne pas suivre ses parents, la tradition ancestrale.

Elle savait que dans l'interdit exprimé par le mot *h'ram* chez eux, il y avait injonction de s'éloigner de tout contact, de ne pas se mêler au peuple voisin. Elle avait enfreint la Loi, brisé le tabou, elle s'était éloignée du droit chemin, c'est pourquoi ils étaient partis. Lorsque sa grand-mère Sol voulait parler d'un homme qui n'était pas bon, qui ne rendait pas service, elle employait le mot *mred*, qui veut dire « maladie contagieuse ».

C'est à cause du corps, qui est le premier en relation avec le sacré et susceptible de contaminer le groupe s'il est en état d'impureté. Elle avait désacralisé son corps.

Et pour qui ? Pour un comique, un bouffon qui faisait rire, un homme qui n'avait pas de respect pour les parents, pour la tradition, pour les valeurs ancestrales ; cet homme qu'elle aimait, et à qui elle était désormais attachée. Seule, sans famille, livrée à la partie adverse, abandonnée dans l'arène de la tribu ennemie, les Meknassis, qui avaient la pire réputation du Maroc, que l'on accusait de tous les maux, d'être menteurs, manipulateurs, pingres, primaires et lourds, sans finesse, sans distinction, sans aura. Esther, aristocrate parmi les aristocrates, issue de l'union des deux villes les plus prestigieuses du Maroc, Fès et Mogador, se mariait avec un Meknassi, quel déshonneur ! Charles était un voleur ; qui avait volé son père ou son cœur ?

Mais pourquoi Charles aurait-il volé l'amulette ? Il allait la recevoir, de la façon la plus officielle, traditionnelle, qui soit. Par drôlerie, par facétie ? Pour le raconter plus tard à ses copains ? Vous savez, le tour que j'ai joué à mon beau-père la veille de mon mariage ? Mais pourquoi n'avait-il pas voulu la restituer ? Pour quelle raison s'était-il entêté, bravant son futur beau-père dans cet affrontement terrible ? Qu'est-ce qui lui avait pris, à Charles, de vouloir pousser la plaisanterie aussi loin, jusqu'au drame ?

Et qu'est-ce qui lui prenait à elle, Esther, de pousser la plaisanterie au point d'être avec Charles, chose très plaisante mais qui n'impliquait pas d'aller jusqu'au mariage ? Pourquoi se marier, alors qu'elle pouvait très bien rester avec lui, rire, profiter de la vie sans l'entraîner sous la tente nuptiale ? Il avait fallu qu'elle impliquât les familles, et elle avait voulu se confronter à elles, trois générations de sépharades sous le même toit ? Il avait fallu qu'elle se mît en danger, pourquoi ?

Esther frissonna. Sol qui devait se marier avec Jacob, le grand-père de Charles, et ce mariage qui n'avait pu se faire à cette génération, devait-il se faire deux générations après ? Ou se défaire ? On aurait dit que des forces contraires cherchaient à la fois à les réunir et à les séparer. Mais qui agissait de la sorte ? Quels djnouns, quelles forces occultes ?

Tout d'un coup, Esther comprit ce que signifiait le départ de ses parents. Que son mariage était gâché, que la fête était finie, que le scandale qu'ils avaient provoqué mettait fin aux réjouissances de l'époux avec l'épouse. Et qu'en revêtant sa robe blanche, le lendemain, pour aller à la synagogue, elle ne serait pas accompagnée par son père. Elle irait seule à l'autel. Seule comme si elle était sans famille, alors qu'elle leur avait tout donné, qu'elle avait sacrifié ses années de jeunesse pour eux, qu'elle n'avait vécu que pour eux et par eux, durant toutes ces années. Qu'avait-elle fait pour mériter cela ?

Esther hésita soudain. Elle pouvait encore changer d'avis, tout arrêter. C'était encore possible. Elle pouvait inverser son destin, rien n'était scellé, elle pouvait décider de ne pas se marier. N'était-ce pas là son destin ? Ce à quoi la vie, sa vie de sépharade la condamnait... Rester chez ses parents pour s'occuper d'eux, puisque c'était ce qu'ils avaient décidé pour elle, depuis qu'elle était toute petite. Aurait-elle la force de les quitter ?

Esther s'allongea sur le lit, étendit ses membres. Elle respira plus librement. Elle n'avait plus ce poids oppressant sur le cœur, cette peur de voir arriver sa mère, ou son père, ou sa sœur, ou sa grand-mère pour lui dire ce qu'elle devait faire ou ne pas faire, ce qu'elle leur devait. Elle se sentait débarrassée, libérée d'une pression étouffante. Pour la première fois de sa vie, elle avait l'impression de respirer. D'exister par elle-même, indépendamment d'eux. Il avait fallu attendre trente-trois ans pour sortir du ventre maternel. Pour arriver à dire « non » à ses parents. Elle en était tout étourdie, et surprise de la facilité avec laquelle elle accueillait cette nouvelle, car elle se sentait bien, soudain.

Esther se releva, ôta la lourde robe de velours rouge. Elle resta un moment devant la glace, et se contempla. Elle pouvait désormais s'habiller comme elle le voulait, personne n'attendait plus rien d'elle. Elle enfila un jean et un tee-shirt, attacha ses cheveux. Maintenant, elle n'était plus déguisée. Elle ressemblait à n'importe quelle fille dans la rue.

Elle n'avait plus besoin de revêtir les signes extérieurs de la pudeur ancestrale, inconsciemment répétés par elle, d'adopter ce comportement de soumission à l'homme qui l'empêchait même d'avoir l'impudeur de s'abandonner dans leurs bras. *Être femme*. Elle n'avait jamais été femme puisqu'elle était restée enfant, avec un comportement de petite fille. Mais désormais elle pouvait devenir femme. Désormais, sûre d'elle-même et de son pouvoir de séduction, elle pourrait en jouer et en jouir, être bien dans sa peau, et habiter son corps sans aucune honte.

D'ailleurs, ce n'était pas elle que son père avait choisie pour la transmission du secret. En tant que femme, n'était-elle pas quantité négligeable ? Cette culture, cette tradition, ne lui laissait de place que derrière l'homme, le père, le mari ou le fils. La femme sépharade n'était là que pour soutenir l'homme, s'occuper du père, nourrir le mari et langer le fils.

Comment avait-elle pu l'accepter ? Comment avaient-elles subi cette domination, toutes ces femmes sépharades, sans même être effleurées par la déferlante féministe ? Pourquoi ne s'étaient-elles jamais révoltées contre leur condition de mères, d'épouses, de sœurs, de gardiennes du foyer, de cuisinières, d'éducatrices alors que leurs maris les désertaient ? Et pourquoi, pour élever leurs fils, reproduisaient-elles à l'identique la domination du père sur les futures épouses ? Des fils adulés par une mère qui les portait aux nues et vivait à travers eux la vie qui leur était interdite…

Non, elle ne serait pas l'épouse soumise et déférente. Elle vivrait pour elle et non pour les autres, elle penserait à son bonheur et non à celui des autres, elle deviendrait égoïste, vivrait sans règles, sans rituels et sans coutumes. Sans fêtes, sans chabbat, elle mangerait dans tous les restaurants et goûterait à tous les vins. Elle serait seule, enfin.

Sans famille. À cette idée, Esther ne put s'empêcher de frissonner. Sans coup de téléphone le matin, le midi et le soir, de sa mère, de son père, de sa sœur. Sans écouter leurs angoisses, leurs demandes, leur amour excessif, dominateur, désespéré. Sans les prendre en charge. Sans son père et le poids de sa religion, sa volonté de transmission, son savoir… son pouvoir. Sans sa sœur qui l'angoissait par ses angoisses. Sans communauté, sans synagogue. Sans superstitions, sans qu'en-dira-t-on. Libre, affranchie de tous les doutes.

Elle serait Esther Vital. Pourtant même Esther Vital était un projet, et ce projet ne lui convenait plus. Un projet imposé par ses parents à la naissance, sans qu'elle pût protester, car dès le berceau on lui avait donné une identité, une définition, historiquement, socialement, psychologiquement. Ce nom était son destin, le premier marquage. Esther la reine juive, et Vital, de la famille Vital, de Fès. Esther, qui signifie « cachée » en hébreu, et Vital, qui vient de « vie » en espagnol. Une Espagnole juive, voilà ce qu'ils avaient décidé : une sépharade. Cela aussi, il fallait l'abolir si elle désirait renaître. E.V. Deux initiales vides de sens, de culture, d'histoire. Elle serait n'importe qui. Ni française, ni alsacienne, ni marocaine, ni espagnole, ni israélienne. Ni sépharade. Juste elle-même.

Mais que restait-il d'elle-même ? Au fond, que restait-il d'elle, sans toutes ces identités ? Qu'est-ce qui la définissait, une fois que tout était aboli ? Qu'est-ce qui restait, quand elle était dévêtue de tous ces habits ? Sans robe, qui était-elle ? Elle ne le savait pas, elle ne le savait plus. Maintenant qu'elle n'était plus rien, elle était perdue. Qui suis-je ? Qu'est-ce que ma vie ? se demanda-t-elle. Qu'en est-il de mes actes, de mon existence ? Un néant, quelque part entre le haut des cieux et la profondeur de la terre. De la poussière, bientôt.

Non. Juste une femme. Et plus radicalement peut-être, un être humain. Un être sensible, fait de chair et de sang, modelé dans une texture de peau, avec des terminaisons nerveuses, des muscles, des os, du sang qui coulait dans ses veines. Le sang des hommes. Un cœur qui bat, une pulsation, des sensations. Des émotions universelles, que tous partagent. C'était cela qu'il fallait rechercher en elle. Non pas la particularité mais l'universel. Non pas ce qui la rendait différente mais ce qui la rendait semblable à tout être humain. Si elle écoutait les battements de son cœur, elle saurait qui elle était. Juste un individu inscrit dans un monde. Elle serait le monde. Elle en serait la pulsation, car il vibrait à travers elle. La vie était la même partout, des confins de l'Afrique jusqu'aux Amériques, de l'Asie à l'Europe, la vie *était*. Et elle était la vie. Vital, vivante. L'universel pensant. La racine des arbres. Les étoiles dans le ciel. La lune. La lumière du soleil. Le souffle du vent. Le piaillement des oiseaux. Le bruit de la mer. L'odeur de la terre. La contemplation du monde : l'amour, la bonté, la beauté. Il y avait tout cela devant elle, pour elle, par elle. Traversée par cette transcendance du monde, elle fut rassurée. Il lui resta alors ce qui reste à chaque être, ce qui fait qu'il est ce qu'il est : les émotions. Joies, désespoirs, attentes, angoisses, fiertés et hontes, envies et dégoûts. Désirs.

Elle avait tant de désirs. Elle se sentait une faim immense d'exister. De prendre la vie qui s'offrait à elle dans cet élan nouveau, cette énergie. De changer de paradigme pour s'inventer une nouvelle personnalité. Elle avait l'impression de sortir du ventre maternel pour découvrir le monde, et soudain le comprendre. Savoir qui était son ami, son ennemi, reconnaître l'amour, l'amitié, la tendresse mais aussi l'hostilité dans le regard des autres. Aller vers les autres. Ne plus se cacher. Curieuse et joyeuse. Vivre.

À présent, elle pouvait être une femme de désir, une femme de pouvoir ; en disant « non » à ses parents, elle avait dit « non » à l'Orient qui la laissait alanguie, submergée par la vie.

Et puis, elle pensa à Charles.

Elle se dit que sa liberté à lui avait dû être une conquête difficile. Sa mère avait toujours voulu régenter sa vie, intervenir dans tout ce qu'il faisait, lui recousant ses ourlets, lui préparant à manger, lui rendant mille services pour le garder sous sa domination. Il l'avait mise à distance, avait refusé toute relation trop proche avec elle, et c'est ainsi qu'il avait pu s'émanciper et évoluer à sa guise, en dehors d'elle. Il s'était construit par l'humour, pour échapper au malheur des sépharades. L'humour comme force subversive, se jouait de toutes les représentations, de la morale, de la religion, de la tradition, de la famille, des pères, des mères, des frères et des sœurs.

En fait, il se moquait des siens. Tous ses sketches étaient nés d'une observation précise de leurs gestes, de leurs mots, de leurs expressions, de leurs mimiques, de leurs tics de langage. Il avait tout passé au crible, et il en riait. Avec ironie, avec cruauté, avec tendresse parfois il en riait, pensa Esther, pour ne pas en pleurer. Il en riait pour ne pas les détester, pour s'en accommoder.

Elle non plus n'était pas comme eux, elle ne l'était plus. Ils n'avaient pas réussi à l'emmener avec eux. La chaîne millénaire allait s'arrêter net, là, à son endroit. Elle s'était affranchie de deux mille ans de sépharades, qui pesaient lourd sur ses épaules.

Pour la première fois de sa vie, Esther s'inventait. Libre. Sans famille, sans religion, sans tradition, sans Dieu. Elle, face à elle-même. Elle, née d'elle-même. Née à nouveau. Non pour se sacrifier, mais pour exister.

Livre III

1.

Dialogue des fiancés

Moïse Vital avait raconté à sa fille qu'au temps où son propre père Saadia se levait à l'aube, dans la petite pièce qu'ils occupaient à cinq, pour entamer ses ablutions, il chantonnait avant de se rendre à la synagogue. Et derrière sa voix, il entendait le premier appel des muezzins de la mosquée voisine, et cette voix se mêlait à celle de son père qui reprenait parfois l'appel musulman, chantant *Allahou Akbar*[1], les deux voix à l'unisson, et ce chant du muezzin, c'était toute l'enfance du père, enfance en terre musulmane et aux destins croisés.

Esther Vital s'était souvent demandé pourquoi son père et son grand-père avaient une telle adoration de ces mélodies difficiles d'accès pour l'oreille occidentale, avec ces voix nasillardes et ces rythmes répétitifs. Puis un jour, son père lui expliqua. C'était comme faire revivre tout le périple sépharade en une seule note. Celle de l'Espagne où les juifs étaient les passeurs de la musique andalouse comme de la langue espagnole, car ils étaient les gardiens des traditions anciennes. Celle du Maroc où, lorsqu'un prince voulait

---

1. Dieu est le plus grand.

renouer avec la tradition et constituer un orchestre du Palais, il recrutait ses musiciens au mellah. Car eux seuls connaissaient les rimes et les rythmes anciens. Chants immuables, depuis la Bible et ses psaumes, ses lamentations, sa poésie prophétique; depuis le Temple et depuis David qui jouait de la harpe. Chansons psalmodiées par les *paytanim*, auteurs des *piyyutim*, qui n'étaient ni prophètes ni philosophes, mais la voix de la communauté, la voix ancestrale qui rappelait le passage en douceur de la Mésopotamie jusqu'en Espagne, en Orient et en Occident. Et ces chants avaient la particularité de ne se transmettre que par tradition orale, lors des fêtes notamment, des circoncisions, des mariages, ou des bar-mitsvah, sur des textes poétiques ou religieux adaptés à la musique andalouse. Les voix humaines étaient leurs instruments, qui entonnaient les psalmodies, les mélodies, les cantilènes, apprises de leurs parents, qui eux-mêmes les connaissaient de leurs parents, qui les leur avaient chantées de mémoire, car c'est à la voix et à l'oreille que le rôle d'initiateur et de transmetteur s'exerce de façon privilégiée.

Cette musique, c'était l'épopée sépharade. La foi en leur survivance, en l'identité du groupe à laquelle ne pouvaient porter atteinte ni les décrets, ni les guerres, ni les exterminations. Ils chantaient la permanence, la persévérance dans la nostalgie de Sion, ils chantaient l'accueil du chabbat, ou sa clôture avec la *Habdalah*, pour marquer la frontière entre le sacré et le profane. C'était le rythme de l'Orient, mêlé aux rimes de l'Occident, cadences sacrées mélangées, voix de rires et de larmes, que les persécutés emmenèrent avec eux, par espoir et par désespoir.

Dans le rythme, les paroles et les vocalises, par ce langage premier, universel, qui parlait directement au cœur, au corps et à l'esprit, par les rimes où les poètes exaltaient la grandeur de Dieu, évoquaient les tourments de leur âme, de l'amour et de la séparation, dans les longues supplies qui exhortaient à aimer Dieu dans l'attente de l'ère messianique, dans la louange ou l'élégie, la lamentation et la plainte, dans la célébration des merveilles de la Création, en mots déchirants qui restaient gravés dans les mémoires, là, désormais, résidait la patrie humaine des sépharades.

Dans la salle où se tenaient les invités, la musique jouait, entêtante, les cordes vibraient, dissonantes, dans le cœur d'Esther. Elle sentit monter en elle l'appel des voix anciennes, qui empruntaient aussi bien aux chants arabes, aux mélodies andalouses, tout en venant de beaucoup plus loin : de la Mésopotamie et de la psalmodie biblique, des traditions importées d'Orient, par les rabbins visitant les communautés de diaspora, ou par les juifs eux-mêmes, depuis le temps antique où ils vinrent vivre sur cette terre.

Esther sortit sur la terrasse.

La nuit tombait sur la ville. Ici et là, mille lumières s'allumaient. Penchée par-dessus la rambarde, elle eut le vertige. La vie nocturne reprenait son cours, les restaurants, les bars et les boîtes de nuit se remplissaient, les promeneurs arrivaient sur la plage, le long du bord de mer arrêté par l'alignement des hôtels, dans le charme discret de Tel-Aviv qui ne se dévoile pas au premier abord. Voir cette vie persévérer en dépit de tous les obstacles était apaisant. Esther eut envie de dissoudre son désarroi dans cet anonymat, de n'être qu'une au milieu de tous, comme en Extrême-Orient où la densité de la population rend presque dérisoire le sentiment de l'existence individuelle.

– Ne te retourne pas, entendit-elle.

Elle sursauta.

– Charles ?

– Ne te retourne pas, puisque, à la tombée de la nuit, nous n'avons plus le droit de nous voir...

– Te voilà bien respectueux de la Loi.

– J'ai des scrupules, oui... Par rapport à toi...

– Je n'en ai plus, dit Esther.

– Ça ne va pas ?

– Ça ne va pas..., dit Esther, toujours sans se retourner. Pas du tout.

– Qu'est-ce qu'il y a, Esther ?

Elle était émue d'entendre sa voix profonde et mélodieuse, dans le silence de l'obscurité. Elle se tint immobile, sentant le souffle aimé tout proche, jusque sur sa nuque. Elle ne pouvait s'empêcher d'être troublée, au moment même où elle aurait voulu exprimer son incompréhension, sa colère et son ressentiment.

Elle pensa aux premiers mois passés ensemble, aux premiers émois de leur amour, à leurs étreintes passionnées, à leurs serments, tous ces torrents d'amour nés d'un regard qui portait un je-ne-sais-quoi de promesses, de reconnaissance. Il y avait eu quelque chose de vertigineux et de fort, de profond comme quand deux êtres s'ouvrent l'un à l'autre, et se disent, tout d'un coup, combien ils s'aiment et combien ils se veulent. Il y avait eu, d'abord, mille baisers, profonds et doux, puis passionnés, déterminés, alternance d'échanges verbaux et physiques, s'embrasser, et puis parler, se raconter, sa vie, ses désirs, ses angoisses, ses espoirs, ses attentes, et s'embrasser à nouveau, s'embraser, sentir son cœur palpiter et son corps prendre vie en prenant goût à l'autre. Il y avait eu cette phase d'approche où l'on a peur de déplaire, de dévoiler un aspect, une aspérité, un défaut qui peut décourager à jamais et perdre l'autre ; il y avait eu ces moments où ils traversaient la ville juste pour se voir cinq minutes, se dire quelques mots, échanger un baiser avant de se séparer. Il y avait eu ces étranges séparations des grands débuts où, encore pleins l'un de l'autre, ils se manquaient déjà, alors qu'ils ne se connaissaient pas, ne partageaient pas leur vie. Ce quotidien qui soudain s'enlise et devient absurde sans l'autre. Ces moments de joie intense lors des retrouvailles après un jour qui a paru une éternité. Le temps qui s'étirait lorsqu'ils ne se voyaient pas et qui passait si vite lorsqu'ils étaient ensemble. Il y avait eu ces rêveries, ces images, l'esprit qui s'égare au travail, ou devant un ami qui demande, mais à quoi tu penses... Il y avait eu, soudain, la vie qui s'organise selon un autre sens, quand chaque geste devient rituel d'attente et de préparation à l'être aimé... Elle se réveillait à trois heures du matin en pensant à lui, avant de se rendormir en pensant à lui, avant de se réveiller à nouveau en pensant à lui, le soir et le matin, comme s'il était là, habitant sa pensée et son être pour ne plus les quitter, et les mille pensées qui la traversaient lors des journées, à la moindre occasion, en marchant dans la rue, en faisant une course, en prenant un taxi, le monde soudain peuplé de lui, surpeuplé de lui, qui était là, en fait, dans l'omniprésence de son absence. Elle était tellement préoccupée de lui qu'elle en devenait elle-même insignifiante, qu'elle s'oubliait dans l'attention qu'elle lui portait, dans la tension de son être tendu vers lui. Le soir, elle pensait à lui, à mille et un détails, à des mots qu'il avait prononcés dans la journée, et qui l'avaient soit inquiétée, soit réjouie et rassérénée. Elle pensait à sa fougue, cette déchirure qui fai-

sait d'elle une femme. Ces gestes brusques qui l'attendris-
saient, ces gestes tendres qui la soumettaient. Ce désir brûlant dès qu'elle l'approchait, et qu'elle le sentait se tendre
pour elle, vers elle. Cette force qui était dirigée vers le plus
profond d'elle et qui, dans sa radicalité, lui disait : tu es tout
entière à moi ; et par ce désir, grâce à lui, elle existait. Et ce
vertige lorsqu'il lui arrivait de penser que cela pourrait s'arrêter, qu'un jour elle pourrait vivre sans lui, sans exister. Elle
tentait alors de se rassurer au sujet de l'amour qu'il lui portait, elle ne parvenait toujours pas à croire qu'il pût l'aimer,
elle qui avait cette perpétuelle impression d'être de trop, elle
qui était comme un puits d'amour sans fin tant son besoin et
sa faim étaient insatiables, tant elle se savait née pour
l'amour, celui qu'elle donnait, et celui qu'elle souhaitait recevoir, sans limites, sans fin, sans compromis.

Avec lui, les barrières étaient tombées. Dans cet espace de
grâce, il n'y avait plus de dignité, plus de frontière, plus de
distance, juste deux êtres qui s'unissaient. Une absence de soi
pour trouver l'autre à travers soi, par à-coups, et recommen-
cer, et croire, et brûler, en perdant toute notion du temps.

Il y avait eu ces matins émerveillés, ces serments éternels.
« Serments d'alcooliques, disait Charles. Que nous sachions
toujours combien nous sommes heureux et sûrs, et que ce
sentiment soit le fondement, la source à laquelle nous nous
abreuverons. »

C'est lors d'un de ces matins qu'il lui avait énoncé les deux
principes qu'il lui proposait de respecter pour être ensemble :
honnêteté et confiance. Elle avait réfléchi avant de dire oui,
car elle savait que cette fois, elle ne devait ni mentir ni transi-
ger sur leur application.

L'amour comme un abîme profond dans lequel on plonge. Cette douceur lorsqu'il disait : « Que veux-tu de moi ? Que cherches-tu ? Si tu le dis, tu trouveras ce que tu cherches. » Et cette tristesse, parfois, des lendemains. Les réveils nocturnes lorsqu'on murmure tout bas que l'on aime, avant de se rendormir.

Plus elle le connaissait, plus il la connaissait, plus elle se connaissait elle-même, se révélait à ses propres yeux, mystérieuse et aimable, transfigurée par la beauté qu'il voyait en elle, et par ses paroles d'hommage qui pansaient en elle toutes les plaies de sa vie, et à travers elles toutes les plaies de la vie en général, qui par cette rencontre trouvait son sens. C'était mystérieux et rare, précieux et effrayant. Elle avait plongé au cœur de cette chose inouïe et improbable, que deux êtres puissent se rencontrer, et sans que l'on sache pourquoi, qu'ils puissent s'aimer. Une question d'alchimie, dit-on pour expliquer l'inexplicable. L'alchimie de la rencontre, comme cette pierre née de la fusion des matériaux, et qui était la vérité suprême, l'éternité, la traversée du temps – ou, au contraire, une mascarade comme peut-être toute leur histoire ?

C'est la raison pour laquelle en cet instant elle se sentait si seule et désespérée, abandonnée dans la désolation générale, retournée à son triste sort. L'aimé l'avait trahie, au lieu de l'entourer de ses soins d'amour, et des serments de naguère.

– Que se passe-t-il, Esther ? répéta Charles, d'une voix douce, son souffle sur sa nuque comme une caresse.

– Il se passe que je t'attends depuis le début de la cérémonie. Je t'attends et je ne sais ni où tu es ni ce que tu fais. Il se passe que ma famille est partie, et que tout le monde est fâché. Quelle est la raison de ton retard ? Que s'est-il passé avec mon père tout à l'heure ? Qu'as-tu fait, Charles ?

Il y eut un silence.

– Je ne peux pas te le dire, Esther.

– Tu as quelque chose à me cacher ?

– Je te le dirai, mais pas maintenant.

– Pourquoi ? C'est si grave ? Ne vaut-il pas mieux que je le sache avant le mariage ?

– Je ne peux pas te le dire, répondit Charles après un autre silence embarrassé. La seule chose que je te demande, c'est de me faire confiance. Peux-tu me faire confiance ? Tu te souviens de ce que nous avons dit, au début de notre relation, « honnêteté et confiance » ?

– Mais l'amulette, Charles ?

– L'amulette ?

– Le trésor de mon père…

– Alors toi aussi tu te demandes si je l'ai volée ?

– Est-ce que tu l'as prise oui ou non ?

– Quelle déception, Esther ! (Sa voix trahissait une douleur profonde.) Tu me soupçonnes… après tout ce que nous avons vécu… et d'abord, pourquoi l'aurais-je prise, à ton avis ?

Soudain, Charles changea de voix.

– C'est ce qu'ils t'ont dit ?

– Je ne sais pas, je ne sais plus ! Je crois juste que tu as voulu t'amuser, et faire une de tes pirouettes, de tes facéties, peut-être as-tu voulu leur donner une leçon, te moquer de mon père, l'affronter, le tourner en dérision dans un moment solennel, c'est ça ?

– C'est ce que tu crois ?

– Charles, dit Esther, toujours sans se retourner, ce mariage n'est-il pour toi qu'une énième mascarade ? Et quel est le sens de ce mariage pour toi ? Est-ce que tu m'aimes, Charles ? Et si oui, pourquoi te moquer de mon père et de ses amis, pourquoi les provoquer ? Si tout est matière à plaisanter, que suis-je, moi, pour toi ? Pourquoi n'as-tu pas laissé mon père te fouiller ?

– Ah, voilà la question, lâcha Charles. Eh bien, si tu veux savoir, je n'ai pas cédé à son chantage. Il me déteste, de toute façon. Il me déteste parce que je lui prends sa fille. Et de nous deux, le provocateur n'est pas celui qu'on croit. Et tu sais quoi ? Pour répondre à ta question, je n'ai pas l'amulette.

– Tu joues encore sur les mots ?

– Je ne l'ai pas volée, articula Charles distinctement.

– Alors qui est-ce ?

– Je l'ignore.

– Mon père a fouillé tous ses amis !

– C'est peut-être lui qui l'a volée...

– C'est horrible ce que tu dis...

– Je suis très sérieux, c'est la seule réponse logique.

– Pourquoi as-tu refusé qu'il te fouille ? Pourquoi refuser si tu es innocent ? Tu ne vois pas que c'est important, tu ne vois pas qu'il s'agit de toi et de moi ?

– Et toi, tu l'as compris, Esther ?

Un sanglot brisa l'éclat sombre de sa voix. Esther comprit alors qu'elle s'était trompée, qu'il ne jouait pas, qu'il ne jouait plus.

– Est-ce que tu m'aimes ? demanda-t-elle.

– Oui, je t'aime.

– Peux-tu me le prouver ?

– Quelle preuve veux-tu ?

– Dis-moi pourquoi tu étais en retard ?

– J'avais quelque chose de très important à faire.

– Tu ne veux pas me dire ce que c'est ?

– Je ne peux pas te le dire.

– Et si je te disais que je le sais ? Que quelqu'un t'a vu en train de faire ce que tu faisais…

– Et qu'est-ce que je faisais ?

– Je ne sais pas, à toi de me le dire. Ou bien… Ou bien tu as tout manigancé pour que je rompe avec ma famille. C'est ce que tu voulais, n'est-ce pas ? C'est ça, que tu voulais ? Eh bien tu l'as eu. Ils sont partis, et je suis là ! Tu es content ?

Bien sûr, c'était ce que Charles avait voulu : rompre avec les sépharades. La détourner de son monde, il n'exigeait pas moins comme preuve d'amour. Et si elle voulait l'épouser, si elle voulait être avec lui, totalement, il fallait qu'elle lui donnât cette preuve d'amour. À lui le sépharade en rébellion, qui avait fait fi de son passé pour se réinventer en homme nouveau. Pas un juif, pas un sépharade, pas un Marocain. Juste un homme. Charles était en révolte, et elle l'avait suivi. Charles était en révolte contre Dieu. Charles n'était pas le fiancé idéal, Charles était le diable !

– Je l'ai fait, Charles, j'ai tout quitté pour toi. Je les ai laissés partir.

Esther avait la conviction, à présent, qu'il avait agi pour la défier, et pour la mettre à l'épreuve, pour voir de quel côté elle était. Mais pour quelle raison lui mentait-il ? Que cachait-il ? Elle aurait voulu se retourner, le regarder au fond des yeux, et lui demander ce qu'il attendait d'elle, s'il voulait l'épouser à condition qu'elle rejetât tout son héritage, s'il fallait vraiment qu'elle le fît pour lui prouver son amour, ou s'il ne voulait plus se marier avec elle.

— Et toi, Esther, est-ce que tu m'aimes ?

— Je ne sais pas, murmura Esther alors que sa gorge se serrait et que les larmes coulaient sur ses joues. Je ne sais plus...

Il n'y eut aucune réponse.

Alors elle fit face au silence, déjà elle regrettait d'avoir dit ces paroles. Pour lui montrer qu'elle l'aimait, elle brava les interdits, et, lentement, elle se retourna.

— Charles ?

Mais il n'y avait plus personne.

2.

L'Ashkénaze

Esther traversa la grande pièce, regarda de tous côtés. Mais Charles était bel et bien parti. Elle sortit, se retrouva dans la rue. La nuit était tombée. Elle enveloppait la ville d'un manteau sombre et lumineux, éclairé par mille étoiles. C'était le moment de se rendre au *mikvé*, le bain rituel dans lequel la fiancée devait s'immerger sept fois, pour se purifier et se laver de toutes les scories de sa vie passée. Que faire ? Partir, ne pas partir ? Aller au mikvé, ne pas y aller ? Vers qui se tourner à présent ? Un taxi passa, elle le héla. Elle hésita un instant, puis finit par lui donner l'adresse du mikvé.

À travers la vitre de la voiture, elle continua de scruter les passants, et tenta d'apercevoir Charles. Le taxi s'arrêta devant la petite maison où se trouvait le bain rituel. Elle paya, et entra dans la bâtisse où l'attendait une vieille femme, gardienne des bains.

Elle fut surprise de voir Sol, ses tantes et sa sœur, qui l'attendaient, et d'autant plus touchée par cette marque d'affection et de courage. Elles avaient apporté des sucreries et les paroles de miel que les femmes de la maisonnée énoncent traditionnellement lors du rituel du mikvé.

– Esther, ma fille, clama Yvonne. Viens que je t'embrasse, Ne'ebibask ! Ça me rappelle mon mariage. J'étais tellement émue !

– Ce n'était pas la même époque, dit Colette. On était jeunes, on n'avait rien vécu ! On n'avait aucune idée de ce qui nous attendait, ni de ce qu'était le mariage. Maintenant, les jeunes filles ont tout vécu, elles savent tout, elles sont blasées. On ne se marie pas dans les mêmes conditions.

– C'est émouvant quand même, dit Rachel.

– Moi, ma nuit de noces, c'était épouvantable ! dit Yvonne. Je voulais repartir avec mes parents. Je trouvais sympathique la petite cérémonie mais je n'avais pas du tout compris ce que cela voulait dire… Que j'avais quitté la maison et que j'allais vivre ailleurs, avec lui… J'avais peur ! On se connaissait à peine… On avait dû s'embrasser deux fois et c'est tout.

– Et moi je n'avais vu Sidney qu'une fois, dit Sol. Mes parents avaient tout arrangé…

– Dis-nous, Mamy, murmura Esther, tu l'as revu, après les noces d'enfants ?

– Qui ? De qui parles-tu ?

Il y eut un silence.

– Mamy devait épouser Jacob, le grand-père de Charles ! Mais le mariage a été annulé.

– Ça alors, dit Colette, mais tu ne nous l'as jamais dit !

– Alors dis-nous, Mamy, tu l'as revu, Jacob ?

– C'était à la Mimouna… sur les bords de la Menara, à Marrakech. Huit ans après… Une semaine avant mon mariage. Je m'en souviendrai toujours de ce moment-là.

– Qu'est-ce qu'il t'a dit, Mamy ?

– Ce qu'il m'a dit. Oh ! je ne sais plus ce qu'il m'a dit. C'est du passé, va, on n'en parle plus.

261

– Je suis sûre que tu t'en souviens, moi.
– Non, c'était il y a longtemps. J'ai tout oublié ! Je ne me souviens plus de rien !

Esther laissa sa sœur, ses tantes et sa grand-mère, et entra dans la petite pièce attenante à la grande, où se trouvait la baignoire dans laquelle elle devait se laver, avant d'entrer dans le mikvé. La vieille gardienne l'attendait. Les cheveux pris dans un foulard, elle avait l'air revêche et intimidant.

Esther ôta son peignoir, descendit les marches et s'immergea complètement.

Au fond de l'eau, tout est doux et clair. Elle était bien. Elle aurait voulu ne jamais remonter.

Au fond de l'eau, plus rien n'a d'importance, là elle n'avait pas besoin de savoir qui elle était.

Esther regarda ses mains, en écartant les doigts. Tous les êtres humains ont les mains palmées, se dit-elle, et elle s'en étonna. Était-il possible que les origines des peuples soient là, dans l'eau, et qu'ils en portent le signe, les stigmates évidents, même s'ils l'ignoraient ?

L'amour maternel comme un manteau enveloppant... La haine maternelle, dévastatrice... On est tous censés s'aimer, se dit Esther. On est tous comme des frères et des sœurs. On a tous des mains palmées montrant notre origine commune. Et les sœurs, les parents et les enfants sont tous amis. En fait, ce n'est pas vrai. Dans le fond, personne n'aime personne ; dans les familles, les parents et les enfants se détestent. Chez les amis, il n'y a que de la jalousie. Chez les amoureux, de la méfiance et du ressentiment. Où est l'amour ?

En ce moment même où elle se mariait, qui pouvait dire si elle aimait Charles, elle qui ne se sentait pas aimée ? L'amour n'était pas ce qui rassemblait les hommes. L'amour, la famille, les amis n'étaient pas le commun dénominateur. La seule chose qui rassemblait les hommes, c'était qu'ils avaient tous les mains palmées. C'était l'eau qui les faisait vivre et qui les désaltérait. C'est pour cette raison qu'ils aimaient autant l'eau, car l'eau, c'est l'origine universelle.

Elle plongea dans l'eau profonde, qui devait l'entourer de toutes parts, comme le voulait la loi. Dans le bain rituel, s'effaçait toute trace d'elle-même comme si elle n'existait plus et n'avait jamais eu d'existence réelle... elle se dissolvait dans l'eau, à laquelle se mêleraient ses larmes. Et elle comprit pourquoi les hommes pleurent, pour se consoler de la vie par la vie, en retrouvant ce qui les a fait naître.

Esther sortit la tête de l'eau et regarda la vieille femme à l'air revêche. Une ashkénaze, pensa-t-elle. Face à elle, l'authentique princesse sépharade à la peau blanche et aux yeux sombres, aux cheveux noirs tombant en boucles sur ses épaules, évoquait toutes les princesses juives des déserts éternels. Et à présent, elle allait à nouveau s'immerger dans l'eau pour être consacrée à son époux, telles les vierges sacrifiées sur les autels sacrés. Désormais, elle ne s'appartiendrait plus, si tant est qu'elle se fût jamais appartenue. Plonger dans l'eau comme dans le ventre d'une mère et se souvenir de tout le passé, pour en ressortir pure, lavée des eaux troubles de son enfance et à jamais s'en détacher, était-ce possible ? Plonger morte et renaître vivante, purifiée de sa mère et de son histoire, de son Maroc ravagé, était-ce possible ? Renaître différente comme le nouveau-né, dans l'innocence d'un nouveau regard, d'une nouvelle vie, d'un corps immaculé ? L'eau était celle du bassin maternel où chacun était né, et où chacun mourrait s'il y revenait.

– *Kosher* ! annonça la vieille femme lorsque Esther sortit de l'eau pour la septième fois...

Une Polonaise, pensa Esther. Une ashkénaze qui n'avait aucun sens du contact humain.

Elle avait eu une relation avec un ashkénaze, à New York où elle était partie pour fuir sa famille et le monde sépharade après un dernier échec amoureux.

Avec stupeur, elle avait découvert un pays où il n'y avait pas de sépharades, ou très peu, si bien que le sépharade était considéré, de manière assez valorisante, comme une espèce en voie de disparition, un spécimen exotique. Elle était flattée par le regard des autres, simplement parce qu'elle était sépharade. Elle était la seule, au milieu d'une multitude de jeunes hommes volubiles et géniaux qui s'appelaient tous Jonathan.

Esther n'avait jamais vu autant d'ashkénazes de sa vie. Là-bas, tout le monde avait les yeux bleus et les cheveux blonds, roux ou châtains, le teint pâle, et tous étaient des intellectuels brillants et torturés, énergiques et drôles, sympathiques et enthousiastes.

Tous ces ashkénazes étaient des gens bien, exceptionnels dans leur domaine. Mais ils étaient modestes et sérieux. Les hommes aimaient se retrouver le soir chez eux, savaient passer l'aspirateur et préparer à dîner, du poulet aux airelles ou au miel, et des crêpes de pommes de terre appelées *latkès*, et il y avait toujours un accompagnement végétarien pour ceux qui ne mangeaient pas de viande. Ils devisaient gaiement, abordaient toutes sortes de thèmes d'un ton léger et drôle, et ils avaient de bonnes histoires à raconter. Au début, Esther ne les comprenait pas ; comme si elle se retrouvait dans un film de Woody Allen mais sans les sous-titres. Puis peu à peu, elle commença à s'y faire. Les ashkénazes, à l'inverse des sépharades, ne parlaient jamais pour ne rien dire, ne disaient que des choses sensées, ne riaient pas pour un rien, mais pour un mot d'esprit qui en valait la peine, n'étaient jamais en retard, faisaient ce qu'ils disaient et disaient ce qu'ils faisaient, ne mentaient pas, n'étaient pas hypocrites, ne s'exclamaient pas de façon enthousiaste lorsqu'ils détestaient un plat ou une façon de s'habiller, n'étaient pas obsédés par le mauvais œil au point de mal prendre un compliment, ne regardaient pas compulsivement la télévision, allaient voir des films intelligents au ciné-club...

L'ashkénaze était blond, de taille moyenne, assez étroit, avec des yeux bleus, très vifs, intenses, mais sa bouche était trop fine, presque sans lèvres, comme un manque de générosité de la nature envers lui. Comme les autres, il adorait la France. Il avait une passion pour Paris. Il avait même appris un peu de français au laboratoire de langues de son université. Il avait vu les films de Truffaut, Godard et Bresson, il en parlait avec respect et admiration.

Un soir, après leur rencontre, Esther et lui prirent un verre ensemble. Ils parlèrent du temps, sujet de sa thèse de philosophie, et il commença à lui exposer les principes élémentaires de la physique quantique. Il existerait, dans l'univers, des mondes parallèles, qui correspondent à l'infini des possibles. Par exemple, il y aurait un monde où elle et lui ne seraient pas en train de parler, là, dans ce bar, mais en train de marcher dans la rue, et un autre où il y aurait une dispute qui éclaterait dans le bar, et lui serait pris dans la rixe, et un autre où ils ne se seraient pas rencontrés, etc. Ainsi, il n'y avait pas que des identités multiples, il y avait aussi des mondes multiples et les identités multiples se déclinaient dans tous ces mondes à l'infini...

Il raccompagna Esther chez elle. Sur le pas de la porte, ils s'embrassèrent. Esther se demanda s'il y avait un monde parallèle où ils ne s'embrasseraient pas mais se diraient au revoir. Ainsi, ils décideraient d'être seulement amis. Tous les événements qui suivraient seraient différents de ceux qui adviendraient dans le cas où ils s'embrasseraient. Il y aurait aussi le cas où il monterait, ils passeraient la nuit ensemble, et ils auraient un enfant. Et celui où il serait monté, et après, Esther ne l'aurait plus revu. Il y avait tous les possibles devant elle, c'était à elle de choisir quel était le meilleur, dans ce monde-ci. Mais comment savoir ce qu'elle voulait alors qu'elle ne savait pas qui elle était ?

Quelques semaines après son retour en France, il vint la voir à Strasbourg. C'était le printemps, il faisait beau. Il y avait dans le ciel bleu de gros nuages blancs. Un vent frais caressait leurs visages, le Rhin étincelait sous la lumière du soleil. Esther était contente de le revoir. Elle était heureuse de parler anglais. Lui, légèrement penché au-dessus de l'eau, le soleil dans les yeux : tendu, nerveux, tellement angoissé qu'à côté de lui Esther paraissait calme. Il était toujours dans un état de grande tension, comme en alerte permanente. Sans cesse il lui demandait si elle était contente, s'il n'y avait pas quelque chose qui lui déplaisait, si elle ne désirait pas aller autre part...

C'est là, à cet instant précis, qu'il lui parla de sa mère pour la première fois. Il lui dit qu'il la détestait. Il lui confia qu'elle était très dure, qu'il ne s'entendait pas du tout avec elle. Esther avait conscience que cette confidence était un moment important dans leur relation. Il lui disait quelque chose de secret, de particulier. Elle trouvait cela inouï. Elle n'avait jamais entendu quelqu'un dire qu'il détestait sa mère ou son père. Chez les sépharades, on ne dit pas ça. On ne s'autorise même pas à le penser. La psychanalyse n'aurait jamais pu être inventée en milieu sépharade.

Au mois d'août, comme prévu, Esther se rendit à New York. Il était venu l'attendre à l'aéroport. Il l'emmena chez ses parents, là où il vivait toujours. L'appartement était grand : six pièces tout en longueur, ce qui permettait de ne pas trop se voir.

De toute façon, il l'empêchait de les voir, de leur parler. Durant les trois semaines où elle resta, Esther leur adressa deux ou trois mots en tout et pour tout. Elle voyait leurs silhouettes de temps en temps au fond de l'appartement, et les croisait rapidement lorsqu'elle se rendait dans la salle de bains. On aurait dit des fantômes, des personnages virtuels.

Son père, homme débonnaire et hagard, dépassé par l'énergie de sa femme, était en admiration devant son fils. Celui-ci aimait répéter que sa mère avait séduit son père un jour dans une queue à la poste, et il ne comprenait toujours pas pourquoi son père lui avait cédé. En effet, la mère, d'origine russe, était une femme très dure, au physique sec, au corps menu, au visage ridé animé de petits yeux exprimant un mélange de folie et de souffrance. Elle avait la même bouche que celle de son fils, une grande mâchoire avec des lèvres fines. De sa voix éraillée, elle avait établi un rapport de force avec son mari, qui était son chauffeur, son cuisinier et son homme de ménage. Son père, né en Allemagne d'où il s'était exilé pendant la guerre, était un tenant de l'antipsychiatrie, cette mouvance qui critique radicalement la psychanalyse en disant, par une suprême sophistique ashkénaze, que les gens ne sont pas malades ou névrosés, mais que c'est la société qui est malade. Sa mère, elle, avait fait une thèse d'histoire de l'art. Passionnée par les meurtres et les empoisonnements historiques, elle s'était spécialisée dans l'Italie de la Renaissance. Durant leurs études, dans un mouvement d'humeur, elle avait jeté par la fenêtre le travail de thèse de son père. Pour cette raison, selon le mythe familial, il n'avait jamais pu décrocher son doctorat.

Le plus étrange pour Esther, c'était que tous deux avaient peur de leur fils. Dès qu'il arrivait, ils étaient sur leurs gardes. Lorsqu'il élevait le ton, ils tremblaient et se précipitaient dans la cuisine pour lui apporter ce qu'il réclamait ou tout simplement disparaître. Ils faisaient tout ce qu'il disait. Ils parlaient quand il leur posait une question, se taisaient lorsqu'il leur demandait de se taire. Malgré cela, il s'énervait parfois contre eux et se mettait à crier. Alors la mère, comme prise de terreur, allait se cacher dans la chambre. Ils servaient d'hôtes, voilà tout. Leurs relations se limitaient à celles que l'on a avec des réceptionnistes. Le plus souvent possible, ils étaient dehors. Ou confinés dans leur chambre. Pour Esther, il était inimaginable d'avoir ce type de rapport avec ses parents. Elle n'avait jamais vu de parents avoir peur de leurs enfants, ni être à leur service. Situation pour elle inconcevable, et qui relevait de la science-fiction.

Tous les dimanches, Esther et son compagnon allaient voir la grand-mère ashkénaze. On l'appelait Grandma. Elle avait la même bouche que lui et sa mère, avec cette mâchoire protubérante et ces lèvres fines. Elle avait quatre-vingt-dix ans mais c'était un roc.

Elle ne voyait guère sa progéniture, cependant le contact avait repris lorsqu'elle s'était cassé le col du fémur et qu'il avait fallu aller la voir à l'hôpital. Situation là encore improbable, car cette grand-mère était honnie de son petit-fils depuis qu'elle l'avait mis dehors un soir d'hiver, alors qu'il était adolescent. Mais soudain, voilà qu'il se piquait d'un grand intérêt pour elle, qui à son tour se prenait d'affection pour lui. La ressemblance entre eux était frappante. Immense et mince, cette femme au fort accent russe avait des cheveux blancs retenus par un chignon, mais c'était la seule différence avec son petit-fils. Elle se mouvait à petits pas dans le studio qu'elle occupait dans une maison de retraite. Chez elle, il n'y avait jamais rien à manger ni même à boire ; elle devait prendre ses repas au réfectoire, avec les pensionnaires. Quand son petit-fils et Esther venaient lui rendre visite, elle leur montrait d'anciennes photos de famille. Son mari, ses enfants, ses petits-enfants étaient tous russes, maigres, longs, sur les photos jaunies et dans des paysages qui leur ressemblaient. Puis les mêmes, sans sourire, sans joie, devant un petit pavillon américain pourtant ensoleillé. Elle n'avait aucune émotion en les montrant, elle était comme froide, juste fière de pouvoir les intéresser un peu.

Quel héritage, se disait Esther, sinon le désespoir, l'alcool, la sombre destinée humaine, quelles perspectives amoureuses pouvait-elle augurer de cette relation, sinon celle d'Anna Karénine et Vronsky dans l'enfer domestique…

Esther découvrait ainsi l'identité ashkénaze, qui n'avait rien à voir avec ce qu'elle connaissait. Dans la famille russe de son amoureux, il y avait la trace des pogroms, et du côté de son père le marquage indélébile et omniprésent de la Shoah, qui avait emporté toute sa famille. Le jour de la commémoration de la Shoah, ils s'étaient rendus ensemble à une cérémonie pour les déportés. Il y eut des discours. Ici pas de cris ni de lamentations, juste des larmes discrètement essuyées, si loin des épanchements sépharades... Et Esther fit sienne cette vallée de douleur. Elle entra dans l'abîme du mal absolu, se perdant dans ses méandres, envahie par une tristesse insondable. Elle prit conscience que le traumatisme ne s'effaçait pas d'une génération à l'autre, comme si, au contraire, il se perpétuait, jusqu'à rendre le bonheur impossible, ou obscène, et blesser la capacité d'aimer.

Lorsqu'elle revint en France, il lui écrivit. Il voulait la revoir. Hésitante – elle sentait bien que cette relation allait la conduire vers un gouffre –, elle finit par accepter.

Il arriva chez elle un jour pluvieux de septembre, vers la fin de la matinée. Il était là, sur le pas de la porte, en blouson rouge vif sur un pantalon mal coupé et en baskets, avec des bagages pour six mois au moins : deux grosses valises des années cinquante qui devaient appartenir à ses parents. Esther regrettait déjà d'avoir accepté de céder à sa pression. À présent, il était là. Il avait tout arrangé. Il avait pris un congé de l'université et allait travailler à Strasbourg, sur sa thèse. Lorsque Esther lui annonça qu'ils ne pourraient pas vivre ensemble à cause de ses parents, il ne la crut pas. Ils se disputèrent, et il lui annonça qu'il repartirait le lendemain. Esther claqua la porte derrière lui, soulagée. Ç'aurait pu être la fin de l'histoire. Ç'aurait dû être la fin de leur histoire. Pourtant, ce fut son commencement.

En effet, après cette soirée, Esther s'en voulut terriblement de lui avoir fait du mal, lui qui était venu lui offrir son cœur et sa vie. Elle se disait que c'était horrible. L'idée qu'elle avait fait cela parce qu'elle ne l'aimait pas, qu'elle n'avait tout simplement pas envie de le voir ne la visita pas. Auparavant elle culpabilisait de ne pas l'aimer. Désormais, elle culpabilisait de lui avoir fait du mal. Elle ne pensait plus qu'à une chose : réparer, se faire pardonner.

Lorsqu'il rappela Esther, le lendemain, elle lui ouvrit sa porte. Il s'installa dans son petit studio. Esther se mit à cuisiner pour lui, à se charger de son ménage et de son linge, mais il n'était pas content de ses prestations de femme au foyer. Il lui faisait parfois relaver une assiette, repasser à nouveau le linge, qu'il jugeait mal plié. Il disait qu'elle était maladroite, qu'elle ne faisait pas les choses avec cœur, mais pour s'en débarrasser au plus vite. Il n'aimait pas sa cuisine, trop grasse, trop riche, trop abondante. Il disait que tout ce qu'elle faisait ressemblait à une grosse omelette, même les gâteaux. Il n'aimait pas qu'il y ait des restes. Il était économe jusqu'à la pingrerie. Pour lui, un sou était un sou. Il comptait tout, l'argent, le temps, les mots. Chaque jour il fumait cinq cigarettes, pas une de plus, c'était la limite au-dessus de laquelle fumer devenait dangereux. Il était stressé parce qu'il devait travailler sur sa thèse, et la rendre à la fin de l'année. Pas question de sortir, de s'amuser. Il n'aimait pas rire, passait beaucoup de temps à penser à diverses choses qu'il assurait être de la plus haute importance, et pour tout résumer, il ne montrait aucune émotion.

Ils vécurent ainsi pendant plusieurs mois, dans l'humiliation pour Esther. Les différends entre eux se faisaient de plus en plus fréquents, déclenchés par un geste anodin, un motif futile. Puis il la consolait. Il la prenait dans ses bras en lui disant qu'il l'aimait, que tout irait bien entre eux, qu'ils étaient faits l'un pour l'autre, mais que personne ne les comprenait. Qu'il fallait n'en parler à personne, c'était leur secret. L'essentiel était l'amour, leur amour qui était si fort, raison pour laquelle ils restaient ensemble malgré leurs disputes.

Il lui disait qu'il l'aimait à la folie, et qu'il n'aimerait jamais qu'elle, et pourtant la moindre requête de sa part l'exaspérait et déclenchait des torrents de haine. Elle passait des nuits à pleurer, seule face à elle-même. Pourquoi se haïssait-elle au point de permettre qu'on la niât, au point de nier son droit à toute réjouissance ? Qu'avait-elle commis de si horrible qui méritât qu'elle ne vécût pas sa vie, et qu'elle fût à elle-même son propre bourreau ?

Leurs querelles devinrent de plus en plus violentes. Bientôt il se mit à la critiquer en public, devant ses amis. Il s'énervait de plus en plus fort, à une fréquence qui s'accélérait. L'angoisse aidant, il devint solitaire, mauvais. Il l'avait isolée, elle était à sa merci, déstabilisée.

Il se plaignait de la charge qu'Esther était pour lui. Il disait qu'à cause d'elle, il n'arrivait pas à travailler. Il la méprisait intellectuellement parce qu'elle était sépharade. En revanche, il arborait une solide confiance en lui-même en son jugement. Il s'admirait. Il était le plus intelligent et le plus moral des hommes.

Tous les soirs il était épuisé. Il avait mal à la tête. Il entrait dans le lit en faisant d'horribles grimaces. Son corps malingre restait là, inerte, comme un cadavre, à côté du sien, voluptueux et incompris.

Au bout de quelque temps, lorsqu'elle commença à le railler pour ses migraines, il lui dit qu'elle n'avait plus son corps de vingt ans, et que c'était la véritable raison de son absence de désir.

En effet, se dit Esther, n'avait-elle pas deux ou trois kilos de trop ? Elle ne ressemblait certainement pas aux jeunes femmes fines et musclées des magazines. Elle n'était pas sèche comme la mère de l'ashkénaze. Peut-être n'était-elle pas assez mince pour lui ?

En vérité, son compagnon jalousait sa joie de vivre, sa famille, ses amis, tout ce qu'il n'avait pas. Il jalousait même sa religion. Lui qui avait été élevé dans une absence totale, voire une haine de la religion, s'était mis à redécouvrir la pratique auprès d'Esther. Lui qui mangeait du porc le jour de Kippour lorsqu'elle l'avait rencontré, commença à s'intéresser à ce qu'elle faisait au chabbat, qu'elle respectait, à la nourriture cacher, et même à la pensée juive. Il lui posait des questions. Mais très vite, il décréta qu'il avait tout compris, qu'elle ne vivait la religion qu'à un niveau superficiel et folklorique, alors que lui avait rencontré la vraie spiritualité. Pour lui, cela signifiait lois, contritions et contraintes, alors qu'Esther vivait la religion sur le mode de la fête et de la réjouissance. Il se mit à la réveiller tôt le matin pour aller à la synagogue, à vouloir commencer le chabbat une heure plus tôt que prévu. Il avait un rapport obsessionnel avec la Loi, qu'il utilisait pour la dominer et l'asservir.

La vie d'Esther devint un enfer qui l'étouffait peu à peu. Plus il devenait religieux, plus il était intolérant et intransigeant envers elle. Il utilisait la religion comme un joug, une aliénation.

Un jour, Esther se réveilla avec la sensation bizarre de ne plus rien éprouver sur le plan émotionnel. Elle flottait sur les choses, positives ou négatives, sans qu'elles l'affectent. Qui était-elle ? Quelle était sa valeur ? Elle ne savait plus si sa vie avait un sens ou non. Sans qu'elle s'en aperçût, ses joies, ses désirs, sa confiance en elle s'étaient effacés. Elle ne savait plus qui elle était, elle ne savait plus ce qu'elle voulait. Elle stagnait dans un non-être véritable, comme s'il avait retiré lentement le sang qui coulait dans ses veines. Comme s'il l'avait préparée à son propre suicide. C'est alors qu'elle comprit qu'elle était en train de devenir ashkénaze.

Elle se dit que les ashkénazes et les sépharades ne pourraient jamais s'entendre. Ils n'avaient pas la même conception de la vie. Les ashkénazes vivaient dans le devoir, le labeur, le politique, le concret, et ils aimaient agir sur le monde pour le transformer. Les sépharades étaient dans la jouissance, la joie, la célébration, le travail n'était pour eux qu'un moyen de profiter de certains moments de la vie. Ils n'étaient ni rationnels ni pragmatiques, moins dans la politique que la métaphysique. Ils n'avaient pas le même rapport à la parole : les ashkénazes étaient dans l'autorité et le pouvoir, les mots avaient pour eux un sens univoque, exécutoire ; les sépharades étaient dans la négociation, l'approximation, le flou, et ils parlaient sans cesse pour ne rien dire. Ce qui était vrai à un moment ne l'était plus à un autre et leurs paroles n'engageaient aucunement leurs actes. Les ashkénazes étaient ponctuels, les sépharades avaient un rapport très lointain avec le temps, arrivaient en retard ou pas du tout. Ils étaient incapables de fixer des rendez-vous et de s'y tenir, comme le faisaient les ashkénazes. Leur spontanéité les en empêchait. Les ashkénazes avaient du mal à exprimer leurs émotions et parfois même à les ressentir. Ils étaient intellectuels, froids et rationnels.

Les sépharades au contraire étaient émotifs, et passaient sans cesse du rire aux larmes, de la tendresse au drame, voire au psychodrame. Les ashkénazes n'étaient pas tendres, les sépharades, tels les loukoums sous un soleil brûlant, dégoulinaient de sentiments et de sensations, et tout pour eux était prétexte à épanchement. Les ashkénazes n'aimaient pas manger. Leur cuisine était souvent prosaïque et sans goût. Les sépharades faisaient le plus grand cas de la nourriture : repas, festins et cérémonies étaient leur quotidien, et ils passaient beaucoup de temps dans les cuisines, à élaborer les mets les plus raffinés. Les ashkénazes étaient efficaces et calculateurs, les sépharades cultivaient les instants et les gestes gratuits. Les ashkénazes étaient avares, les sépharades, en général généreux, ne demandant qu'à partager ce qu'ils avaient. Les ashkénazes étaient solitaires, les sépharades, solidaires, avaient beaucoup d'amis et ne se déplaçaient qu'en groupe ou en famille. Les ashkénazes achetaient des biens, en se privant, pour investir dans du solide. Les sépharades dépensaient volontiers leur argent. Les ashkénazes ne faisaient pas attention à leur apparence, alors que les sépharades y accordaient une importance primordiale – c'est la raison pour laquelle ils réussissaient si bien dans le vêtement.

Leur angoisse même était différente. Celle de l'ashkénaze était intérieure, introduisant la mort dans l'être jusqu'à la dépression. L'angoisse du sépharade, tout extérieure, était un combat contre la possibilité de la mort. Elle s'exprimait en agitation, énergie vitale, lutte pour la survie : c'est pourquoi, dans chaque famille sépharade, une armoire débordait de médicaments pour soigner les petits maux, les sépharades étant en général hypocondriaques. Alors que l'ashkénaze

était stoïque, le sépharade se faisait un monde d'une égrati-
gnure, souffrant de ce que les médecins appellent « le syn-
drome méditerranéen », qui consiste à exagérer l'intensité de
la douleur et à l'exprimer de façon excessive. Lorsque l'ashkénaze se résignait, le sépharade se révoltait.

Et surtout, plus radicalement, l'ashkénaze avait l'angoisse
d'être juif. Le judaïsme, pour lui, n'était pas quelque chose
que l'on pût mettre en avant. Il fallait le cacher et s'en
détacher au maximum pour montrer qu'on était parfaitement intégré. Le sépharade, lui, revendiquait son judaïsme,
en était fier, le vivait sur un mode communautaire et ostentatoire qui exaspérait l'ashkénaze au point de lui faire
honte. En fait, l'ashkénaze avait honte du sépharade, qui
dégradait selon lui l'idée qu'il se faisait de l'être juif. Pour
lui, les juifs étaient des hommes comme les autres, et rien
ne devait les différencier de leurs compatriotes. L'angoisse
du sépharade, ce n'était pas d'être juif, c'était plutôt de ne
pas l'être.

L'angoisse du sépharade, c'était d'être, tout simplement. Il
vivait le doute métaphysique au quotidien.

Après la période ashkénaze d'Esther, il lui fallut tout réap-
prendre de la vie, et de ce qu'elle en attendait. Tout redécouvrir, et surtout sa dignité. Après avoir perdu tous ses repères,
se retrouver. Reconquérir sa féminité. Aimer son corps pour
s'aimer soi. Retrouver le désir ; fermer les yeux et voir dans le
noir mille et mille couleurs. Se retrouver face à face avec soi-
même, sans violence. S'aimer, enfin.

3.

Le goy

Après sa rupture avec l'ashkénaze, Esther avait eu une relation avec un homme qui n'était pas juif. Un goy, donc, qui avait pour le peuple élu une étrange fascination. Il était tout à fait délicat avec la nourriture. Par exemple, il mangeait cacher lorsqu'il était avec elle, d'une façon plus scrupuleuse que les juifs non pratiquants qu'Esther fréquentait. Le goy, par politesse, n'aurait jamais mangé de porc ni gobé d'huîtres encore vivantes devant elle.

Le jeune homme était très attiré par le côté juif d'Esther, qui était pour lui une zone érogène. Elle était un peu sa « belle juive ». Ensemble, ils parlaient du judaïsme, comme si, d'un coup, Esther était réduite à cette dimension de son existence, et lui tentait désespérément d'établir les liens lointains qu'il pouvait avoir avec cette histoire pour justifier son attirance, et plus que cela, son obsession. Souvent, il évoquait une grand-tante qui avait sauvé des juifs pendant la guerre. Dans la plupart de leurs discussions, il y avait la Shoah. Il y avait toujours la Shoah.

Il avait vu avec intérêt le film de Claude Lanzmann, avait lu nombre de livres à ce sujet mais sans pouvoir s'empêcher de s'identifier inconsciemment aux bourreaux, et donc d'en concevoir une terrible culpabilité. En même temps, son inconscient gagnait celui d'Esther dans ce jeu de rôle, si bien que, par un curieux retournement, celle-ci se retrouvait en position de victime face à son bourreau. Il tentait désespérément de comprendre pourquoi la Shoah avait eu lieu, et comment on pouvait expliquer le nazisme sans admettre qu'il était justement impossible de comprendre et de rationaliser cet événement incommensurable. Esther était anéantie en pensant à Auschwitz, et en particulier aux femmes enceintes. Le génocide d'un peuple n'est pas seulement le génocide d'un peuple : c'est le génocide des millions d'êtres humains qui seraient nés de ce peuple.

Mais tout cela, il ne semblait pas l'envisager. Il ne voyait pas le film *Shoah* comme elle le voyait, il essayait d'intellectualiser les choses avec maladresse, d'insérer les faits dans une trame historique, sociale, politique. Bref, en voulant comprendre, il justifiait.

La Shoah peu à peu commença à prendre toute la place dans leur vie commune. Esther aurait voulu qu'ils parlent aussi d'autre chose, mais cela semblait impossible. Et toujours, elle finissait par s'énerver lorsqu'il prétendait avoir compris les similitudes entre nazisme et stalinisme, dans les phénomènes de masse post-industriels, ou quand il disait que Hitler était traumatisé par la guerre et le traité de Versailles, le diktat imposé à l'Allemagne, bref, tout ce qui surgit quand l'historien s'immerge de façon tellement intime dans l'Histoire qu'il finit par s'identifier à elle. Il lui semblait qu'il y avait là un point aveugle de sa part, qu'il ne comprenait et ne comprendrait jamais.

Et puis, il y avait les inévitables débats au sujet d'Israël. Comme il était douloureux pour Esther d'entendre ce point de vue extérieur et négatif, empreint de la vision univoque des médias, car il ne parvenait pas à considérer les choses d'un autre point de vue, intoxiqué qu'il était par les journaux qui répandaient une image désastreuse d'Israël. Esther se rendait compte à quel point son amour pour la Terre promise était vivant en elle, bien ancré dans un rapport à la fois affectueux et douloureux – rapport que son compagnon, avec toute la bonne volonté du monde, ne pouvait ni comprendre, ni ressentir, ni même admettre. Et Esther avait beau passer des soirées entières à lui expliquer la réalité de la situation, à répéter qu'Israël n'était pas coupable mais victime des attentats terroristes, il restait toujours en lui un petit démon qui finissait par dire quelque chose de vexant ou de stupide, ou de simplement niais : « D'un côté comme de l'autre... » Et c'était le mieux qu'elle pût espérer de lui. D'un côté les Israéliens, de l'autre les terroristes palestiniens. Non. Impossible. Ce n'était pas deux entités que l'on pouvait mettre face à face. D'un côté des civils, des gens qui vivent dans un pays, de l'autre des terroristes. D'un côté des soldats, de l'autre des terroristes. Quand il y avait du terrorisme dans un autre pays, on ne disait pas : « d'un côté comme de l'autre ». Lorsqu'il y avait eu les attentats dans le métro parisien, personne n'avait dit : d'un côté les terroristes, de l'autre les Français, les torts sont partagés, personne n'a raison, les choses sont compliquées. Tout cela, il ne l'entendait pas... En fait, il ne comprenait pas que tout ce qui était pour lui de simples discussions intellectuelles, comme on pourrait échanger sur la politique en France, était pour elle extrêmement pénible et douloureux, viscéral, et que ses paroles étaient autant de coups de poignard portés à son ventre. La défense d'Israël en ces temps de détresse lui paraissait aussi nécessaire qu'impossible, car elle relevait de la justification, et donc de l'excuse, et Esther estimait qu'elle n'avait pas à se justifier.

Et pourtant c'était cela, plus que toute autre chose, qui faisait qu'Esther ne parvenait pas à s'entendre profondément avec lui, ni à tomber amoureuse – dans le sens où elle ne pouvait pas sympathiser avec quelqu'un qui n'était pas en communion avec elle en tout ce qui concernait son peuple.

Cependant, Esther l'aimait bien, et elle aimait bien être avec lui, il était très gentil avec elle, serviable, toujours disponible, attentionné, il faisait du mieux qu'il pouvait. C'était la raison pour laquelle elle finit par abandonner la lutte et éviter « le » sujet. Ainsi, tout allait beaucoup mieux entre eux. Même s'ils savaient que leur relation ne pourrait pas durer, et qu'ils ne pourraient ni vivre ensemble ni avoir des enfants, ils auraient pu continuer ainsi pendant longtemps, juste en évitant de parler d'Israël ou de la Shoah.

Pourquoi diable avait-il fallu qu'ils partent en vacances en Espagne ?

Un jour, pour lui faire plaisir, il lui demanda où elle désirait passer les vacances. Pour elle, qui était tellement attachée à sa famille, à son malaise, il était toujours difficile de partir. Elle réfléchit un long moment. Il lui fallait un pays chaud, romantique, où il était facile de se rendre en avion sans que ce fût trop long. Suffisamment dépaysant pour qu'ils aient l'impression de partir et suffisamment proche pour qu'elle n'eût pas l'impression de s'éloigner trop loin de ses parents.

Elle aurait pu dire l'Italie, la Grèce ou la Turquie, mais non, il fallut qu'elle répondît : l'Espagne.

À Marbella, en se baignant dans la mer, Esther imaginait le Maroc, au loin, de l'autre côté de l'horizon. Il lui revint alors en mémoire que, lorsqu'elle était enfant, elle se rendait en vacances au Maroc avec ses parents en traversant l'Espagne. Ils chargeaient la voiture, montaient la galerie où s'accumulaient les valises et les paquets comme s'il s'agissait d'un retour au pays, et ils prenaient la route de l'Espagne. C'était un passage obligé, rituel, et ils restaient volontiers une semaine, à se promener dans les villes, à faire des courses dans le grand magasin Corte Inglés, qui symbolisait le luxe pour eux. Ils éprouvaient de la tendresse pour ce pays dans lequel ils se sentaient bien, comme si c'était leur seconde patrie. Ils se mettaient à parler espagnol avec une émotion non dissimulée, se gavaient d'horchata de chufas et autres madeleines de Proust, comme s'ils étaient nés là-bas. C'était étrange de voir leur bonheur en Espagne. On aurait dit qu'ils étaient de retour chez eux, après un très long voyage.

À Cordoue, les palais et les jardins évoquaient cette notion terrestre du paradis que les Almohades s'efforcèrent d'incarner, partout où ils se trouvaient : un printemps éternel où bruissent et coulent des ruisseaux, eaux délicieuses évoquant le lait, le vin et le miel, glissant dans l'ombre épaisse des arbres. Bosquets à l'odeur subtile, fontaines, pavillons de nacre et de rubis, mets exquis, fruits rares. En Andalousie, le paradis des musulmans était incarné par les jardins et les palais, les bassins et les colonnes de marbre, les arbres fruitiers, orangers, citronniers, mandariniers, et partout des fleurs, odorantes, colorées à souhait, roses de Damas, jasmin ou lauriers-roses. Esther et son ami se cachèrent derrière les colonnes de la Mezquita, jouèrent à cache-cache avec les piliers, ils s'embrassèrent dans les jardins de l'Alhambra, diaphanes dans la grâce et la légèreté, admirèrent l'art de la décoration intérieure, les stucs alvéolaires, les voûtes, les pièces et les arches, les rigoles qui traversaient les salles et les patios, les frises calligraphiées d'une inspiration si originale. L'image même de la paix : sérénité, luxe et douceur...

L'Andalousie était l'idéal à hauteur d'homme, le rêve devenu réalité, quelque chose de terrestre et de céleste à la fois. D'ailleurs, à l'heure où l'Occident cherchait sa voie dans le sombre Moyen Âge, l'Andalousie avait réuni des artistes, des hommes de science, des philosophes venus de tous les pays du monde arabe, en avance de deux siècles sur la Renaissance qui révolutionnèrent la philosophie, la mathématique et la chirurgie. Là avait eu lieu « la Convivencia », l'éclosion d'une humanité unique, une société cosmopolite, celle de Grenade, Séville et Cordoue. Après la Reconquista, les savants émigrèrent à Fès, où l'on joua, dans les patios ombragés, la musique andalouse, avec deux luths, une cithare et deux violons tenus verticalement sur la cuisse. En écoutant cette musique dans le paradis de l'Alhambra, Esther ressentit une joie intense en même temps qu'une insondable nostalgie devant ce monde perdu, où la noblesse d'esprit et la délicatesse intellectuelle avaient formé la quintessence de l'âme sépharade. Française elle était, mais une Française métissée par l'Espagne, nostalgique de la splendeur andalouse.

Mais ce fut à Tolède, au sommet de la petite montagne qui évoquait une sorte de Jérusalem en miniature, qu'Esther eut un véritable choc. Là, on aurait dit que le temps s'était arrêté ; tout était comme préservé, et l'on se retrouvait brusquement au XIIIe siècle, quand les juifs traduisaient en castillan les textes arabes sous le règne d'Alfonso VII, empereur des trois religions.

Ensemble, les deux amoureux marchèrent le long des rues pavées, avec leurs boutiques d'épées de conquistadores et de souvenirs juifs. Ils visitèrent les deux synagogues, et leurs pas les guidèrent vers le musée du Judaïsme.

Ils visitèrent la maison du musée d'El Greco construite sur le palais de Samuel Lévi, trésorier du roi de Castille, Pedro Ier. Ils descendirent dans les caves pleines de légendes : on dit que, dans cet endroit, le frère du roi don Enrique, astrologue, alchimiste et magicien, poursuivit la tradition occulte commencée des siècles auparavant par Yahia, roi maure, avec les disciples de l'Art royal et de la tradition orientale.

Son père Moïse lui avait appris que la présence des juifs en Espagne remontait à la première destruction du temple de Jérusalem, autour de l'an 585 avant l'ère courante. Les premiers sépharades auraient été des membres des tribus de Judah et de Benjamin, peut-être de sang royal, exilés par Nabuchodonosor. Le nom de Tolède, en hébreu *Tuletula*, en latin *Toletum*, serait même tiré de l'hébreu *Taltelah* qui signifie « tribulations ».

La ville avait aussi abrité une communauté khazare : les Khazars qui s'étaient convertis au judaïsme au VIIIe siècle et avaient inspiré au grand poète Judah Halévi *Le Kouzari*, son livre dans lequel il mettait en scène le roi des Khazars à la recherche de sa religion. On raconte que pour se renseigner au sujet du christianisme, de l'islam et du judaïsme, il convoqua le plus éminent représentant des trois cultes. Chacun, le juif, le chrétien et le musulman, exposa son point de vue. Le lettré juif expliqua que le christianisme et l'islam tiraient leur origine du judaïsme, qui représentait la religion première, et il raconta l'épopée de son peuple. Selon lui, Israël était aux nations ce que le Prophète était aux hommes : une nation prophétique chargée d'instaurer le royaume de Dieu dans le monde. En retenant le peuple en exil, Dieu poursuivait un dessein secret, qu'Il comparait à une graine qui, sitôt plantée, se décompose, selon toutes les apparences, en terre, eau et poussière, avant de changer la terre et l'eau, jusqu'à obtenir un arbre. Un destin alchimique, telle était la vocation diasporique du peuple juif selon Moïse Vital qui aimait à le rappeler à tous ceux qui venaient l'écouter lors de sa leçon hebdomadaire : la dispersion et l'exil permettaient donc à Israël de mieux remplir sa mission divine parmi les nations.

Esther et son ami déambulèrent parmi les petites maisons qui ouvraient sur les délicieux patios intérieurs, à travers les rues étroites. Ici, il y avait eu autrefois des agriculteurs, des pharmaciens, des médecins, des collecteurs d'impôts, des tailleurs, des tanneurs, des scribes, des potiers, épiciers, céramistes, tisseurs, teinturiers... ses ancêtres, peut-être.

Esther imagina les hommes en longs manteaux aux manches larges, et les femmes aux robes resserrées à la taille. Les filles avaient les cheveux longs et bouclés lorsqu'elles n'étaient pas mariées et les épouses se couvraient avec un voile jusqu'aux épaules. Chaque communauté vivait selon ses coutumes, mais dans un territoire qui appartenait aux chrétiens. Les juifs, conseillers des rois, diplomates, administrateurs, écrivaient de la philosophie et de la poésie, et traduisaient les textes scientifiques arabes car, fins connaisseurs de la langue arabe, ils servaient souvent d'interprètes dans ce centre intellectuel. La coexistence ne signifiait pas l'égalité, mais il régnait une certaine tolérance. Malheureusement, cette époque de convergence des religions, rassemblées par une même origine et la croyance en un Dieu unique, ne dura pas longtemps. La haine surgit, de la part des chrétiens comme des Arabes, qui n'avaient jamais considéré que les juifs pussent obtenir un droit véritable, même si certains continuaient d'occuper des postes importants à la Cour.

On commença à forcer les juifs à porter une marque jaune sur leur vêtement. Puis vint le jour où il fut décrété qu'ils seraient vendus comme esclaves, et leurs poésies furent confisquées et interdites. Des dix synagogues de Tolède, il n'en resta plus que deux : Santa María la Blanca et le Transito.

Lorsque Esther entra dans la synagogue du Transito, elle fut submergée par une vague d'émotion et de tristesse. La sobriété de l'architecture extérieure contrastait avec la munificence intérieure, comme s'il fallait ne pas montrer les trésors cachés, ne rien laisser paraître mais tout conserver en soi.

Ils n'étaient pas seuls. En cette saison touristique, plusieurs groupes visitaient la synagogue. L'un des guides qui présentait l'édifice à son groupe semblait regarder Esther avec une attention si particulière qu'elle en fut gênée. La quarantaine, grand, élancé, les yeux clairs, les cheveux châtains et portant une barbe, il avait des lunettes carrées qui cachaient des yeux pleins de douceur et de curiosité.

L'homme finit par s'approcher d'elle.

– Vous, dit-il, vos ancêtres sont d'ici !

– Oui ! murmura Esther, stupéfaite. Mais comment le savez-vous ?

– Je travaille sur les juifs d'Espagne et je me suis spécialisé dans l'histoire de certaines familles. Vous savez, il y a quelques familles sépharades qu'on peut facilement identifier. Les Messas, les Lasry, les Tolédano, par exemple, se reconnaissent au premier coup d'œil ! Et vous, avec votre front haut, vos yeux noirs, votre nez si droit, j'étais sûr, oui, certain, que vous étiez d'ici !

L'homme l'examinait, l'air ravi, les yeux écarquillés derrière ses lunettes.

– Alors vous connaissez l'histoire de ma famille ? Je m'appelle Esther Vital.

– Ça fait des années que je fais des recherches sur les familles sépharades… Je connais bien l'histoire de la vôtre. Vous aimeriez que je vous en parle ?

– Oui… beaucoup.

Non ! pensa-t-elle, je suis ici en vacances, et entendre parler de ma famille, proche ou lointaine, est la dernière chose que je veux en cet instant. Il suffisait déjà bien d'être replongée dans cette histoire qui allait finir une fois de plus par les brouiller, son compagnon et elle, s'il se mettait à expliquer l'expulsion des juifs d'Espagne comme il « expliquait » la Shoah.

Esther jeta un coup d'œil vers son ami pour voir ce qu'il en pensait. Amusé par la rencontre, il semblait ne pas se rendre compte du fossé qu'il y avait entre eux, ni des enjeux que soulevait ce genre de discussion. Ce qui, pour lui, se déroulait sur un plan intellectuel, se traduisait pour elle en douleur viscérale.

– Venez, dit l'homme, je vous invite à prendre un verre.

Ils entrèrent dans un petit café à l'intérieur d'une ancienne maison juive, comme tout ce qu'il y avait à Tolède, semblait-il.

– Laissez-moi me présenter, dit l'homme, je m'appelle Pedro Alvarez… je suis chercheur et enseignant à l'université de Salamanque, spécialisé dans le judaïsme en terre d'Espagne.

– Et vous connaissez les Vital…

– Oui, à commencer par votre ancêtre, Gabirol – je veux dire, le grand Gabirol ! Saviez-vous que les Vital descendent de lui en droite lignée ? Vous le connaissez, bien sûr ?

– Oui, j'en ai entendu parler, dit Esther, sans être sûre de vouloir en entendre plus.

Elle connaissait l'illustre Salomon Ibn Gabirol, le prince des poètes et des philosophes, le joyau du monde sépharade. Les poètes qui lui succédèrent imitèrent ses œuvres, sans être capables d'atteindre sa hauteur d'âme, ni la puissance de ses figures ou la force de ses images. Avec lui, la poésie des juifs de l'Espagne musulmane avait atteint la perfection. Sa doctrine était l'union de la matière et de la forme, et c'était un ardent défenseur de l'astrologie. Ses spéculations métaphysiques l'avaient entraîné dans des sommets où seuls les vrais croyants se rejoignent et fraternisent, où toutes les apparentes antinomies disparaissent pour faire place à l'unité de la véritable spiritualité. Il avait atteint dans ses œuvres un niveau d'expression simple et limpide dans la pure métaphysique. Il y évoquait la condition de l'homme dans le monde, sa grandeur et sa faiblesse, sa force et son impuissance. « Qui suis-je, qu'est-ce que ma vie, qu'en est-il de mes hauts faits ? et qu'en est-il de ma charité ? se demandait-il. Tout cela ne compte pour rien au cours de mon existence, d'autant moins après ma mort. » Dans ses poèmes, son âme semblait littéralement aspirée vers l'infini, dans le ciel des formes idéales. En même temps, son esprit était tourné vers les merveilles du monde. Mais il était seul, et il restait profondément seul, étranger au monde des hommes qui le décevait sans cesse, en proie à l'angoisse devant l'inconstance du sort, la vanité de la pensée humaine. Il témoignait d'un pessimisme existentiel qui pouvait le conduire jusqu'au désespoir. Pourtant, du fond de sa misère, surgissait l'espoir à travers l'attente du Messie qu'il évoquait dans des chants déchirants, par lesquels il témoignait de la troisième captivité d'Israël, qui serait selon lui la dernière.

Ce qui avait frappé Esther concernant le grand Gabirol, c'était cette angoisse existentielle qui marquait sa pensée et sa poésie. Car, tout en se plaignant du monde, Gabirol lui, restait profondément, intimement attaché. Dans son refus du monde, il ne cessait de chercher Dieu, son refuge, sa roche, en réponse à l'adversité qui s'imposait à lui. Le grand saut ne pouvait se réaliser que dans la nudité et le dépouillement le plus total qui, loin d'être un rejet, était le détachement des choses de ce monde. Pour lui, la seule forme possible de la prière était l'écoute, et le fait d'être disposé à entendre. Ainsi le voulait le credo hébraïque : « *Chéma Israël* : écoute, Israël. » Ou encore : « Sois à l'écoute de l'autre, Dieu et ton prochain, pour t'ouvrir, te confier, t'abandonner, savoir attendre et espérer, et non sans cesse te débattre ou résister. » L'attente, chez lui, était à la fois espérance et patience, attention et disponibilité. C'était dans ce sens qu'il avait intitulé l'un de ses livres *La Couronne royale*, pour désigner l'achèvement de la quête spirituelle, la libération de l'être, dans la lumière et la vérité, c'est-à-dire la connaissance du fait que tout est un.

– J'ai lu *La Couronne royale*, dit Esther. Un beau livre...

– Savez-vous d'où vient l'expression « Couronne royale » ?

– Non.

– Du livre d'Esther. Et vous vous appelez Esther.

– Oui, c'est vrai, dit-elle, un peu troublée.

Si Esther n'avait jamais aimé son prénom, elle était pourtant fière de porter le nom d'une reine qui symbolisait la femme juive, dans toute sa splendeur.

L'histoire d'Esther avait commencé en Perse, au Ve siècle avant l'ère courante, lorsque le roi Assuérus avait répudié sa femme Vachti. Il avait cherché une femme dans tout le royaume, choisissant les plus belles filles. Ce fut la jeune Esther qui fut élue parmi toutes, grâce à sa beauté. Or Esther avait un oncle, Mardochée – dans la tradition ésotérique, on dit que c'était son mari –, qui la conseillait. Mardochée avait l'intuition que sa place et son destin de reine pourraient être utiles à son peuple, c'est la raison pour laquelle il lui avait conseillé de ne pas dire qu'elle était juive. Ainsi, elle était parmi les goys, intégrée au plus haut point, mais cachée comme le signifiait son nom. Or Haman, le ministre et conseiller du roi, qui haïssait les juifs, convainquit Assuérus de les tuer, scellant leur sort d'un coup de dés. Ce fut là qu'Esther accomplit l'acte héroïque, qui sauva le peuple juif. En effet, personne n'avait le droit de se montrer au roi sans être mandé par lui, et quiconque bravait cet interdit était passible de la peine de mort. Or Esther se présenta devant Assuérus, lui révélant qu'elle était juive et de ce fait condamnée à mort par son ministre. Par amour pour Esther, Assuérus prit son parti et, au lieu de tuer les juifs du royaume, il fit pendre Haman, sa femme et ses fils, ainsi que tous ceux qui leur voulaient du mal.

Cette histoire, qui se déroule pendant l'Exil, est l'histoire fondatrice du peuple juif qui, après la période hébraïque, se retrouve confronté à l'antisémitisme, dont les arguments restèrent désormais les mêmes, invariablement : les juifs étant les ennemis du genre humain, il faut les exterminer. Face à cela se pose tout le problème de l'affirmation de son identité juive, qui peut être dangereuse, voire mortelle. Le livre d'Esther est le seul livre de la Bible où n'apparaît pas le nom de Dieu : Dieu Lui-même s'est caché, mis en retrait. Et c'est pourquoi on dit que le judaïsme commence avec ce livre : le judaïsme comme affirmation de la réalisation individuelle et personnelle de l'Universel, fondée sur la relation à la transcendance, sous forme d'absence. C'est la raison pour laquelle Esther incarne la foi juive, entre force et fragilité, affirmation et retrait, intégration et identité. Elle ira jusqu'à mettre sa vie en péril par fidélité à son peuple et à sa culture. Elle sacrifie son destin individuel pour la survie de son peuple, parce que, en fait, elle aimait Mardochée, et c'est sur son instigation qu'elle va parvenir à de si hautes fonctions. Femme juive par excellence, elle tire les ficelles du royaume derrière ses fourneaux et c'est en organisant un repas qu'elle parvient à orchestrer des manœuvres politiques de haute volée. Son charme opère par un festin. Délicate, en retrait, soumise, timide, elle n'a pas d'ambition personnelle si ce n'est celle de perpétuer la tradition, ou que celle-ci, à travers elle, et grâce à elle, perdure. Et toute l'histoire d'Esther est la quête de sa véritable identité. Devenue reine, elle n'a jamais oublié son peuple ; cependant, révéler qui elle était au moment même où l'on pourchassait les juifs, aurait pu lui coûter la vie. Il fallut que son oncle Mardochée lui parlât et lui fît un chantage pour qu'elle acceptât de défendre son peuple. Dans une phrase célèbre, il lui dit que ce n'était pas en restant cachée qu'elle se sauverait, car juive elle était, et juive elle resterait. Esther est l'ancêtre de tous les juifs à venir, entre masque et vérité, entre la vie et la mort, entre la fierté d'appartenir à ce peuple et la honte, l'assimilation et la fidélité.

Telle était la destinée à laquelle ses parents avaient, plus ou moins consciemment, consacré Esther en la nommant ainsi.

– Dans *La Couronne royale*, reprit Pedro Alvarez, Gabirol pose la question de l'homme et de sa fragilité. Dès le début de son existence, il est angoissé et humilié, blessé, frappé par Dieu et affligé. Dès son origine, il est une « paille pirouettée par le vent » et à la fin un « fétu emporté ». Au cours de sa vie, il est comme une « herbe desséchée ».

» Ce livre, *La Couronne royale*, est un livre important... C'est le dernier poème de Gabirol, son testament, le résumé de sa vie, de ses connaissances tant scientifiques que théoriques, et de l'unité profonde qui les relie. On dit qu'il a inspiré la Cabale où il est fait mention de la couronne qui est la sphère supérieure de l'Arbre de Vie : c'est le couronnement de la quête spirituelle, qui conduit à l'ultime libération de l'être, c'est-à-dire à l'extase. Celui qui y a goûté a traversé l'expérience suprême. Gabirol, voyez-vous, faisait partie de ceux qui possèdent l'expérience spirituelle. Ceux-là cessent d'être religieux : ils n'ont besoin d'adhérer à aucun credo. Les religions diffèrent mais les mystiques, quel que soit leur milieu, se ressemblent. C'est la raison pour laquelle les trois religions trouvèrent un terrain commun dans l'Andalousie du XIIᵉ siècle. Et ce terrain commun, la mystique, n'est autre que la patrie du monde sépharade !

– Mais s'il avait eu accès à la vérité et à la lumière, demanda Esther, pourquoi Gabirol était-il aussi angoissé ?

– Gabirol est né à Malaga, vers 1020, dans des temps tourmentés durant lesquels le califat de Cordoue se désintégrait. Son père quitta Cordoue pour échapper à la terreur. Gabirol lui-même vécut à Saragosse, ville où se côtoyaient beaucoup d'intellectuels, dans un climat religieux intense. Mais il avait une maladie de peau qui le défigurait, ce qui explique son caractère particulier, farouchement solitaire. Il avait de mauvais rapports avec les gens. S'il atteignit la célébrité, cela ne changea rien à l'image qu'il avait de lui-même. Sa mort précoce reste un mystère. Certains dirent qu'il fut assassiné par un poète arabe envieux. On dit aussi que le meurtrier cacha son cadavre sous un figuier et que, l'année suivante, l'arbre produisit une telle abondance de fruits que l'attention fut attirée sur lui, et le crime ainsi découvert. Sans doute une allégorie pour dire à quel point la pensée de Gabirol a fécondé le monde juif.

» Mais ce qui l'a vraiment miné, c'est le drame terrible qui eut lieu en 1066, le jour où les musulmans massacrèrent quatre milliers de juifs à Grenade. Après l'horreur, le poète éprouva un désir de solitude, un dégoût de vivre parmi ceux qui ne savaient pas distinguer la droite de la gauche, comme il l'a dit, et la tentation d'en finir avec la vie.

» Aujourd'hui, tout le monde a oublié ou occulté le massacre des juifs et leur expulsion sous l'Inquisition, mais il n'en reste pas moins un fond de drame et d'angoisse dans tout cœur sépharade. C'est le traumatisme secret du monde sépharade, dont personne ne parle. Malgré la déclaration récente du roi d'Espagne concernant l'Inquisition, la commémoration du massacre des juifs et sa demande de pardon, cela reste un tabou dans notre pays. Et chez les juifs aussi, qui apprirent à se cacher, et à changer d'identité...

Pedro Alvarez marqua une pause avant de poursuivre :

– Esther Vital, murmura-t-il, vous le savez sûrement, mais votre ami, lui, sait-il ce qu'est un marrane ?

4.

Marranes

Marrane.
À ce mot, Esther vacilla. Elle eut un moment de faiblesse, et retint son souffle.

Elle avait rencontré ce mot la première fois lorsqu'elle faisait ses recherches sur Montaigne, pour sa maîtrise de lettres à l'université de Strasbourg. Avec Montaigne, elle était sûre de plonger au cœur de l'esprit français, aux racines de l'esprit républicain. Aussi, quelle ne fut pas sa surprise de découvrir, au hasard de ses lectures, que Montaigne, grâce auquel elle avait pensé s'émanciper psychologiquement et intellectuellement, était le descendant de juifs espagnols ! Par sa mère, il venait d'une famille de marranes : son grand-père avait émigré à Toulouse puis à Bordeaux, pour fuir l'Inquisition, peu avant l'expulsion des juifs d'Espagne.

Montaigne, le fleuron, le plus pur génie de la langue française, Montaigne dans sa justesse, sa sobriété, son exigence personnelle et morale, était un relais secret du judaïsme, un représentant officieux de l'exil forcé, un expulsé d'Espagne, de cette Espagne juive qu'il avait en réalité traduite, énoncée, discutée, sous une forme occidentale. L'humanisme de Montaigne, son combat contre la barbarie, contre la tyrannie et toutes les formes de cruauté, contre le fanatisme et l'injustice, sa volonté d'ouverture et de connaissance d'autrui s'inscrivaient donc dans l'histoire tragique des marranes, ces juifs pourchassés, forcés de se cacher sous une autre identité pour survivre !

Et son livre, comme ceux de ses ancêtres, fut mis à l'index par l'Inquisition espagnole puis par l'Inquisition romaine. Et alors qu'une bulle du pape Grégoire XIII interdisait aux chrétiens d'avoir des liens avec les juifs, Montaigne se rendait à la synagogue de Vérone pour connaître le culte juif. À Rome, il se rendait dans le ghetto, cherchait la synagogue comme tout juif déboussolé dans un pays étranger. Et s'il ne parlait pas de la Trinité, de la Vierge ou des saints, c'était peut-être que dans l'espace secret de son cœur, loin de cette sincérité avouée, recherchée, comme un impossible idéal, la flamme juive persistait dans la douleur et le secret, cette flamme transmise par sa mère, qu'il transmettait à son tour, et qu'il immortalisa par son œuvre.

Esther avait alors compris que sa quête de la sincérité, de l'authenticité, cette enquête sur lui-même qu'il avait menée tout au long de sa vie, et dont il avait fait l'œuvre de sa vie, cachait le secret de ses origines. Montaigne avait découvert l'homme, et l'avait défini comme personne au monde. Était-il en quête de l'Homme à travers lui-même, ou de lui-même à travers l'Homme ? Perdu dans ses identités, ses masques, ses origines, il ne savait plus qui il était, et en définissant l'Homme, l'humain dans ce qu'il a de plus universel, en l'observant sous toutes ses facettes, il pouvait enfin dire qui il était. Lorsqu'il annonçait qu'il était lui-même la matière de son livre, et que c'était lui qu'il peignait, qu'il était son propre sujet, il menait son enquête dans le particulier pour en extraire l'universel, et il puisait dans l'universel pour en comprendre le particulier. Cette fusion entre lui et son œuvre témoignait de l'importance vitale de cette quête qui lui permettait, à travers son livre, tout simplement d'exister. À l'époque où l'Église fanatique convertissait les gens ou les passait au fil de l'épée, il trouva dans la force démiurgique du «je» rien de moins que la liberté. S'il parvenait à la conquête de ce «je», qui faisait entrer la pensée dans une ère nouvelle, c'était par la réconciliation, non pas avec l'Église mais avec ses racines juives.

Dans les *Essais*, on avait découvert un code secret que seuls les juifs religieux pouvaient connaître : dans l'avis au lecteur, après avoir annoncé ce qu'il allait faire, et quelle était son entreprise, Montaigne mentionnait une date : 1er mars 1580. Or cette date n'était autre que le 14 Adar 5340, qui correspondait à la célébration de la fête de Pourim : la fête de la reine Esther, qui, en cachant son identité, avait sauvé son peuple de l'extermination. Montaigne plaçait donc en exergue de son œuvre la figure d'Esther, symbole du masque, de l'identité cachée, première marrane. Montaigne, le plus grand des sépharades !

– Marrane, dit Pedro Alvarez, cela veut dire «cochon» en espagnol ancien... C'est ainsi que, par dérision et par haine, les Espagnols appelèrent les juifs qui se cachaient durant l'Inquisition.

» Les Vital descendaient de l'aristocratie de Jérusalem, emmenée en exil par Titus. On les appelle "les sépharades" d'après l'expression de la Bible, du prophète Obadia, verset 20 : "Et la diaspora de Jérusalem qui est en Sépharade et ceux qui sont en Tsarfat, sont ceux qui vont hériter des cités du Néguev." Le prophète parle de la future résurrection de la nation juive. N'est-ce pas ce qui s'est passé, lors du retour des juifs sépharades en Israël ? "Sépharade" a été le chemin, le lieu de transition, avant le retour prophétique à Jérusalem dans le désert du Neguev ?

» Les Vital s'étaient établis en Espagne dès les premiers siècles de l'ère chrétienne. Ils avaient aimé l'Espagne, ils avaient mêlé leur vie, leur culture, leur héritage à celui de l'Espagne au point qu'il était difficile, presque impossible, de les en dissocier. Ils avaient offert à l'Espagne ce que l'Espagne leur avait donné : un asile, une terre d'accueil. Ils avaient accueilli l'Espagne comme elle les avait recueillis, jusqu'à la racine de leur être. Car en terre d'Espagne, le judaïsme s'épanouit et se développa plus qu'en toute autre terre de diaspora. Et l'Espagne elle-même fut glorieuse et enrichie de ses sépharades.

» Jusqu'à l'apogée du Xe siècle, et l'âge d'or du judaïsme espagnol, la famille Vital observait les règles de la tradition juive tout en étant profondément imprégnée de la culture environnante. Ils étaient établis en Espagne, ayant succombé à ses charmes physiques et spirituels, et à l'éblouissante lumière blanche d'Orient, transformée chaque jour en tons éclatants sous un ciel de feu. Dans ce monde intermédiaire entre l'Orient et l'Occident, le jour était lumineux comme le soleil de Judée, la nuit rappelait celle du firmament mystérieux de Galilée, et les montagnes de Tolède évoquaient les collines de Jérusalem. Les Vital se sentirent bien dans ce pays, qu'ils considéraient comme leur terre. L'Espagne leur inspira de la poésie, provoqua leur exaltation et les invita au mysticisme. Et nombre d'entre eux furent à la fois rabbins,

poètes, philosophes, courtisans, diplomates, tous ces métiers
à l'époque étant le fait d'une seule personne, parfaitement
bien considérée et intégrée à la société espagnole.

» Votre famille s'établit dans la ville de Tolède. Portant
haut l'étendard de la culture sépharade à travers les siècles
et les générations, ils étaient très attachés à leur ville. La
profondeur de leur sentiment pour le pays de leur naissance
s'exprima par un attachement à la langue et à la culture qui
faisait d'eux les représentants de l'identité sépharade.

» Malheureusement, cette situation commença à s'altérer
avec l'arrivée des Almoravides, musulmans de stricte obser-
vance venus d'Afrique du Nord en 1090. Cinquante ans
plus tard, l'invasion des Almohades, au zèle religieux fanatique, acheva de détruire les communautés juives du sud
de l'Espagne. Une partie de votre famille fut obligée de fuir
vers la Castille. D'autres, qui étaient restés, se convertirent.
À la fin du XIe siècle, la Reconquista, croisade lancée contre
l'islam envahisseur, n'améliora pas leur sort. Ensuite, au
XIVe siècle, il y eut une grande vague de massacres de juifs
dans toute l'Espagne et les îles Baléares. Le mercredi des
Cendres du 15 mars 1395, une foule en délire déferla dans
le quartier juif de Séville pour mettre la ville à sac. La vague
antisémite gagna Tolède, et une partie de la famille Vital
périt dans ce carnage. Et ce fut à ce moment-là que l'épopée
sépharade prit un tour décisif, et que commença l'histoire
des marranes : comme beaucoup de juifs espagnols, une partie de la famille Vital décida d'adopter l'identité catholique,
sincèrement ou en faisant semblant. Ils commencèrent à
mener une vie souterraine, tout en gardant intactes leur foi
et leur volonté de transmettre les valeurs juives en dépit de
l'Inquisition qui les avait si durement frappés. Dans le secret

de leur cœur et de leur maison, ils continuèrent à assurer, tant bien que mal, la transmission clandestine et secrète, de génération en génération. Pour échapper à la mort, ou pour rester en Espagne, certains acceptèrent le baptême. Une autre partie de la famille, plus malheureuse, fut jetée en prison pendant des années, ou à vie. D'autres furent torturés et brûlés.

» En ces temps-là, poursuivit Pedro Alvarez, pas un mois ne se passait sans autodafé. Les morts étaient déterrés et on brûlait leurs os après avoir fait leur procès. On faisait circuler des listes de recommandation grâce auxquelles on pouvait identifier ceux qu'on appelait "les judaïsants". S'habiller bien le jour du chabbat, se laver les mains avant la prière, donner aux enfants des prénoms de l'Ancien Testament pouvait mener à la mort. La promesse du pardon était accordée en échange des confessions, des tortures d'une atrocité inouïe, qui n'épargnaient ni les enfants, ni les vieillards, ni les femmes enceintes et entraînaient des dénonciations en masse. Des milliers de victimes se trouvèrent à la merci du redoutable tribunal.

» Puis ce fut l'expulsion des juifs d'Espagne, en 1492. Cette date célèbre, qui signa le désastre pour les juifs, est aussi celle de la découverte de l'Amérique par celui dont certains pensent qu'il était un marrane à la recherche d'une terre d'accueil pour son peuple pourchassé. Une branche de la famille Vital décida de fuir au Portugal, mais le règne de Manuel le Fortuné entraîna des atrocités bien pires encore. Dans l'esprit malade du roi germa l'idée effroyable d'atteindre les parents à travers les enfants. Plus fanatique que l'Église, il ordonna, le vendredi 19 mars 1497, de faire baptiser le dimanche suivant les enfants de quatre à quatorze ans. Ceux qui ne s'étaient pas présentés furent pris de force, arrachés à leurs parents. Dans des scènes d'une horreur indescriptible, certains étouffèrent leurs enfants pendant l'étreinte des adieux. D'autres les jetèrent dans des puits avant de se tuer. Hélas, je dois vous le dire, cette branche-là de la famille a disparu à jamais, on n'en retrouva nulle trace.

» L'Inquisition, systématique, minutieuse, poursuivait les sépharades sans relâche, sans distinction de pays, elle n'épargnait personne, des plus pauvres aux plus riches, jusqu'aux prêtres et aux nobles, poètes et hommes d'État, moines et religieuses, collecteurs d'impôts. Elle poursuivait les sépharades dans le monde entier : elle avait ses espions en France, en Angleterre, aux Pays-Bas, en Italie, en Turquie, en Afrique, jusqu'en Inde et dans le Nouveau Monde. Les révélations faites à un procès pouvaient compromettre des familles ou des communautés entières harcelées à leur tour sans pitié. Durant les tortures, certains dénoncèrent plus de cinq cents proches ou amis sans pour autant réussir à sauver leur vie.

» L'Inquisition était dotée d'une mémoire sans faille : elle consignait tout, et conservait ses archives pendant des années, voire des vies. J'ai retrouvé l'histoire d'une femme nommée Isabel, épouse de Francisco Vital, jugée par le tribunal de Valladolid à vingt-deux ans de prison. Elle comparut cinq fois, deux fois à Llerena, deux fois à Cuenca et enfin à Tolède. Dix-huit ans de sa vie se passèrent dans ces procès. Lors de son dernier procès, elle avait quatre-vingts ans ! Malgré son âge, elle fut torturée et finit par succomber à ses blessures. Le tribunal impitoyable brûla son effigie en même temps que ses os.

» Ce fut aussi l'époque des héros, des plus grands martyrs, des messies, ceux qui, même sous la torture, ne reniaient pas leur origine, ceux qui refusaient de confesser leur erreur, et proclamaient leur désir de vivre et de mourir sous la loi de Moïse. Devant les théologiens qui se succédaient pour tenter de les réconcilier avec l'Église, ils n'abdiquaient pas. Devant les privations, la prison, la torture, et jusqu'au bûcher, ils se disaient fils d'Israël. Et pendant que les flammes montaient sous eux, ils chantaient le *Chéma Israël* en fermant les yeux, "Écoute Israël, l'Éternel est notre Dieu, l'Éternel est un".

» Chez les Vital aussi, il y eut des martyrs, comme le jeune moine Frei Diogo, qui retrouva ses origines en étudiant l'Ancien Testament. Jeté en prison, il allumait la bougie du chabbat à la tombée de la nuit le vendredi soir, et dégraissait la viande qu'on lui servait avant de la manger. Plusieurs théologiens et défenseurs de la foi catholique furent envoyés auprès de lui pour le convaincre de renoncer à ses idées, mais rien n'y fit. Il fut brûlé vif à Lisbonne, pour la sanctification du Nom.

» Un autre cas célèbre fut don Lope de Vera, qui lui n'avait aucune origine juive. À dix-neuf ans déjà, il enseignait à l'université de Salamanque. C'est la lecture des Écritures qui le mena vers le judaïsme. Dénoncé par un frère catholique, il fut arrêté à Valladolid. Devant le tribunal de l'Inquisition, il proclama qu'il désirait être juif, car les autres religions étaient fausses. Mis en prison pendant cinq ans, il se circoncit lui-même dans sa cellule avec un os. Ce martyr de la foi mourut à vingt-cinq ans, brûlé vif. Tandis qu'on le conduisait à la mort à travers les rues de la ville, il récitait les prières en hébreu, et au milieu des flammes, on l'entendit chanter le psaume : "Vers Toi, Seigneur, j'élève mon âme."

Esther écoutait Pedro Alvarez d'une oreille distraite, comme détachée mais son inconscient enregistrait chaque mot, chaque nom. Et son sang bouillait d'une révolte profonde. Son compagnon, lui, écoutait distraitement même s'il paraissait extrêmement attentif : son écoute restait extérieure, académique. Il s'instruisait sur l'histoire d'Espagne, alors qu'Esther, malgré ses efforts pour garder quelque distance, recevait chacune des paroles en plein cœur, en plein ventre, et sentait crier en elle les voix de ses ancêtres, la chair de sa chair martyrisée, sa famille !

– À cette époque tourmentée, vivait à Tolède une branche de la famille Vital, poursuivait Pedro Alvarez. Sous ce règne de la terreur, Tolède était réduite en cendres. Comme partout dans le royaume, les marranes étaient repérés et opprimés, haïs de tous. Un soir, dans les petites rues de la ville, sept cent cinquante hommes et femmes avancèrent en procession vers la cathédrale, tête et pieds nus, portant des cierges éteints, entourés d'une foule hurlante venue de la campagne pour assister au spectacle. Puis ce fut l'horreur. La population prise de fureur massacra trois mille âmes à coups d'épée, pendant trois jours. Ils faisaient sortir les juifs dans la rue et les brûlaient, défenestraient les femmes enceintes qu'ils réceptionnaient en bas sur leurs épées.

» C'est à cette époque que se déroula l'histoire de Francisco Vital ; un *converso* – c'est-à-dire un converti au christianisme – qui avait une fille, nommée Caterina pour tous et Sarah à la maison. La famille se transmettait en secret les noms véritables, de génération en génération, même si, en public, ils ne connaissaient que leurs noms de baptême.

En cachette, ils pratiquaient la circoncision, avec le bassin rempli d'eau, d'or, d'argent, de blé, de perles, d'orge pour laver l'enfant. Le chabbat, tout travail cessait, et la journée se déroulait dans une atmosphère de piété et de foi intenses, occupée par la lecture et l'étude de la Loi. Pour Yom Kippour, ils restaient chez eux jusqu'à l'apparition de l'étoile, avant de manger le repas rituel. Tous les vendredis soir en cachette, Caterina et sa mère allumaient les bougies du chabbat. Ils ne fêtaient pas Souccoth, la fête des Cabanes, qui commémorait la permanence des Hébreux dans le désert après la fuite d'Égypte, car il aurait fallu construire sa cabane en dehors de la maison, c'est d'ailleurs ainsi que nombre de convertis furent surpris, le livre dans une main et les palmes dans l'autre. Le respect des pratiques était dangereux et ils le savaient. Les parents risquaient d'être trahis par leurs enfants. Pourtant ils désiraient les initier dès leur plus jeune âge, afin qu'ils ne fussent pas séduits par la foi catholique.

» Un jour, Ana Vital, mère de Caterina, fut accusée de s'abstenir de manger du porc et de porter du linge propre le samedi. On la mit en prison et, sous la torture, elle avoua qu'elle était une marrane, et qu'elle respectait la loi juive en cachette. Au cours d'une cérémonie solennelle qui commença à l'aube, elle fut emmenée en procession avec les autres condamnés, vêtus du *sanbenito*, longue tunique jaune brodée d'une croix noire dirigée vers le bas. La procession arriva sur la place où devait se tenir l'autodafé sous les huées de la foule. Pénitents et dignitaires prirent place de part et d'autre d'une estrade. Un notaire prononça un sermon solennel à la gloire du Saint-Office. Un ecclésiastique se chargea d'humilier les pénitents. Puis ces derniers se présentèrent l'un après l'autre pour entendre la sentence. Comme elle était passée aux aveux et s'était repentie, Ana fut réconciliée avec l'Église. Elle dut réitérer sous serment son adhésion au christianisme ; et c'est ainsi qu'elle fut condamnée au service obligatoire dans un hôpital. Ses compagnons d'infortune n'eurent pas la même chance. Condamnés à mort, flanqués de confesseurs chargés de recueillir leurs dernières paroles, ils se dirigèrent vers le bûcher. L'allumage du brandon qui servait à mettre le feu au bûcher fut confié à une personnalité de haut rang : c'était considéré comme un honneur. Ceux qui faisaient semblant d'être convertis pensaient au *Kol Nidré*[1], qu'ils prononce-raient le jour de Kippour, et au cours duquel ils annuleraient les vœux qu'ils avaient formulés.

» Peu de temps après cette tragédie, il se trouva que la fille d'Ana et de Francisco, la belle Caterina, avait ravi le cœur d'un jeune *caballero* chrétien, qui s'appelait Felipe Lopez. Depuis toute jeune, Caterina plaisait aux hommes, et les hommes lui plaisaient, elle le savait. C'était son péché, sa folie, elle ne savait pas leur résister, elle avait toujours une cour de prétendants à ses pieds, prêts à lui déclamer leur amour ou à le lui chanter sous le balcon où elle sortait le soir prendre un peu l'air. Mais Felipe Lopez était différent des autres. Fier et orgueilleux, il retenait l'expression de ses senti-ments, pourtant intenses : il était amoureux de Caterina, qui gardait autour d'elle sa cour de prétendants, ce qui le rendait fou de passion, car elle n'admettait pas que son amant osât prétendre à l'exclusivité. Elle le maintenait à distance, par jeu et par devoir, car son père lui avait interdit de le fréquenter. Et Felipe Lopez passait des nuits et des jours à l'attendre, tant il se mourait d'amour pour elle.

---

1. « Tous les vœux ».

» Un soir, lasse du ballet des prétendants, Caterina se sentit seule. Felipe Lopez était devant sa porte, comme tous les soirs, à l'épier, à l'attendre, comme un chien attend son maître. Elle le vit tellement désespéré qu'elle se sentit en confiance et, pour lui donner une preuve d'attachement, elle lui révéla son secret. Elle lui confia que sa famille était une famille de marranes, qu'elle allumait en cachette les bougies du chabbat, et que, chez elle, on respectait les rituels du judaïsme. Mais la semaine suivante, sur un caprice, elle disposa à nouveau du malheureux Felipe Lopez, pour se consacrer à quelque nouveau prétendant, car elle ne pouvait contenir son désir de plaire. Felipe vit le jeune homme entrer chez elle. Il le suivit, écouta à la porte, et entendit les soupirs de sa bien-aimée dans les bras de son amant. Le cœur saccagé de désespoir, le pauvre Felipe songea à se suicider.

» Il se rendit dans une taverne pour noyer son chagrin dans l'alcool. Là, des inquisiteurs trinquaient et mangeaient gaiement. Felipe, ivre de haine et de vin, rapporta aux agents du gouvernement ce qu'il avait appris au sujet de Francisco Vital, honorable et riche citoyen de Tolède. Malgré l'auto-dafé et l'amendement de sa femme, tenue éloignée de lui dans d'infâmes travaux, il pratiquait le judaïsme en cachette. Francisco Vital fut aussitôt arrêté, mis en prison et soumis à la question. Lorsque Caterina apprit ce qui était arrivé à son père, ainsi qu'à cinq de ses amis, elle hurla de douleur. Le bûcher fut érigé au *campo* de Tablada, près des murailles de la ville où l'on avait élevé des statues en plâtre de quatre prophètes. Les frais de décoration étaient payés par un bourgeois, qui exerçait le métier de receveur des propriétés confisquées aux juifs.

» Six hommes et trois femmes furent emmenés ce jour-là, parmi lesquels Francisco Vital. Lorsqu'elle vit son père monter sur le bûcher, Caterina s'évanouit sans s'apercevoir que son père lui avait pardonné, et qu'il l'aimait plus que tout au monde. Felipe vint la voir chez elle le soir même, afin qu'elle prît la fuite. Elle refusa : elle désirait mourir comme son père. Elle n'avait plus rien ni personne désormais, aucune nouvelle de sa mère, et son père était mort par sa faute. Mais Felipe, qui l'aimait toujours, la força à partir, l'emmena chez un oncle évêque, qui obtint son admission dans un couvent. Mais là, elle fut tellement maltraitée qu'elle finit par s'en échapper. Pour survivre, Caterina fut obligée de se prostituer, et elle finit sa vie dans le désespoir et la misère.

» Caterina, avant de mourir, avait mis au monde un petit garçon, qui fut recueilli par un frère de Francisco, devenu chrétien. Cependant, au début de 1493, on ordonna, par pure cruauté, d'enlever à leurs parents les enfants de deux à dix ans pour les emmener en Afrique sur l'archipel de São Tomé, connu aussi sous le nom d'îles Perdues ou îles des Lézards. Heureux les enfants qui moururent pendant la traversée, car ceux qui survécurent furent dévorés par les bêtes sauvages. Pour sauver l'enfant de Caterina, on l'envoya rejoindre les familles qui fuyaient l'Espagne, vieux et jeunes, à pied, à cheval ou en charrette, sur des ânes ou d'autres animaux, par d'improbables chemins. Tous voyaient leur douleur, et chaque fois on leur proposait le baptême, certains acceptaient, alors que les autres, les plus courageux, refusaient. Les rabbins qui les accompagnaient faisaient chanter les femmes pour leur donner du courage, et c'est sur ces airs tristes à briser l'âme – que le temps et la mémoire des hommes ont conservés – qu'ils quittèrent à jamais la Castille.

» De la lignée des Vital, il ne restait plus que ce petit garçon, fils de Caterina, parti pour le Maroc où il resta et grandit, se maria et engendra des enfants, qui eurent à leur tour des enfants, et c'est ainsi que les Vital survécurent à la tragédie sépharade. Mais l'Espagne demeura en eux, à leur insu, et avec elle cette mélancolie, cet abîme insondable qui tourmente depuis lors l'âme sépharade, ces mélopées dont l'ardente nostalgie, la tristesse infinie fendent le cœur de ceux qui les écoutent.

» Voilà, termina Pedro Alvarez, l'histoire des Vital. Voilà la source de l'angoisse existentielle du grand Salomon Ibn Gabirol, qui, parce qu'il était visionnaire, savait déjà ce qui était en train de se préparer, cette abominable tragédie qui frapperait le peuple sépharade. Voilà aussi la raison pour laquelle ils devinrent des mystiques, car ils attendaient le Messie et le retour en terre d'Israël avec ferveur. Et enfin voici pourquoi ils inventèrent la Cabale : pour répondre précisément à cette question de l'absurdité de la vie, de l'absence de sens de l'existence. Ils invoquèrent la théorie du Tsimtsoum, du retrait : en créant le monde, Dieu s'en est retiré pour que l'homme agisse. Cela explique la présence du mal dans le monde, l'absence de rétribution et de justice immanente. Cette théorie ne pouvait être élaborée que par ceux qui avaient vécu l'innommable, l'injustice effarante d'être pourchassé, brûlé, torturé, dépossédé de ses enfants parce que l'on est juif, et il fallait bien expliquer pourquoi, dans ce contexte, Dieu existait toujours.

» Voilà, Esther, l'origine de l'âme sépharade, qui hésite entre les larmes et les rires, le désespoir et la foi, la tristesse et la gaieté. Et le plus étonnant, c'est que cette âme a façonné la culture dans laquelle nous évoluons. Montaigne, Spinoza, mais aussi sainte Thérèse d'Avila, fille de marrane, et son cousin, saint Jean de la Croix, les deux plus grands mystiques chrétiens descendant des marranes. Les marranes apportèrent un renouveau à la vie intellectuelle et spirituelle de leur pays, ils inventèrent l'autobiographie, comme Montaigne ; ils furent les créateurs du genre romanesque à travers le genre picaresque, comme Fernando de Rojas, père du roman espagnol et auteur de *La Célestine*, qui a exercé une grande influence sur toute l'Europe ; ou encore, dit-on, Cervantès et son célèbre Don Quichotte, personnage né de l'âme marrane, en quête de son identité, perdue dans ses errances.

» Car l'âme marrane est à la source de l'identité européenne ; le marranisme, en se laïcisant, a été à l'origine de l'universalisme et de l'humanisme comme chez Montaigne, du messianisme comme le montre la figure du messie Sabbataï Tsvi qui conduit au sionisme politique ; et, par le grand Baruch Spinoza, du rationalisme : Spinoza est la figure même de l'intellectuel juif sans attaches et héros de la Raison. Entre une identité d'emprunt et une authenticité en quête, l'âme marrane fut à l'origine de la Haskala, dont le mot d'ordre "sois juif à la maison et un homme au-dehors" résume à lui seul le marranisme. À la fois juifs et chrétiens, les marranes développèrent scepticisme et relativisme, loin de la pensée dogmatique moyenâgeuse. C'est pourquoi la religion des marranes est devenue le credo laïc de l'Europe. Avec le marranisme la question juive n'était plus : que dois-je faire ? mais : qui suis-je ?

» Jusqu'à aujourd'hui, dit Pedro Alvarez, même si vous l'ignorez, vous êtes des marranes, des Espagnols sans patrie. Le lien spirituel reste toujours très fort avec l'Espagne. Je parie que vos parents considèrent les Espagnols comme des frères, et que leur pensée, leur façon de parler, leur voix, tout leur est familier. L'Espagne est pour eux un lieu fantastique de légende et de nostalgie. "Espagne, chantent-ils, terre de mes ancêtres, de mes amours, terre de mes douleurs, je t'ai toujours dans le cœur." Et leur fierté et leur orgueil viennent de là : comme une réaction aux prétentions triomphalistes des chrétiens et des musulmans qui n'avaient de cesse d'arguer de leurs victoires politiques et militaires pour assurer que Dieu avait abandonné les juifs au profit des autres religions. Et l'Espagne, même si elle l'ignore, a tout perdu en perdant ses sépharades.

Esther rentra à l'hôtel avec une intense sensation de fatigue. Son ami l'emmena dîner dans un petit restaurant, entre une boutique d'épées et une boutique de souvenirs juifs.

Il commença à lui parler de l'Inquisition en termes tellement froids qu'Esther se sentit à nouveau mortellement blessée. Elle fit une tentative pour changer de sujet, elle ne voulait pas s'énerver pendant ces vacances, mais il enchaîna sur la guerre en Irak, en dénonçant l'attitude américaine, pour finir en beauté avec Israël et les Palestiniens. Esther avait beau penser à autre chose, essayer de ne pas répondre, son ami, ce soir-là, était en verve. Il avait décidé de ne pas lâcher prise, si bien qu'elle fut contrainte de justifier « l'attitude d'Israël » en sentant la boule d'angoisse se nouer dans son ventre. Pourquoi ne comprenait-il pas combien la rencontre avec Alvarez l'avait bouleversée ?

– Tu es un antisémite, lâcha Esther.

– Comment ?

– Tu ne penses pas qu'Arafat était totalement corrompu et d'une grande lâcheté politique, tu ne te rends pas compte que la société palestinienne, avec ses soi-disant kamikazes, conditionne les enfants pour en faire des bourreaux, et tu les trouves sympathiques au nom du tiers-mondisme. Tu ne penses pas qu'il y a un retour de l'antisémitisme en France. Tu n'as pas pleuré lorsque Ilan Halimi est mort. Donc tu es un antisémite.

– Mais alors, on ne peut pas soutenir les Palestiniens ?

– Ce n'est pas le fait de soutenir les Palestiniens, c'est l'esprit dans lequel tu le fais : aveuglement, bêtise et ignominie. Les germes de l'antisémitisme sont en toi. Tu as l'âme des inquisiteurs !

Voilà, il fallait que cela se terminât ainsi. Il avait beau faire des efforts, quelque chose n'allait pas, ne tournait pas rond, chez lui.

– Je ne sais pas ce que je fais avec toi, dit Esther. On ferait mieux de se quitter.

Elle sortit du restaurant. Il posa un billet sur la table, puis se précipita derrière elle.

– Laisse-moi, dit Esther.

– Où vas-tu ? lui dit-il en lui prenant le bras. Reste !

– Laisse-moi, je te dis.

Esther tenta de se dégager, elle hurlait à présent, hors d'elle, le traitant d'antisémite, ce qu'elle pensait depuis le début. Il tentait de la calmer, ils rentrèrent cahin-caha à l'hôtel. Elle disait qu'elle voulait partir, tout de suite, prendre un avion à minuit ou à deux heures du matin. Elle téléphona mais il n'y en avait pas, elle fit une réservation pour le lendemain à huit heures, elle dit que c'était fini, fini entre eux, et lui la suppliait de rester, il pleurait, implorait son pardon, dans tous ses états, alors elle lui dit :

— Pourquoi t'intéresses-tu au judaïsme, à la Shoah, à Israël, et pourquoi es-tu avec moi ? Pourquoi es-tu venu me chercher, c'est parce que je suis juive, n'est-ce pas ? C'est pour me torturer ?

Impossible d'arrêter les larmes qui coulaient le long de son visage.

— Ça va, dit-il en la prenant dans ses bras. Calme-toi.

— Pourquoi me tortures-tu ?

— Mais tu es complètement folle, et paranoïaque en plus !

Il la considéra, l'air navré. Il était là devant elle, blond, grand, mince, vindicatif. Ses ancêtres expulsés criaient en elle l'abomination d'une telle alliance. Elle sentit Caterina et Francisco qui lui disaient à travers la bouche de Pedro Alvarez : « Tout cela a un sens, Esther, tu n'es pas venue ici à Tolède par hasard, et bientôt, oui, bientôt, ce sens te sera révélé... »

Il la regardait, accablé, démuni, sans savoir que faire. Elle n'arrêtait pas de pleurer, des larmes immémoriales qui la faisaient hoqueter d'une souffrance indicible.

— Écoute-moi, je t'aime comme je n'ai jamais aimé personne, c'est la première fois que cela m'arrive.

— Alors pourquoi cherches-tu à me faire du mal ?

— Je ne cherche pas à...

— Ne le nie pas, c'est encore pire que tout, cette mauvaise foi. Il n'y a pas d'avenir pour nous. Je n'y crois pas, je n'y crois plus... Je t'aime mais tu ne m'aimes pas, et peut-être même que tout cela est un malentendu et que tu ne m'as jamais aimée, et tu ne m'aimeras jamais, car l'amour est impossible entre nous !

5.

Le retour d'Isaac Bouzaglo

Pendant qu'Esther était dans le bain rituel et pensait à sa vie passée, les deux sœurs et leur cousine discutaient avec Sol et Myriam dans la petite pièce attenante au mikvé.

La discussion, qui portait sur le mariage, et la responsabilité des uns et des autres dans ce domaine, était fort animée. Les deux sœurs n'étaient pas très désireuses de déclencher un esclandre familial. Rachel, venue spécialement du Canada en Israël, n'avait pas l'intention de voir la fête se gâcher ; elle avait laissé mari et enfants, c'était la première fois. Elle avait mis des plats congelés dans le réfrigérateur, comme s'ils étaient incapables de survivre sans elle. Yvonne venait plus souvent mais, étant la plus gourmande et la plus volumineuse, elle entendait terminer le délicieux couscous qu'elle venait de commencer. Quant à Colette, elle était contente de se retrouver avec ses sœurs et d'avoir des nouvelles d'ailleurs, des pays dans lesquels elle fantasmait de vivre lorsque sa vie était trop dure. Elle non plus ne voulait pas gâcher la fête.

Avec stupéfaction, elles virent arriver Suzanne qui, saisie de remords, avait finalement pris la décision de venir voir sa fille au bain.

– Ne'ebibask ! dit Sol. Tu es venue !

– Où est-elle ? demanda Suzanne.
– Elle est dans le bain, dit Myriam.
– Dommage ! J'aurais voulu lui parler.
– Tu devrais la laisser tranquille, dit Myriam.
– Elle a raison ! il ne faut pas se fâcher avec sa fille, opina Sol.
– Quel miracle que tu sois là ! s'exclama Yvonne. J'irai porter un cierge pour toi à la Hilloula[1] de rabbi Shimon Bar Yohaï !
– Je te remercie, je n'en ai pas besoin !
Suzanne lui jeta un regard plein de dédain.

Yvonne croyait beaucoup aux saints, personnages exemplaires enterrés à proximité des lieux où ils avaient vécu, et auxquels elle attribuait des miracles. Tous les mois de mai, à la fête de Lag Baomer, elle allait en pèlerinage. Chaque saint était spécialisé dans un domaine particulier : celui de Rissani guérissait la stérilité, celui de Ouezzane les maladies graves, tel autre ramenait un mari volage. On entretenait sa tombe en passant de la chaux sur la pierre tombale pour en faire disparaître les traces de bougies. Puis on dialoguait avec le personnage vénéré, on lui racontait sa vie, ses soucis, petits et graves. Après, il y avait un festin partagé avec le saint. Avec les autres femmes, Yvonne étendait une nappe et y disposait tous les mets. Après le repas, elle allumait des bougies et les arrosait d'alcool. Ensemble, cette fois, toutes les femmes s'adressaient au saint, chacune à sa façon, certaines en murmurant, d'autres d'une voix sonore et parfaitement audible. Toutes embrassaient sa tombe en l'implorant d'accéder à leurs vœux et parfois en la baignant de larmes.

---

1. L'anniversaire du décès

Il y avait un saint dans chaque région du Maroc, et chacune pouvait choisir le sien : celui d'Acazarquivir, celui de Beni Ahmed près de Settat, ou Rissani.

– Vous savez, poursuivit Yvonne, c'est formidable les pèlerinages, vous devriez venir, on y retrouve des gens qu'on ne voit pas pendant l'année. On peint des petites figurines, c'est amusant.

– Oui, c'est ça, on va venir au Maroc uniquement pour faire des dessins, dit Suzanne. À force de rester au Maroc, tu vas finir par devenir complètement stupide.

– Toi tu détestes le Maroc, répondit Yvonne, tu ne peux pas comprendre que nous y soyons attachés sentimentalement. C'est le pays où nos ancêtres sont nés, où ils sont enterrés.

Yvonne regarda Suzanne avec appréhension, elle avait peur d'avoir dépassé les bornes. Mais non, Suzanne n'avait pas sourcillé.

– Là-bas, on sent mieux les fêtes, poursuivit Yvonne, enhardie par le silence de Suzanne. On peut vivre notre vie de juifs, on a toujours dix personnes à la synagogue, même dans les coins les plus reculés du Maroc. Et puis, tu sais, les musulmans sont très accueillants. C'est ahurissant le respect de l'autre que les Marocains ont dans leur cœur, il y a chez eux un trésor, un mode de vie empreint de politesse... il y a une gentillesse, une humanité que l'on ne trouve pas ailleurs. Toi tu as tout oublié, mais rappelle-toi : quand tu manges, on te dit : *Bismillah*, « au nom de Dieu », *el Kher*, « matin de bonheur », *Hamdou rebbe*, « louons Dieu ». C'est beau, non ?

– Ah oui, c'est vrai ? dit Rachel. Je ne savais pas... j'ai tout oublié, moi.

– Je ne veux plus entendre parler du Maroc, dit Suzanne. Tout ça c'est fini, derrière moi.

– C'est ce que tu dis, murmura Yvonne, mais en fait, tu le sais, quand on est né marocain, on le reste. Même si tu veux tirer un trait sur ton passé...

Suzanne la considéra, l'air absent.

– Et pourquoi ne viendrais-tu pas en Israël ? intervint Colette.

– En Israël, dit Yvonne, ils sont obnubilés par une chose, acheter leur maison, leur salon, leur vidéo, et puis, avec la dévaluation, ils sont toute la journée en train de faire la course. Sans parler des bombes.

– Et toi, tu n'as pas peur des attentats ? dit Suzanne. C'est suicidaire de rester après ce qui s'est passé à Casa.

– Si les membres du commando ont visé le Maroc, ce n'est pas par hasard. C'était justement parce que le Maroc est un pays modéré. Le roi s'est montré solidaire lorsqu'il a déclaré que les terroristes voulaient atteindre le Maroc et non les juifs.

– Oui, mais en vérité, c'étaient les juifs qui étaient visés. C'est la communauté juive qui a été la cible des attentats du 16 mai. Tu devrais avoir peur pour tes enfants.

– Et toi, tu n'as pas peur que tes futurs petits-enfants se fassent tabasser à la sortie de l'école ? dit Yvonne du tac au tac.

– De toute façon, intervint Colette, on ne sait plus où être en sécurité...

– Chez vous, dit Suzanne, en plus les enfants n'ont aucun respect pour les parents.

– Oui, c'est vrai, dit Colette. Les miens, c'est horrible. Ils n'ont aucun respect, aucune obéissance. Les parents, ils s'en servent juste pour l'argent, pour manger et dormir, c'est tout.

– Je t'avais dit de ne pas les élever là-bas ! dit Suzanne.
Mais toi, tu voulais absolument partir.

– Et puis, dit Rachel à Colette, je te vois toi, à travailler
pour tes enfants, sans aide, sans rien, les salaires ne sont pas
fabuleux, non ?

– Je fais un peu de couture pour m'en sortir, dit Colette.
C'est vrai que c'est dur. Très dur.

Colette se tut soudain, la gorge nouée.

Les trois sœurs se rapprochèrent l'une de l'autre, recro-
quevillées, en proie soudain au plus grand désespoir.

Il y eut un moment de silence consterné, qui laissa place
aux larmes, silencieuses pour Colette, sonores pour Suzanne,
torrentielles pour Yvonne, et du coin de l'œil pour Rachel.
Sol les regardait, l'air affolé, sans comprendre ce dont il
s'agissait, alors que Myriam, excédée, se réfugiait dans le
mutisme.

– Viens en France, Colette ! dit Suzanne, en se mouchant
bruyamment. Moi, je m'occuperai de toi !

– La France, dit Yvonne, c'est pas mieux. Ma belle-sœur
a deux fils médecins en France qui n'arrivent pas à trouver
du travail. C'est dramatique pour tous ces jeunes.

– Le problème, dit Suzanne, c'est pas ça.

– C'est quoi ?

– L'antisémitisme. Tu sais ce qu'ils disent, dans les ban-
lieues ? « Hitler c'est mon cousin, c'est bien ce qu'il a fait. »
Et d'autres : « Oui, ils ont de l'argent, ils tiennent les médias,
ils sont partout, ils tuent les Palestiniens. »

– Nous c'est pour ça qu'on est partis, dit Colette. Dans
les écoles, les élèves demandaient à sortir du cours lorsque
le prof abordait la Shoah.

– C'est de pire en pire. Maintenant, il y a un nouveau jeu : on entoure un enfant. S'il est juif, on le tabasse. Le mot « juif » est à lui seul une injure. Une fille a été passée à tabac dans le couloir du métro par deux Arabes qui avaient vu son étoile de David. Tous les jours, on lit dans la presse des histoires comme ça.

– C'est terrible, dit Colette, terrible ! Qu'est-ce qu'on va devenir ! Maintenant, c'est vous qui devriez venir en Israël. Je ne sais pas quand vous le comprendrez.

– Je ne savais pas que la situation était aussi grave ! dit Rachel, épouvantée. Viens au Canada !

– Pour être enterrée sous la neige les trois quarts de l'année ! dit Suzanne. Je ne partirai jamais, la France c'est mon pays.

– Un frère de mon mari est parti au Canada, dit Yvonne. Il est revenu au Maroc au bout d'un an. C'est intenable, en hiver il faisait moins soixante, quand on vient du Maroc c'est pas possible.

– Le problème, c'est Yvonne ! Je ne comprends pas comment vous pouvez la laisser au Maroc, ajouta Suzanne à l'adresse de Colette et de Rachel. De toute façon, Yvonne, il faudra bien que tu partes un jour, ne serait-ce que pour tes filles.

– Au moins, en Israël, elles trouveraient un mari !

– Au Canada aussi, dit Rachel. Comme Myriam, ajouta-t-elle en regardant sa nièce.

Suzanne lui lança un regard noir. Elle n'aimait pas que Patrick, son gendre, lui eût pris sa fille pour l'emmener si loin d'elle.

– Et les études ? dit Suzanne.

– La vie professionnelle n'est pas importante, l'important est de se marier, de fonder un foyer, mais le problème est de trouver avec qui.

– Remarque, si elles ne trouvent pas de mari... dans ce cas, elles pourraient rester avec toi !

Les deux femmes se lancèrent un regard ravi qui en disait long sur les ambitions profondes qu'elles nourrissaient pour leurs filles.

– Ta fille, au moins, elle a pris un Marocain, dit Yvonne à Suzanne.

– Un Meknassi, rectifia Suzanne. Si seulement elle avait épousé le docteur...

– Le docteur de Safi ? Mais il avait dix ans de plus qu'elle et il était divorcé !

– Eh bien, c'est mieux que celui-ci, non ? Et ce serait bien d'avoir un docteur dans la famille, avec papa qui ne va pas bien.

– Que se passe-t-il ? demanda Rachel, inquiète.

– Il n'est pas bien avec Maman, il ne peut plus la voir. Il est en train d'évoquer des choses de son passé, de l'époque où il était à Londres... Tout ça est en train de le travailler, de remonter à la surface. C'est pas vrai, Maman ?

– C'est vrai, ma fille, dit Sol.

– Depuis qu'ils ont quitté le Maroc, ils n'arrêtent pas de se disputer. Il lui rend la vie infernale. Il ne la laisse pas en paix. Il est toujours sur son dos, à lui dire quoi faire. Tu sais, elle ne demande pas grand-chose. Qu'on la laisse regarder la télé et tricoter, et tout va bien. Lui, il l'oblige à s'occuper de lui en permanence. Il la fait sortir, lui fait faire des courses, on dirait qu'il cherche à l'épuiser. Et elle non plus, elle n'est pas en très bon état depuis son opération des yeux, elle voit mal. C'est pas facile pour elle.

– Mon Dieu, mon Dieu, mon Dieu, se lamenta Colette, égarée par la culpabilité.

– Évidemment, tu ne vois pas tout ça car tu es loin, répéta Suzanne, mais je te dis que ça ne va pas bien. Moi aussi, d'ailleurs, il me rend folle. Il a toujours des courses à faire, mais des choses absurdes, et il faut le conduire au bout de la ville, pour qu'il fasse repriser un de ses pantalons par quelqu'un là-bas, et pas ailleurs, car on lui a dit que c'était bien... Après, il faut aller chercher le pantalon, et comme Monsieur n'est pas satisfait, il le fait refaire, et il faut retourner une troisième fois.

– Il vieillit, plaida Rachel.

– Il vieillit, oui.

À ces mots, les quatre femmes se recroquevillèrent à nouveau. La simple évocation de la mort possible du père les plongeait dans une souffrance terrible.

– Il est vieux, Papa, reprit Yvonne, comme si elle était une toute petite fille.

– Ah, non, dit Suzanne, tu ne vas pas pleurer !

Elles se regardèrent, et la première larme qui coula des yeux d'Yvonne déclencha automatiquement les larmes des trois autres. À nouveau, toutes les quatre tentaient de se réconforter sans y parvenir.

– Toi, dit Suzanne à Colette, tu es loin, tu ne vois pas les choses, tu n'es au courant de rien. Tu t'en vas, et tu t'en laves les mains, de nos soucis. Tu mènes ta petite vie là-bas sans trop t'en faire.

– C'est faux, dit Colette, en pleurant de plus belle. Je pense toujours à vous ! Toujours !

– Je dois y aller, dit Suzanne en se levant. Je dois retrouver Moïse, je ne sais pas où il est.

– Tu ne vas pas partir maintenant, dit Myriam. Tu n'attends pas Esther ?

– Non, dites-lui que je suis venue.

– Et que tu l'embrasses, dit Myriam.

– C'est bien que tu sois venue, dit Yvonne. Ça va faire plaisir à la petite de savoir ça.

– J'espère que tu vas te réconcilier, ma fille, dit Sol.

– Et moi j'espère qu'elle va comprendre, s'éloigner de ce moins-que-rien.

– Tu ne l'aimes pas, hein ? dit Yvonne.

– Je le déteste ! Il nous prend notre fille.

– Il faut bien qu'elle parte un jour, tu ne crois pas ?

Sans répondre, Suzanne les quitta d'un pas rapide. Ces discussions éternelles, ce mikvé et ce mariage l'angoissaient trop.

Elle héla un taxi et lui indiqua l'adresse de son hôtel.

Devant l'hôtel, Isaac Bouzaglo marchait de long en large, nerveux, l'air inquiet. Il venait de laisser Moïse devant la petite synagogue où Esther et Charles devaient se marier. À présent, c'était Suzanne qu'il venait voir. Il pensait qu'elle était rentrée à l'hôtel mais, à la réception, on lui avait dit qu'elle n'était pas dans sa chambre.

Il fut soulagé lorsqu'il la vit sortir du taxi.

– Suzanne, dit Isaac. Faisons quelques pas, tu veux ? Juste quelques minutes.

Suzanne le regarda, hésitante.

– Ça me ferait plaisir, dit Isaac en lui tendant le bras.

Suzanne, à moitié effrayée, lui emboîta le pas.

– Qu'y a-t-il, Isaac ?

– Je voulais te dire que je suis désolé pour tout ce qui s'est passé.

– Écoute, en un sens, c'est mieux que tout ça se soit produit avant le mariage, et pas après. Ce que j'espère, maintenant, c'est qu'Esther va comprendre.

– J'espère, oui. Je ne pense pas que ce soit quelqu'un d'assez bien pour elle.

– Quel drame…

– Non, ce n'est pas un drame, c'est peut-être pour le mieux, comme tu dis.

– Quand même, pourquoi Esther a-t-elle attendu si longtemps pour nous ramener quelqu'un comme ça ?

– J'ai toujours eu beaucoup d'affection pour elle, dit Isaac. Je me souviens, quand elle était petite, elle était si mignonne, avec ses couettes brunes. Elle te ressemble beaucoup. C'était troublant de la voir dans sa robe de henné…

– Je ne voulais pas qu'elle la mette, dit Suzanne. Je savais que ça te ferait un choc de la voir.

– C'était la même robe ?

– La même.

– Oui, ça m'a fait un choc. Ça m'a ramené quarante ans en arrière.

– Ils grandissent trop vite, les enfants. Et tes fils, ils vont bien ?

– Dan vient de terminer l'armée, et Noam poursuit sa carrière dans les services spéciaux. Je suis très fier de lui.

– Tu savais qu'il voyait Esther ?

– Ils se sont vus par hasard dans l'avion, il y a deux ans. Je l'ai appris il n'y a pas longtemps. Pourquoi me demandes-tu ça ?

– Non, comme ça, pour rien. Ça m'a étonnée qu'il soit ici.

Leurs pas les guidèrent vers la promenade qui bordait la mer. Le vent caressait leurs visages. Suzanne se détendit, profitant de la douceur du soir.

– Et ta femme, pourquoi n'est-elle pas venue ?

– Elle est restée à la maison, elle est un peu fatiguée en ce moment.

– Rien de grave ?

– Non. Tu sais, je crois qu'elle redoutait de te voir. Elle ne t'a jamais aimée... Tes sœurs sont restées là-bas ?

– Elles ont accompagné Esther au mikvé.

– Comment va-t-elle ?

– Je ne sais pas. J'ai du mal à la comprendre. J'ai l'impression qu'elle m'en veut, qu'elle ne me supporte plus.

– Tu n'as pas essayé de lui parler ?

– Je n'ai pas pu. Je n'arrive pas à communiquer avec elle. Elle se braque. De toute façon, elle n'en fait qu'à sa tête.

Il y eut un silence.

– Suzanne ? dit Isaac.

– Oui ?

– Tu ne m'as jamais pardonné, n'est-ce pas ?

– Isaac ! dit Suzanne. Ne parlons plus de ça, c'est du passé.

– Et pourtant, on était bien ensemble, non ? C'était comme une évidence entre nous. Tu te souviens ?

– Ça fait si longtemps, voyons, dit Suzanne en perdant pied.

– Dis-moi que tu n'as pas oublié comment c'était entre nous.

– Bien sûr que je n'ai pas oublié.

– Tu te souviens de ce que tu disais à l'époque ?

– Quoi ?

– Tu disais que tu m'aimais. Tu voulais qu'on aille à Venise pour notre voyage de noces, tu te souviens ? J'avais pris les billets, j'avais tout organisé.

– Isaac ! On ne va pas reparler de ça.

– Tu ne m'as laissé aucune chance. Tout est allé si vite.

– N'aie pas de regrets, Isaac. Ce soir-là, j'ai compris que toi et moi n'étions pas faits pour vivre ensemble.

– Deux mois plus tard, tu étais mariée… Tu m'avais oublié, mais toi tu n'as jamais quitté mon cœur.

6.

Le secret de Suzanne Vital

Lorsque Suzanne Vital rentra à l'hôtel ce soir-là, elle redouta de trouver Moïse, d'avoir à lui parler, lui expliquer son trouble, son angoisse. Elle était terrifiée à l'idée qu'il pût remarquer l'agitation dans laquelle elle se trouvait. Si c'était le cas, elle lui dirait que c'était à cause du mariage. Elle lui mentirait. De toute façon, elle avait passé sa vie à lui mentir.

Mais quand elle entra dans la chambre d'hôtel, celle-ci était vide. Moïse n'était pas encore revenu – ou peut-être était-il déjà reparti.

Elle s'étendit sur le lit, pensant à tous les événements de la soirée. Le mariage de sa fille avec cet homme qu'elle n'aimait pas, qu'elle considérait comme un usurpateur. Ce mariage auquel elle était venue à contrecœur, telle une invitée. Elle avait dit que c'était à cause du type, mais au fond, elle savait bien ce qu'il en était. Non, ce n'était pas à cause de Charles, c'était à cause de la robe. La robe de henné rouge que sa fille persistait à vouloir mettre. Elle avait horreur de cette robe, et elle ne supportait pas qu'Esther la portât. Lorsqu'elle l'avait vue ainsi vêtue, des frissons lui avaient parcouru le dos. Esther lui ressemblait tellement lorsqu'elle avait son âge. Elle avait déchiré les photos mais elle savait qu'avec cette robe, Esther était elle, à ses propres fiançailles, à ses yeux et aux yeux de tous... Ceux d'Isaac surtout. Elle savait ce qu'il penserait en la voyant. Cette robe, elle l'avait revêtue pour le henné donné en l'honneur de ses propres fiançailles avec Isaac Bouzaglo. Elle s'était apprêtée dans la chambre, pendant des heures, aidée de ses sœurs, elle avait mis les manches, le plastron et la parure, sous l'œil désapprobateur de Sol. Car c'était elle qui avait choisi son fiancé, et non ses parents, comme il était d'usage de le faire jadis. On ne demandait pas l'avis de la fiancée, alors. On la mariait. La demande était faite en bonne et due forme par le père du prétendant, au cours d'une discussion avec le père de la future épouse. Or c'était Suzanne qui avait amené son fiancé à la maison, c'était elle qui l'avait présenté à ses parents et non l'inverse, et elle encore qui avait exigé les fiançailles et le mariage, alors que ses parents le désapprouvaient. Et pourquoi ? Isaac Bouzaglo était de Meknès. Ses parents, qui venaient de Mogador, ne pouvaient tolérer une telle mésalliance. Alors, quand elle leur avait présenté Moïse, un Fassi, ils avaient été heureux, oui. Mogador-Fès, l'aristocratie du Sud rencontrant celle du Nord. Mais Bouzaglo, ils n'avaient pu l'accepter. Et voilà que l'histoire se répétait, étrangement, avec sa fille qui avait choisi un Meknassi.

Isaac, en contemplant Esther dans sa robe, avait dû la revoir, elle, telle qu'elle était à leurs fiançailles – la dernière fois qu'ils avaient été ensemble. C'était sûr, puisqu'elle-même ne pouvait s'en empêcher. Cela lui avait sauté aux yeux. Elle ne supportait pas qu'il pût avoir cette pensée en regardant Esther, sa fille. Pourquoi revoir sa fille dans sa robe de fiançailles lui était-il aussi insupportable ? Et si Isaac, en la revoyant, tombait amoureux d'Esther ? D'elle à travers sa fille ? Avec horreur, elle frissonna de tout son être, au point de se sentir mal. Sa fille qui était jeune et belle, qui pouvait séduire qui elle voulait, alors que sa vie à elle était loin, si loin derrière elle, sa vie qui avait passé avant même qu'elle pût la commencer.

Suzanne fit couler un bain, se déshabilla, et se glissa dans l'eau. Là, elle pourrait enfin se détendre, face à elle-même, s'offrir un moment de pause après tout ce qu'il s'était passé. Sa fille qui se mariait. Déjà... Le temps avait passé si vite depuis qu'elle était enfant. Elle se souvint de sa fille toute petite, qui voulait toujours être dans ses bras, qui avait besoin d'elle, à chaque instant, qui se mettait à pleurer lorsqu'elle voyait sa mère quitter la pièce. Elle la réveillait toutes les nuits parce qu'elle ne savait pas se rendormir toute seule. Il fallait lui chanter des chansons, la prendre dans les bras, et la bercer jusqu'à ce qu'elle se rendormît. Sa naissance... Les contractions qui s'intensifiaient, son affolement, et Moïse qui n'était pas là... le départ, seule vers l'hôpital en plein milieu de la nuit. Le travail qui avait duré des heures, on entendait ses hurlements dans toute la maternité. Moïse était enfin arrivé, il lui avait épongé le front, désarmé, impuissant. Et puis la délivrance. Esther était sortie d'elle, arrachée à son ventre avec des forceps. On lui avait retiré l'enfant pour vérifier que tout allait bien, on l'avait lavée, et on la lui avait ramenée. Posée sur son ventre, la petite dormait, enveloppée dans son odeur. Elle l'avait regardée pendant des heures, ébahie de sentir ce petit être contre elle, et en même temps, cela lui paraissait naturel, comme si cela avait toujours été. Elle était émue de penser que cette petite chose tremblante et minuscule, si fragile, était à elle, complètement à elle. Sa vie, sa survie dépendaient d'elle. De ses soins, de son attention, de son affection. Elle n'avait qu'elle, et réciproquement.

Enceinte, elle avait été si heureuse. Elle avait eu l'impression d'être complète. Elle ne voulait pas que l'enfant sortît de son ventre. Elle aurait voulu la garder là, toujours, à l'abri, loin des vicissitudes du monde extérieur. Elles se seraient protégées ainsi, l'une l'autre, éternellement. Maintenant encore, elle se sentait dépendante de sa fille. Pour elle, elle désirait le meilleur, l'homme le plus beau, le plus gentil, le plus intelligent... Pourquoi avoir choisi ce type ? Pour s'échapper du nid maternel ? L'avait-elle élevée, aimée, choyée, pour qu'elle finît ainsi ? Lui avait-elle donné la vie pour qu'elle s'éloignât avec tant d'ingratitude ? Pourquoi ne l'écoutait-elle plus, pourquoi ne cherchait-elle qu'à la fuir, elle qui naguère ne pouvait s'éloigner ne serait-ce que quelques minutes ? Pourquoi ne voulait-elle plus manger sa nourriture, avec cette obsession constante de prendre du poids ? À présent, on aurait dit que tout ce que voulait Esther, c'était se débarrasser d'elle. Elle n'était plus le centre de sa vie : Esther pensait à sa robe, à son mariage, à ses amis, à lui. Au type, oui... il fut un temps où elle n'avait d'yeux que pour elle, où le monde se résumait à elle, et elle se nourrissait de cet amour fou que personne d'autre au monde n'aurait pu lui donner.

Elle regarda son corps. Ce corps vieilli, ridé, grossi par les maternités, la ménopause et la vie. Une grosse bonne femme, voilà ce qu'elle était devenue. Elle avait beau faire des efforts, car elle était coquette encore, elle ne pouvait empêcher l'inéluctable déclin des jours et des nuits. Ces jours où elle se sentait fatiguée, où elle avait mal au dos, aux reins, à l'estomac. Ces nuits où Moïse dormait à ses côtés la laissaient éveillée. Ces nuits où, insomniaque, elle finissait par se lever, et aller regarder la télévision, sans parvenir à trouver le sommeil. Moïse, à soixante-cinq ans, était beau. Grand, svelte, la peau à peine ridée, les cheveux grisonnants, il était séduisant. Peut-être même séduisait-il des femmes, peut-être avait-il des maîtresses... Il ne prêtait plus attention à elle, ne la touchait plus, passait devant elle sans un regard. Jamais il ne remarquait les efforts qu'elle faisait pour lui, les nouveaux habits qu'elle achetait. Parfois, il ne la voyait pas du tout... Elle se souvint de ce jour où elle avait reçu un coup de téléphone anonyme : quelqu'un lui disait que son mari la trompait. Elle avait été prise d'un tremblement, de la racine des cheveux au bout de ses orteils, et qui ne l'avait plus quittée pendant deux heures. Et tout d'un coup, son monde avait vacillé.

Cet amour qu'ils avaient eu l'un pour l'autre, cette famille qu'ils avaient construite au fur et à mesure des années. Bien sûr, ils avaient eu des problèmes. L'argent leur manquait, et les empêchait d'envisager le lendemain, de partir en vacances, ou d'aller dans des hôtels – ils étaient obligés de camper –, ils comptaient tout le temps, les fins de mois étaient dures, et ils étaient surendettés. Les relations avec la famille, les parents, les beaux-parents, étaient source de conflits entre eux. Ils avaient eu des disputes mémorables, des mois entiers où ils ne se parlaient plus, des périodes où ils s'étaient haïs, déchirés. Plusieurs fois ils avaient été au bord du divorce, et chaque fois, ils avaient renoncé. Parce qu'ils avaient des enfants ensemble. Parce que cela ne se faisait pas de divorcer. Pas plus que de se fâcher avec ses parents. C'était inconcevable, sauf dans des cas extrêmes, quand, par exemple, le mari battait sa femme. Et encore. Et aussi parce qu'ils s'aimaient. Bien sûr, cela n'avait rien à voir avec l'amour des débuts, l'état amoureux qui, comme une grâce, les avait envahis, portés au-delà d'eux-mêmes. Mais cet état passager et superficiel avait laissé place à quelque chose de solide et de fort, de tendre et de gai, qui n'avait rien de romantique, et qui s'appelle la famille. Et la famille, c'était toute sa vie.

Suzanne avait peu d'amis, elle ne travaillait pas, elle était tout entière dévouée au bien-être des siens. Quarante ans de mariage, toute une vie passée ensemble à s'aimer, à se détester, à se mépriser, puis à s'aimer à nouveau, car tel était le cycle des amours conjugales. Mais elle ne pouvait imaginer que Moïse oserait, qu'il ferait ce pas les menant inexorablement à la chute ; qu'il la tromperait. Qu'il en aimerait une autre, une femme plus jeune, plus pimpante, plus fraîche en somme et qui lui dirait qu'il était beau, intelligent et séduisant. Elle n'aurait jamais imaginé qu'il pût le faire. Bien sûr, elle n'était pas si naïve. Elle n'ignorait pas qu'il y avait des femmes qui l'entouraient, qui étaient amoureuses de lui, et peut-être même qui auraient rêvé de prendre sa place. Mais tout cela restait purement fantasmatique. Elle, si droite, fidèle, maternelle, qui ne regardait jamais aucun homme, ne pouvait concevoir que son mari pût le faire. Même si cela n'allait pas bien entre eux, même lorsqu'ils se disputaient au point de se dire des choses terribles, envisager, ne serait-ce qu'un instant, la trahison, le mensonge – pour tout dire, l'adultère –, était impossible. Elle ne se défendait pas. La libération de la femme ne l'avait pas concernée. Elle en connaissait le principe mais, à ses yeux, il intéressait les femmes de mauvaise vie, les femmes un peu folles, hystériques ou homosexuelles, mais elle – non, cela ne s'adressait nullement à elle. Elle devait juste se taire et subir. Parfois elle ne parvenait pas à se taire, et laissait voir toute sa rancœur et sa rage, mais cela non plus ne lui était pas permis, car Moïse disait alors qu'il avait une femme difficile, une femme terrible.

Et voilà, sa vie était passée, sans qu'elle s'en rendît compte, et elle n'avait connu le bonheur que pendant de brefs instants. Lorsqu'elle s'était mariée avec Moïse, au début. Lorsqu'elle avait eu ses filles, et leurs yeux innocents la regardaient avec tant d'amour qu'elle avait connu le bonheur absolu. Comme il était loin, ce temps-là !

Les larmes roulaient sur ses joues et tombaient dans l'eau sans qu'elle parvînt à les arrêter, et cela lui faisait du bien. Elle pleurait sur elle-même. Elle se sentait si seule. Personne ne l'aimait vraiment. Ni ses sœurs, qu'elle provoquait en permanence, ni sa mère, qui préférait ses sœurs, ni son mari, qui n'avait qu'une vague commisération vis-à-vis d'elle, et plus du tout de tendresse. Ni Myriam, qui avait mis un océan entre elles, ni Esther, qui la martyrisait parce qu'elle lui en voulait. De quoi ? Pourquoi tant de haine au milieu de l'amour qu'elle leur portait à tous ? Personne ne l'aimait, mais c'était sa faute. Personne ne l'aimait et surtout pas elle-même. Comment les autres pouvaient-ils l'aimer alors qu'elle avait tant de mal à se supporter ?

Et Isaac, qui l'avait regardée comme une femme, qui l'avait regardée, tout simplement, pour la première fois depuis si longtemps. Il l'avait troublée, il avait réveillé des sentiments, des sensations, des envies qu'elle n'avait plus éprouvés depuis longtemps, depuis si longtemps.

Et soudain, elle vacilla. Et si ce jour-là, ce fameux jour où elle avait rompu avec Isaac en même temps qu'elle se fiançait à Moïse, si ce jour-là, en effet, elle n'avait pas fait le bon choix ? Si elle avait choisi de se marier avec Isaac, que serait devenue sa vie ? S'il l'avait tellement aimée, l'aurait-il rendue heureuse jusqu'à la fin de ses jours ? Aurait-il fait d'elle une mère comblée ? L'aurait-il accompagnée dans l'amour et le désir tout au long de sa vie ? Il l'avait tellement aimée qu'il l'avait regardée aujourd'hui comme une femme. Aurait-elle été plus heureuse en se mariant avec Isaac Bouzaglo ?

Et soudain, Suzanne pensa à Marrakech, la Marrakech de son enfance lorsque ses parents y avaient emménagé, et tout lui revint, comme une évidence, une réminiscence, un rêve aux mille couleurs qui prenait consistance, qui devenait réalité, et ce rêve, c'était sa vie. Sa vie ancienne, profonde, qu'elle croyait avoir quittée à jamais. Mais elle ne l'avait pas quittée. Le vert des jardins, des oasis et des tuiles, l'ocre de la terre et du pisé, le blanc nacré de la soie, du coton, de la graine de couscous, du lait et du sucre, tout cela lui revint comme par magie. Le bleu du ciel, des robes des chameliers, l'ocre brun de l'argile, des casbahs et des poteries, du cèdre et du thuya, des dromadaires et des dattes, les saveurs de son enfance, qui la constituaient à son corps défendant. Elle comprit qu'elle faisait semblant d'être acculturée mais elle était une déracinée, car son pays était et serait toujours le Maroc. Le Maroc et le thé à la menthe, les fèves et les olives, les oranges, les épices, le piment et le safran, le curcuma et l'huile d'argan, une intimité avec le passé, avec son moi profond. Elle se rappela les vieilles Marocaines en habit traditionnel, silhouettes anciennes, fantômes qui hantaient sa mémoire, et elle qui s'était occidentalisée comprit alors où étaient ses repères, son ancrage, tout ce qui faisait ce qu'elle avait été.

Les robes des femmes… la robe… sa robe de mariée,

majestueuse, cette robe que portait Esther, elle n'avait pas voulu la porter lors de son mariage avec Moïse. Mais elle l'avait portée, oui, bien sûr, elle l'avait revêtue le soir de la fête du henné qui devait célébrer ses fiançailles avec Isaac Bouzaglo.

Le lendemain elle avait rompu ses fiançailles. Sans donner la moindre explication.

Souvent, elle s'était dit que c'était Sol qui avait lancé un chhour contre Isaac. Elle l'avait surprise, dans la nuit, avant la fête, à nouer l'aiguillette, appelée *ribat*, « arrêt », cette ligature était destinée à empêcher le mariage d'être consommé ; ce n'était pas la première fois qu'elle voyait Sol faire de la sorcellerie. Mais elle s'était dit qu'elle était une jeune femme moderne, évoluée, qui ne croyait pas à ces sornettes. Et le soir même avait été un désastre. Le lendemain, elle rompait avec Isaac.

Deux mois plus tard, elle épousait Moïse. Oui, tout était allé si vite ! Le mariage… La découverte terrifiante, ravageuse, qui allait changer sa vie et la transformer en un mensonge, le secret qu'elle avait toujours tu, enfoui au plus profond de son cœur, pour ne pas ruiner sa vie, celle de Moïse, celle de leurs parents, et celle d'Isaac aussi. Personne n'avait jamais su, personne ne s'était douté, et le poids du secret était parfois trop lourd à porter.

Et aujourd'hui, pour la première, fois, elle avait envie de tout révéler. Cette pensée la soulageait en même temps qu'elle la mettait dans une tension extrême. Combien de fois avait-elle mordu sa langue pour le taire ? À Isaac lorsqu'il venait les voir, année après année. À Moïse, pour cesser de vivre dans le mensonge et la dissimulation. À ses sœurs, pour épancher son âme. À Sol, pour qu'elle sache la douleur qui s'était abattue sur elle, sans qu'elle pût en parler à quiconque.

Et à Esther. À Esther, bien sûr.

7.

Le combat des sorcières

Esther sortit du bain, s'enveloppa dans son peignoir, puis se revêtit en hâte de son jean et de son tee-shirt, se chaussa, coiffa ses cheveux mouillés.

Dans la petite pièce attenante, les femmes l'attendaient. Ses tantes, la cousine, sa grand-mère, sa sœur l'embrassèrent. Arlette Tolédano, la mère de Charles, était là aussi.

Grandes effusions, baisers plantureux, sur les joues, dans le cou, sur les mains, témoignages infinis de tendresse, clamés bien haut, liens du sang et liens du cœur mélangés, « elle est comme ma fille », entendait-elle tout le temps. Fille de tous, fille de toutes les femmes sépharades du monde, qui étaient mères de toutes les filles. Et bientôt, le mariage. Elle qui voulait à tout prix éviter les retrouvailles et les psycho-drames, elle qui aurait aimé instaurer un certain type de relation froide, dépassionnée...

J'ai beau être sépharade, je suis française et j'ai un cœur d'Alsacienne, pensait Esther.

Elle qui savait se contrôler, attendait la même chose des autres. Pourtant elle était bouleversée par tout ce qui s'était passé, et sentait son cœur vaciller. Allait-elle pleurer ? Son cœur d'Alsacienne lui inspirait de la dignité, du calme et de la tranquillité, son cœur de sépharade souffrait à en exploser.

Arlette Tolédano avait apporté un plateau de thé à la menthe. Elle avait disposé en cercle des verres délicats peints en bleu translucide et sertis de dessins en fil doré. Toute femme marocaine qui se respecte se doit d'avoir une belle théière et un joli service à thé. On ne peut concevoir un intérieur sans cette base, ce socle, ce commencement. Le reste vient après. Chez les Tolédano, on respectait la cérémonie du thé. Les parents de Charles s'asseyaient confortablement pour le boire. Ils attendaient quelques minutes que le thé infusât, en devisant gaiement, puis Arlette le servait, dans ses plus beaux verres si c'était un jour de chabbat, dans ceux moins ouvragés si c'était un jour de semaine. Ils le sirotaient en discutant. Parfois des pépites l'accompagnaient, des graines de courge ou de pastèque grillées, dont ils perçaient l'écorce avec les dents en avalant l'intérieur.

– Un peu de thé, ma chérie ? dit Arlette avec un sourire enjôleur.

Les cheveux teints en blond, la peau tirée, les lèvres et les seins refaits, la mère de Charles, toujours pimpante, passait beaucoup de temps à essayer de faire moins que son âge. Elle avait construit avec sa future belle-fille une relation amicale, filiale même, mais Esther sentait bien que, sous ses protestations affectueuses, perçait la jalousie naturelle de la mère qui voit son fils amoureux. Amoureux d'une autre femme qu'elle, qui était, jusqu'alors, la femme de sa vie.

Arlette versa le breuvage en tenant la théière très haut. Esther regarda le liquide couler. Plus il y avait de mousse, mieux c'était. Quelqu'un lui avait expliqué un jour que cela permettait d'aérer le thé, d'atténuer sa température, de répartir le sucre, et d'exalter le parfum de la menthe. C'était aussi un signe de respect et de considération de faire mousser le thé. Arlette, qui était une vraie femme d'intérieur, accomplissait le geste rituel en faisant monter l'écume, preuve de sa grande virtuosité. Esther pensa aux fontaines des jardins merveilleux d'Andalousie, images du paradis sur terre, quelques minutes de bonheur, de sérénité, de calme. Ainsi sont les plus beaux moments de la vie, aussi fugitifs et simples que l'eau mousseuse qui coule d'une théière.

Esther prit le verre de thé que lui tendait sa future belle-mère : il était brûlant, elle le posa bien vite. Pourquoi boire le thé dans des verres qui brûlent les doigts et les lèvres ? Cela aussi faisait partie du rituel, reposer précipitamment le verre sur la table. C'était d'ailleurs une façon de reconnaître un authentique Marocain. Jamais il n'acceptait de boire le thé dans une tasse. Les femmes aspiraient bruyamment leur breuvage : c'était la seule façon d'atténuer le contact brûlant du verre contre la langue. Cela lui aurait paru incongru, voire impoli. De même, il était impensable pour un Marocain de préparer un thé non sucré, ou de le présenter sans un assortiment de gâteaux et de pâtisseries, cornes de gazelle fourrées à la pâte d'amandes, dattes ou noix fourrées de pâte d'amandes. Esther but une gorgée de thé, en effet très sucré, et très bon. Arlette avait fait venir de la menthe du Maroc, la meilleure, que l'on nomme *fliyu*. Plus corsée et plus forte que l'autre, espèce plus commune, que l'on nomme *na-na*. Elle avait un léger goût de médicament, et d'ailleurs c'était un excellent remède contre la toux et l'asthme. Le thé à l'absinthe, le chiba, était aussi très apprécié en hiver. Il y avait toutes sortes de thés, et le goût, au fur et à mesure de la dégustation, en était chaque fois différent. Léger au début, il devenait presque amer, lorsqu'il était bien infusé.

Esther considéra Arlette : dans ses yeux brillait toujours la même lueur, intense, un peu folle. Esther remarqua son bracelet en or au bout duquel pendait une main de Fatma. Elle aussi s'était prémunie contre le mauvais œil. Mais l'œil était-il toujours mauvais par essence ?

Parfois, lorsque les yeux se rencontrent, c'est l'amour qui naît. Esther pensa à sa première rencontre avec Charles, au premier regard qu'ils s'étaient lancé lorsqu'ils s'étaient revus, quinze ans plus tard. Ce regard la dévorait, elle se sentait toute petite, transpercée comme par une lame de feu. Peu de temps après, Charles l'avait emmenée en Italie, à Venise. Ils avaient marché ensemble dans la ville.

Pourquoi leurs pas les avaient-ils guidés vers le Cardo, le quartier juif de Venise ? La synagogue, au cœur du ghetto, était un sanctuaire qui abritait mille lumières et des draperies chatoyantes et fines, dans un mélange de baroque et de classicisme. La Scuola spagnola – nom que portait la synagogue – était un haut lieu du culte sépharade, aux lustres dorés, aux candélabres de cuivre et aux meubles d'époque qui donnaient l'impression d'être projeté dans l'antique passé. C'était beau à couper le souffle : un mélange de splendeurs byzantine et vénitienne. Laissant Charles dans un café – il n'aimait pas les synagogues –, Esther était entrée dans le sanctuaire et s'était assise chez les femmes. Elle avait écouté la voix du chantre pour la prière, une voix de sourire, de douceur, de sérénité.

Elle avait pris place à côté d'une femme d'une cinquantaine d'années, une Vénitienne volubile qui lui avait raconté son histoire.

Ils habitaient la ville depuis le XIIIe siècle. Leur rite reprenait directement les traditions du temple de Jérusalem.
Comme tous les juifs de cette époque, ils avaient subi les
mesures discriminatoires envers ceux qui étaient convertis de
force, obligés de porter des fichus et des chapeaux jaunes.
On les forçait à écouter les prêches des moines. Pour s'en
défendre, ils se bouchaient les oreilles avec de la cire. Finalement, il fut décidé que les juifs avaient le droit de rester dans
la ville, dans un ghetto, le premier ghetto juif au monde. Ils
avaient le droit d'y vivre à condition d'y être enfermés la
nuit, et de payer de lourdes taxes. Malgré les persécutions,
ils avaient continué de vivre à Venise. Des siècles plus tard,
lorsque les nazis avaient envahi la ville, la famille de cette
femme avait été déportée. Elle était à présent dispersée aux
quatre coins du monde, en Italie, en France, en Tunisie et en
Israël. Une partie était morte dans les camps d'extermination,
une autre avait épousé des non-juifs et abandonné la religion.

Ensuite dans Venise avec Charles, parmi les couples amoureux, Esther avait senti comme une indéfinissable nostalgie,
une sorte de tristesse insondable. Pourquoi ne pouvait-elle
être simplement une amoureuse avec son amoureux dans la
ville de l'amour ? Pourquoi fallait-il qu'en chaque lieu qu'elle
visitait, ses pas la conduisent vers les ghettos, les mellahs, les
rues des Juifs, les rues Brûlées ? Pourquoi au sein même de
leur escapade, y avait-il cette mélancolie, ce doute qui l'envahissait, immense, vertigineux, non pas le doute du sentiment
mais celui de la pérennité de la relation ? Était-il possible
qu'ils restent fidèles toute leur vie à cet amour, ou allaient-ils
disparaître dans la masse des couples qui s'aiment puis se
séparent, jouets de l'histoire et de la grande roue du temps ?
Esther était sous dépendance. Elle s'était libérée de celle de

ses parents, de leur héritage, de leur religion, pour se mettre sous la dépendance invisible des sépharades, comme si elle ne parvenait pas à se libérer de ce passé qui l'entraînait dans le tombeau, où gisaient déjà malgré eux des milliers d'ancêtres assassinés.

– Je te trouve bien pensive, dit Arlette. Tu es tendue ? angoissée ?

– Pas du tout…

– Nous sommes tellement heureux de ce mariage, tu sais, dit Arlette, en prenant Esther dans ses bras. C'est un vrai rêve pour nous. Michel et moi sommes fous de joie. Tu sais combien nous t'aimons, ma chérie ! Comme il a de la chance, mon fils, de t'avoir ! Tu es comme ma fille !

Esther frissonna en entendant ces bonnes paroles qui n'allaient pas manquer d'attirer le mauvais œil sur elle ! Mots enveloppés de sucre et de miel, comme les cigares orientaux, mais qui cachaient un poison amer. « Tu es comme ma fille », cela voulait dire : tu es la sœur, et non la femme. La sœur de ton mari : c'est ainsi que je te désigne à ses yeux pour qu'à ses yeux, tu ne sois jamais sa femme. Et même si tu deviens mère tu resteras sa sœur, ainsi il aura des maîtresses, et il ne te touchera plus.

Et le mauvais œil, en effet, n'était pas loin.

Dans la cuisine des Tolédano, une vieille femme au regard perdu, les mains tachées de henné et de pâte lunaire, s'activait devant une étrange fumigation.

Yacot, la grand-mère de Charles, était en train de convoquer le «cheitane» qui pleurait chaque fois qu'un homme prenait femme; et quand les diables l'interrogeaient sur la cause de son chagrin, il répondait: «Un fils d'Adam vient de m'échapper.» Mais, il est prudent de ne pas désigner les djnouns, le «cheitane» et les «efrits» sous leur nom, mais de les évoquer seulement par l'expression «ces gens» ou «ces autres».

Yacot prit la pâte lunaire et prononça les mots fatidiques en arabe, d'une voix distincte:

– «De même que j'ai descendu la lune dans l'eau qui coule, de même je veux que cette pâte fasse couler le sang de cette femme!»

Mais elle dut interrompre son rituel. La porte s'était violemment ouverte, livrant passage à Sol. Son regard lançait des flammes.

– Je te cherchais, Yacot, dit la grand-mère d'Esther.

C'était la deuxième fois que les deux femmes se voyaient, et qu'elles s'affrontaient.

La première fois, Sol n'avait pas dix ans et ignorait tout des préparatifs magiques. La rencontre s'était conclue par la fin de son mariage et la chute qui avait failli lui coûter la vie. Et aujourd'hui, Sol se trouvait à nouveau devant celle qu'elle n'avait pas vue depuis près de soixante-dix ans. Toute une vie à pratiquer la magie, à côtoyer les démons, à se les approprier pour s'en servir, combattre ou protéger. Le temps était venu de confronter leurs savoirs et leurs pratiques, et désigner des deux qui était la meilleure sorcière, la plus redoutable, la plus efficace.

Sol et Yacot se regardaient, surgies des temps obscurs où les femmes préparaient les mixtures pour faire le bien ou le mal et où elles s'affrontaient à travers leurs démons, leurs vrais démons. On aurait dit, en cet instant, que les cheitanes et les efrits dansaient autour d'elles des danses démoniaques, prêts à les envoûter, à s'infiltrer dans leur cœur et leurs âmes, à se jeter des sorts à travers elles, et mener enfin la lutte infernale jusqu'à la mort. En cet instant, les démons vainqueurs des hommes se réjouissaient, s'agitaient de part et d'autre de la pièce, avant d'être lâchés dans la salle, au beau milieu de tous, pour répandre le mal. Pour l'heure, ils se glissaient avec délices et volupté entre les deux femmes, les excitant dans leur passion vengeresse, leur jalousie si destructrice qu'elle parsemait la haine au fond de leurs yeux.

Les deux femmes se tenaient face à face. Elles s'observaient avec la haine accumulée par les années, la haine inextinguible de Yacot qui jalousait Sol, car elle savait que son mari lui était destiné, et Sol devant Yacot, qui avait scellé son sort.

Ce fut Yacot qui parla la première.

– C'est à cause de toi, ce mariage, n'est-ce pas ? dit-elle. C'est toi qui as jeté un chhour à mon petit-fils pour qu'il tombe amoureux de ta petite-fille !

– Qui veux-tu que ce soit ?

– J'en étais sûre. Quand j'ai appris que les deux enfants se voyaient, j'ai su que c'était toi qui étais derrière ça…

– Lorsque je les ai vus ensemble, à ce mariage, j'ai jeté un sort pour qu'ils tombent amoureux l'un de l'autre. À présent, ils ne pourront plus jamais s'en défaire !

– C'est ce qu'on verra, dit Yacot en jetant l'alun sur le brasero déjà allumé.

– Tu auras beau faire ta sorcellerie, cette fois tu ne pourras plus rien ! Il est trop tard à présent.

Yacot continuait de la regarder avec intensité.

– Tu crois que c'est trop tard ? Ma fille, tu ne sais pas ce que Yacot peut faire !

– Oh si, je le sais ! dit Sol en montrant la bosse qui lui déformait le dos. Mais c'est fini à présent, tu ne peux rien faire. Ni sur moi ni sur Jacob. Ni sur eux. Personne ! Ce qui n'a pas pu être fait à une génération s'accomplit à celle d'après. Esther et Charles sont ensemble ! Que toi et tes démons le vouliez ou non, ils s'aiment !

– Ils s'aiment, oui ; je ne peux rien faire contre ça, dit Yacot. Mais se marier, non ! Ce mariage n'aura pas lieu, Sol ! Comme le tien n'a jamais eu lieu.

Et en prononçant ces mots, Yacot jeta des graines aromatiques autour du feu et de l'encens.

– Et toi, Sol, tu ne peux rien faire contre ça ! Tu peux rendre Charles amoureux, mais tu ne peux pas faire en sorte qu'il se marie avec Esther.

Yacot jeta un morceau de sel gemme dans le feu. Bientôt se formèrent de petites cloques et au milieu d'elles une grosse bulle prête à éclater. À ce moment précis, elle saisit la bulle d'un coup sec avec une cuiller et la jeta dans l'eau froide. Se penchant au-dessus de l'eau, Yacot reconnut, avec satisfaction, l'origine du mauvais œil.

Le sort était jeté : le mariage était maudit.

8.

La séparation

Esther erra pendant un moment, indifférente à la rue qui se remplissait de passants, gagnée par l'animation nocturne de la ville. Ses pas la guidèrent vers la petite synagogue où son mariage était prévu le lendemain. Elle eut envie d'y entrer, puis, sans savoir pourquoi, elle renonça.

Elle se dirigea vers son hôtel, devant la mer. Mais elle ne désirait pas rentrer seule dans sa chambre, pas maintenant. Elle contourna le grand bâtiment et se retrouva bientôt sur la plage.

Eût-elle décidé d'entrer dans cette synagogue, son destin et celui de son fiancé auraient été bien différents ! Peut-être auraient-ils parlé, peut-être se seraient-ils compris, peut-être se seraient-ils dit leur amour ! Car Charles était là, dans la synagogue, en cet instant précis.

En cette veille de mariage, Charles se recueillait. Il pensait à Esther, à ce qu'elle lui avait dit, et cela lui était d'une violence terrible. Elle ne savait plus si elle l'aimait ! Quelle inconstance, quelle inconséquence ! Pouvait-il fonder son avenir sur tant de légèreté, tant d'angoisse qui se transformait en violence contre lui ? Elle avait réussi à semer le doute dans son esprit. Lui non plus ne savait plus où il en était. Pouvait-elle l'aimer, elle qui ne lui faisait pas confiance ? L'aimait-elle vraiment ? Il en doutait, et plus il en doutait, plus il s'éloignait d'elle. Et plus il s'éloignait d'elle, plus il en doutait. Elle aurait dû venir vers lui, et lui dire sans hésitation qu'elle l'aimait, qu'elle le soutenait, qu'elle le croyait. Tout ce qu'il désirait, c'était la prendre dans ses bras et lui dire combien il l'aimait. Comme lorsqu'ils s'étaient donnés l'un à l'autre sans arrière-pensée. Il avait envie de l'étreindre et, en même temps, il était terriblement blessé, mortifié. Elle l'avait rejeté. Il s'en voulait autant qu'il lui en voulait : il aurait dû être plus fort qu'elle, imposer de ne pas faire ce mariage en famille ; il savait, dans le fond, que ce serait un désastre, et pourtant, par faiblesse et par amour, il l'avait accepté. À présent, comme il le regrettait !

Sur la plage, les chaussures à la main, Esther traînait les pieds dans le sable, et y laissait une trace profonde. La mer venait lui lécher les orteils et mouiller le bas de son pantalon. Elle pensa au poème de Judah Tolédano, que lui murmurait son père avant de dormir, « La séparation » :

Qu'as-tu ma belle pour bouder tes messages à l'amant
Aux hanches saisies de tes douleurs,
Ne sais-tu donc pas que le temps perd tout sens
Quand ta voix le saluant ne lui parvient plus ?
Si nous sommes destinés à nous séparer,
Reste encore un peu, que je contemple ton visage.
Car je ne sais si mon cœur se calmera entre mes hanches
Ou s'il continuera à te suivre dans tes tribulations.

Souviens-toi, au nom de l'amour, des jours de mon désir
Comme je me souviendrai des nuits de ta passion
Quand ton image passera dans mes rêves
Laisse la mienne percer dans les tiens.

Une mer de larmes aux vagues démontées s'étend entre nous
Je ne pourrai la traverser pour te retrouver.
Si tu t'en approches, ses eaux se diviseront aussitôt sous ton
pied !

Ah ! Si seulement les clochettes en or
Suspendues aux pans de ta robe
Pouvaient continuer à tinter à mes oreilles après ma mort
Si alors tu demandes encore de mes nouvelles,
Je t'enverrai, de ma tombe, mon amour et mon hommage.

Et Esther pensait : Pardonne pardonne et donne tout ce que tu peux, car tout ce que tu as c'est l'amour, et pourtant tu ne l'as pas...

Pourquoi avait-il disparu ? Ne pouvait-il pas la rassurer, lui donner un signe de vie, d'amour, de paix ? Est-ce qu'elle allait connaître l'allégresse de l'époux avec l'épouse ? Est-ce que le chéri de son âme viendrait auprès d'elle pour trouver le calme et le repos en sa retraite ? Est-ce qu'il se joindrait à elle, la main gauche sous sa tête, et la droite embrassée, est-ce qu'il viendrait dans son jardin pour l'appeler « ma sœur » ? Alors, elle se baissa sur le sable, *baisse-toi et mange la terre au lieu de te réjouir, baisse-toi et déchire tes habits, car de toutes tu es la plus laide et la plus repoussante.*

Il devait la détester. Après ce qu'elle lui avait dit. Et elle le détestait de la détester au lieu de la comprendre, de la rassurer, de l'entourer de ses bras protecteurs. Elle aurait voulu que leur amour fût le plus fort, que la puissante chaîne qui les liait ne se brisât jamais, comme en ce moment où leurs yeux se rencontrèrent, et qu'ils se trouvèrent si proches l'un de l'autre que rien ni personne ne pouvait les séparer. Et maintenant qu'elle allait se consacrer à lui, elle ne savait plus ce qu'elle voulait, perdue, tiraillée entre sa famille et lui, désigné comme l'ennemi. Et lui, orgueilleux sépharade, offusqué, blessé dans son amour-propre et sa dignité, s'était-il détourné d'elle à jamais ? Lui pardonnerait-il les dernières paroles qu'elle lui avait dites, lui pardonnerait-elle d'avoir défié son père en ce jour où l'orgueil, et non l'amour, était roi ? Elle essaya de sonder le fond de son cœur, pour y trouver l'ombre d'un réconfort, mais elle n'y vit que désespoir et désolation. Elle sombra dans un abîme de mélancolie. Personne ne m'aime, se dit Esther. Ni ma famille, ni mes parents, ni ma sœur, car ils n'aiment qu'eux-mêmes, et ne cherchent qu'à asseoir leur pouvoir sur moi, ni Charles qui m'a délaissée, et détestée lorsque je lui demandais de prouver son innocence alors que tout l'accuse, et je n'ai pas d'amis pour me secourir. Au fond, je suis seule, seule à supporter le poids de mon existence.

Charles pensait si intensément à elle qu'il sentit leur cœur et leur âme se confondre. Esther. Esther Vital. Que faisait-elle en cet instant ? Où était-elle ? Elle était si proche de lui et pourtant si différente de ce à quoi il s'attendait. Il aurait voulu, comme beaucoup de ses amis, une femme belle, légère, non juive si possible, et certainement pas sépharade, qu'il aurait aimée et qu'il aurait épousée au grand dam de ses parents, desquels il se serait enfin émancipé. Cela ne lui aurait pas posé de problème. Mais non ! il avait fallu qu'il choisît Esther Vital ! L'épouse idéale, la femme juive sépharade, la Marocaine, soumise et tourmentée, traditionaliste et révoltée, douce et violente. Même si elle était en quête et en haine de ses origines, il ne pouvait s'empêcher de penser à elle comme à sa mère, sa grand-mère, et toutes les femmes de sa destinée, car elle était sa destinée. Il l'avait compris lors de cette rencontre secrète avec celui qui lui en avait donné les clefs, juste avant le henné, sa rencontre avec son grand-père Jacob Tolédano.

Il avait compris qui il était. Il savait qu'à travers ses imitations, ses grands discours, il essayait de garder tout, tout ce qu'ils étaient en train de perdre. Que les gens riaient en l'écoutant, mais à travers leurs rires, on entendait des pleurs. Que par l'humour, loin de se moquer d'eux, il leur rendait hommage. Qu'il saluait les derniers des derniers, ceux qui formaient la dernière génération.

La tradition et lui : affrontement suprême des deux forces en présence, lui, se soumettait à la tradition, finissait par s'y adonner corps et âme, plus le corps que l'âme car l'âme n'y était pas, et lorsque l'âme quittait le corps, il ne restait que le folklore. Mais quand l'âme avait-elle déserté le corps ? À quel moment, à quel instant, à quelle génération la rupture s'était-elle faite ? Quand l'esprit avait-il déserté la vie ?

Et tout ce que Charles voulait, à travers ses comédies, ses spectacles, c'était faire revivre ces gens qui n'existaient plus, ces gens de l'autre génération qui pouvaient être dix autour d'une table à prendre un café, à parler pendant des heures, ces couples qui étaient ensemble depuis soixante-dix ans, parce qu'ils pensaient que l'amour, c'était l'habitude d'être ensemble. Sa grand-mère et sa tante, avec le plateau de thé déjà servi dans les verres – il n'y avait que lui pour se souvenir de ces détails – et combien de fois ils invoquaient le nom de Dieu, plus que n'importe qui au monde, avec une foi immense même si elle était primaire, et ces femmes qui avaient tout le temps mal, qui se plaignaient du matin au soir, ou qui faisaient voir à tout le monde qu'elles n'avaient pas mangé juste pour se faire plaindre, ces femmes qui étaient à la fois fées et sorcières, qui pouvaient préparer un repas de quarante personnes en une heure, qui adoraient les fêtes et le bruit, parce qu'elles aimaient la vie, ainsi elles riaient et se moquaient des gens, et surtout de leur famille. Il éprouvait un amour fou pour ces gens, il avait un cœur immense qui pouvait accueillir tellement de choses, et s'il avait choisi le rire pour en parler, c'était parce que le rire guérissait tous les maux du monde. Non, il n'était pas un révolté, il était un amoureux de la culture sépharade. L'humour était sa façon d'échapper au conflit, de dédramatiser ; sa façon de perpétuer leur tradition. Et s'il préférait en rire, c'était parce qu'il n'y avait rien d'autre à faire. Parce que c'était tragique. Il en riait parce qu'il était un désespéré du monde perdu des sépharades.

Mais tout cela, Esther ne l'avait pas compris, parce qu'elle n'avait pas voulu le comprendre, parce que, en vérité, c'était elle qui était en révolte… Ils s'étaient aimés sur un malentendu. Elle, la pure, la traditionnelle, la vraie sépharade, lui, le révolté, le mauvais garçon, qui détestait la tradition ! Mais c'était faux. C'était même l'opposé de la vérité. C'était elle la révoltée, qui s'était servie de lui pour s'éloigner des siens.

Et l'amour aussi, un faux-semblant ? se dit Esther. L'amour n'existe pas, car il est de passage, moins fort que l'orgueil, et voilà qu'il recule devant l'honnêteté, et refuse de tendre la main lorsqu'une main se ferme, et qu'envahi d'orgueil il oublie la générosité.

Non, l'amour n'existe pas, pensait Esther. L'état amoureux le fait croire, mais c'est faux, l'amour n'est qu'une illusion, un idéal, un grand début, une intention. Mais deux personnes qui se rencontrent au point de s'aimer à jamais, cela ne fut point et ne sera jamais. Ce qui existe c'est le désir, et aussi la tendresse, l'amitié, la camaraderie, l'affection. Mais le véritable amour qui nourrit le désir et se nourrit de lui, dont la tendresse et l'affection ne sont que des pâles copies, le véritable amour qui fait passer l'autre avant soi-même, celui-ci n'existe pas. Elle croyait aimer Charles, et elle s'était fourvoyée, puisque, en ce moment, elle ne ressentait que dépit et déception, colère et froideur, et son cœur ardent s'était figé dans la glace.

Esther prit le sable dans sa main, le fit glisser entre ses doigts. Ce geste la consola. Sentir la terre l'apaisa. Elle la mouilla de ses larmes et la terre les accueillit en son sein.

Charles posa ses lèvres sur le livre de prières. Il l'ouvrit et, la kippa sur la tête, il commença à prier. Il priait en balançant son corps d'arrière en avant, d'avant en arrière, comme il avait l'habitude de le faire enfant dans la synagogue de son père. Il aimait bien prier auprès de son père et de son grand-père. Et quand il était petit, au Maroc, il avait encore son arrière-grand-père. C'étaient ses meilleurs souvenirs, lorsqu'il se rendait à la synagogue le vendredi soir, sa petite main dans celle de son père, en route vers la maison des prières. Et lorsque son père était absent, ou trop fatigué pour aller à la synagogue – ce qui arrivait souvent – c'était son grand-père Jacob qui l'y emmenait. Et il lui racontait les histoires de la Bible, et il lui expliquait les textes de la Tradition, répondait à ses questions, pourquoi on porte les phylactères, et pourquoi on revêt un châle de prière, et pourquoi il est blanc avec deux traits bleus, et il lui parlait du temps où lui était petit, et où il se rendait au Heder, avec tous les autres enfants, pour apprendre par cœur les versets de la Bible. Et il lui racontait l'histoire de son rabbin qui connaissait par cœur tout le Talmud. Et il lui parlait aussi de son propre père, rabbi Shimon, et de toute sa science, sa sagesse et sa modestie. Et il lui racontait l'histoire de sa famille, la grande saga des Tolédano dont il avait la trace depuis 1492. Il lui parlait de leur ancêtre Moché Tolédano, qui avait écrit un texte sur la grammaire, qui eut pour fils rabbi Yehouda ben Yits'haq Tolédano, qui eut pour fils rabbi Mordékhaï Tolédano, qui eut pour fils rabbi Yossef ben Mordékhaï, grand rabbin de Debdou. Et son fils rabbi Éliézer, rabbin à Meknès, qui eut pour fils rabbi Zikhri, rabbin à Meknès, qui eut lui-même pour fils rabbi Messod, fils de rabbi Zikhri, rabbin à Meknès. Pendant un an, ce dernier tenta de franchir les barrages des pirates pour rejoindre la terre d'Israël mais n'y parvint jamais et son fils rabbi Zikhri, rabbin à Meknès, qui eut pour fils Aron, Yeshaya, David et Mordékhaï. Ce fut lui qui accueillit le célèbre rabbi Amram Ben Diwan, émissaire de Hébron, qui mourut au Maroc. Puis il y eut rabbi Mordékhaï, fils de rabbi Zikhri, rabbin à Meknès, qui demanda à son fils de continuer les tentatives de retour en terre d'Israël. Il vendit tous ses biens et se rendit à Oran pour embarquer mais les guerres locales, entre Oran et Tlemcen et avec l'Espagne, rendirent impossible tout départ. Ses trois fils, Chalom, David et Hayim, firent le serment de réaliser leur Alyah ensemble mais ils ne purent réaliser leur rêve, car ils durent s'occuper de leur sœur devenue veuve.

Puis il y eut rabbi Chalom, à Meknès, père d'Éliahou Chalom et de rabbi Maïmoun qui est le père du rabbin Shimon Tolédano, l'arrière-grand-père de Charles. Rabbi Chalom, son père, était mort au moment où il allait réaliser son rêve de monter vers la terre d'Israël. Son second fils, rabbi David, rabbin à Meknès, était le père de Yaâqov, rabbin à Meknès, lui-même père de David. Son troisième fils, rabbi Hayim, fut l'auteur d'un livre important sur la Torah. C'est lui qui forma tous les grands maîtres de Meknès, après qu'il eut renoncé à monter en Israël. Rabbi Yossef, son fils, devint rabbin à Meknès avant de partir enfin ! Accomplissant le rêve de tous ses ancêtres, il réussit à faire le fameux voyage vers Jérusalem. C'était la réalisation du projet familial et le couronnement des efforts de ces rabbins qui, à travers les générations et les siècles, avait tenté d'atteindre la Terre promise sans jamais y parvenir.

Augustes personnages ! Ils n'existaient plus... Ceux qui tous les jours faisaient la prière, et tous les matins mettaient les mains sur leurs yeux pour les cacher par pudeur, au moment de murmurer le verset le plus sacré : « Écoute Israël, l'Éternel notre Dieu, l'Éternel est un. »

Et Charles priait comme ses ancêtres, il disait les mots, les phrases, les suppliques, il disait : « Éternel ! écoute la droiture, sois attentif à mes cris, prête l'oreille à ma prière faite avec des lèvres sans tromperie ! » Il psalmodiait comme ses ancêtres, sur leurs rythmes et leurs coutumes : « Si tu sondes mon cœur, si tu le visites la nuit, si tu m'éprouves, tu ne trouveras rien : ma pensée n'est pas autre que ce qui sort de ma bouche. À la vue des actions des hommes, fidèle à la parole de Tes lèvres, je me tiens en garde contre la voie des violents.» Il pleura en murmurant les paroles du grand Gabirol : «J'ai parlé avec outrage, j'ai agi avec perversité, j'ai été injuste, j'ai été orgueilleux, violent, j'ai trompé, j'ai dit des mensonges, j'ai conseillé le mal, j'ai menti, je me suis moqué, j'ai méprisé...» Et Charles pria pour lui et pour Esther, il pria dans la concentration et l'intensité de son cœur pour que sa fiancée et lui fussent réunis, ensemble à nouveau, et que rien ni personne ne les séparât jamais. Et Charles pria pour les siens, pour l'âme de son arrière-grand-père défunt et pour ses grands-pères et ses grands-mères, et pour tous les aïeux sépharades qui perpétuaient la tradition de leurs pères, depuis toujours. Et il pria pour que le monde sépharade ne fût pas perdu, et il pria pour que Dieu veillât sur les siens, en sachant qu'il priait une absence, car il priait le Dieu des sépharades. Et, posant une main sur ses yeux, il murmura tout bas : «Écoute Israël, l'Éternel est notre Dieu, l'Éternel est un.»

Et Esther serra les paupières, et posa la main sur ses yeux en prononçant la phrase, celle qu'avaient dite ses ancêtres, et les ancêtres de ses ancêtres brûlés sur les bûchers, celle qu'ils disaient en leur âme et conscience, jusqu'à la fin. Et il lui revint en mémoire ce cimetière marin de Mogador, au bord d'une falaise jouxtant la ville, battu par les vents, dans lequel étaient enterrés ses ancêtres : un lieu tout à fait à part, comme si, jusque dans la mort, les Mogadoriens cultivaient

leur différence, luttant pour gagner l'horizon. Dans ce cimetière, reposaient les sages de la famille Pinto. Son arrière-
grand-père Joseph Pinto y était enterré. Malgré la violence
des tempêtes, la mer n'avait jamais débordé, aucune vague
n'avait jamais effleuré un seul des sépulcres, source de fierté
pour toute la famille. Mogador, qui était majoritairement
juive, était à présent désertée de ses habitants juifs qui reposaient sous les dalles anthropomorphes du cimetière, comme
des statues de grès marin. Le corps figuré en entier se terminait par une partie rétrécie qui évoquait les pieds dans leur
linceul. La tête, au-dessus d'un cou plus ou moins long, était
parfois coiffée d'une couronne de quatre à douze fleurons
en forme de soleil ou de croissant de lune, quelques-unes
surmontées d'un curieux bicorne. La partie représentant les
pieds était souvent enjolivée d'un feston ou d'un dessin géométrique rappelant ceux des bijoux berbères. Les tombes ne
semblaient pas avoir d'orientation particulière : parallèles à
la mer, perpendiculaires les unes aux autres, elles donnaient
une impression de désordre. Corps dispersés là, pour l'éternité, curieusement figés et curieusement vivants.

Il faisait nuit. Nuit sur la ville et nuit dans son cœur qui
saignait de toute la haine et de tout l'amour portés par sa
famille, par son fiancé, par l'héritage sépharade qu'elle n'allait
pas transmettre, et auquel elle faisait défaut. Elle pensa aux
marranes, qui continuaient d'allumer les bougies du chabbat
le vendredi soir dans le secret. Cette lumière était en train de
s'éteindre à jamais. Et il lui revint en mémoire la prière que
la reine Esther adressa à Dieu avant de rencontrer le roi
Assuérus pour sauver son peuple au péril de sa vie : « Ô mon
roi tu es l'Unique ! Viens à mon secours car je suis seule et
n'ai d'autre recours que toi, et je vais jouer ma vie. J'ai appris,

dès le berceau, au sein de ma famille, que c'est toi, Seigneur, qui as choisi Israël entre tous les peuples et nos pères parmi tous leurs ancêtres, pour être ton héritage à jamais. Ô Dieu, dont la force l'emporte sur tous, écoute la voix des désespérés, tire-nous de la main des méchants et libère-moi de ma peur ! » Et cette prière, Esther la fit sienne, en son cœur, elle la fit sienne, et ce lourd héritage qui pesait sur ses épaules, elle le fit sien, et elle en conçut de la joie et de la sérénité.

Et soudain, comme par une illumination, il lui revint en mémoire les dernières paroles de Pedro Alvarez avant qu'elle ne le quittât à Tolède. « Nous avons tous des identités multiples, disait-il, certaines explicites, certaines intérieures, cachées tout au fond de nous-mêmes. Et toi qui es française, tu sais qu'une partie de toi est aussi espagnole, toujours espagnole. Et si tes pas t'ont guidée vers Tolède, capitale spirituelle sépharade, où l'âme de ton peuple était si lumineuse, ce n'est pas par hasard. Si tu as marché sur les pavés des petites rues de la nuit, ces mêmes rues qui ont vu les pas de ceux qui habitaient la capitale mondiale des lettres, ce n'est pas par hasard. Même si tu l'ignores, il te reste encore cette blessure des romances chantées par les femmes. Tu es sépharade. Quoi que tu en dises, et quoi que tu en penses, tu es l'aiguillon de l'exil : avance, et ne cesse jamais d'apporter la flamme. Contre ceux qui ont voulu vous rejeter, vous expulser et vous tuer, ne cesse jamais de porter la flamme. Et même si vous mourez cette fois encore, ce sera en portant haut l'étendard de la flamme. C'est pour cette raison que tu es venue à Tolède, qui appartient au monde des mythologies et de la croyance, car c'est là que sont nés les sépharades, car c'est ici que tu es née, comme les grands sépharades : Shlomo Vital, Abraham Ibn Ezra, Judah Halévi et Maimonide... Et tu sais désormais que ce que tu es venue chercher est là, et tu peux y retrouver qui tu es et ce qui te constitue secrètement. Tu es sépharade, il y a en toi la déclinaison d'une identité fragile et masquée, cachée : dans ton cœur, bien enfouie, se trouve l'histoire des ancêtres, toutes ces vies à travers toi te rendent vivante à jamais. »

Pendant un moment, Esther eut un vertige, ne sachant plus où se diriger. Courir vers la mer et s'immerger dans l'eau tout habillée ? Elle frissonna. Que faire à présent ? Où aller ? Dans quelle direction ? Vers qui se tourner ? C'est un drame de ne pas savoir qui l'on est, se dit-elle. C'est le drame fondamental de la vie qui empêche de vivre sa vie.

C'était vers elle qu'il se tournait. Puisqu'elle était l'orient de sa vie. Et l'amour existe, se dit Charles en priant Dieu, le Dieu des juifs, le Dieu absent des sépharades, celui qui s'était retiré du monde. Et le Dieu des juifs est amour, justice, bonté, vérité… En ce Dieu il croyait, et ce Dieu il le remerciait en cet instant de lui avoir fait rencontrer l'amour, et il le remerciait d'avoir fait exister l'amour en ce monde terrible, pour panser les plaies et rendre la vie plus douce, même si parfois il la rendait plus amère encore. Et l'amour existait, puisqu'en ce moment même où il en voulait à Esther de ne pas l'avoir cru, il ne pensait qu'à la voir, elle, l'invisible, à la serrer dans ses bras, et il lui manquait de la toucher, et il se sentait affaibli, comme privé d'une partie de lui-même depuis leur dispute. L'amour existe, puisque au plus fort de la tempête, soudain, il n'y a plus que ce rien qui fait battre deux cœurs au même rythme, deux regards qui font tressaillir les âmes, et deux bouches qui s'unissent sans savoir pourquoi.

C'est ce mystère qui le faisait exister, et qui perdurait alors même que tout était parti. Et seulement lorsque ce mystère cesse, l'amour est en péril. Et l'amour existe, puisque Charles se sentait porté vers Esther, envoûté par son regard, subjugué par son être. Et l'amour existe, puisqu'en ce moment il souffrait des tourments d'amour. Il n'avait jamais aimé une femme comme elle, il n'avait jamais éprouvé une telle intensité, un tel désir de possession devant celle qui sans cesse lui échappait, et la force de ses sentiments était telle qu'il s'en sentait fragilisé, c'était la raison pour laquelle il prenait de la distance. Elle seule pouvait l'atteindre, le blesser, le bouleverser.

Comme il l'aimait, au moment même où il apprenait qu'elle n'avait pas compris qui il était. Il l'aimait comme on aime une partie de soi qu'on a retrouvée par hasard, il l'aimait comme un amnésique qui retrouve sa mémoire. En elle, il avait retrouvé tout ce qu'il chérissait, la générosité, la tendresse, l'intelligence profonde des choses, et il reconnaissait aussi tout ce qu'il était et qui était l'essence de leur monde, le monde sépharade. Par elle il se réconciliait avec son moi profond, son histoire, son peuple, et c'est avec elle qu'il désirait les perpétuer.

Il le savait à présent, c'était vers elle qu'il se tournerait malgré tout. C'était ainsi : il se disputait, il se froissait, et l'instant d'après tout était oublié, et il voulait la serrer dans ses bras. Il devait lui dire la vérité sur ce qui s'était passé avant la scène de l'amulette et l'altercation avec Moïse et tant pis si elle ne le croyait pas, il devait lui expliquer ce qu'avait vu Jacob, avant le henné, et il devait lui montrer ce que son grand-père lui avait donné, et, surtout, il devait lui faire comprendre qu'il l'aimait, qu'il l'aimerait toujours, qu'elle était la femme de sa vie, et que son amour d'aujourd'hui n'était rien face à celui qu'il lui donnerait le lendemain, et le jour d'après, et ainsi de suite, pendant toute sa vie.

Toute sa vie, elle avait attendu ce moment. Depuis qu'elle était petite, elle avait rêvé d'être la princesse qui s'avancerait vers l'autel pour épouser celui qu'elle aimait.

Mais elle n'irait pas à la synagogue. Elle ne relèverait pas le voile blanc de la mariée, elle ne boirait pas la coupe de vin, elle ne passerait pas l'anneau, et le verre ne se briserait pas en souvenir de la destruction du Temple. Car le verre était déjà brisé. Pourquoi ne pas lui avoir dit qui il était ? Pourquoi ne pas avoir avoué ce qu'il avait fait en défiant son père et en prenant l'amulette ? Si seulement il avait clamé son innocence, elle l'aurait cru, elle ne demandait qu'à le croire ! Mais il ne l'avait pas fait. En Charles, elle ne retrouverait pas l'héritage sépharade. Après tout, ses parents avaient raison. Elle ne serait pas heureuse avec quelqu'un d'aussi égoïste, et d'aussi superficiel que Charles. Un joueur, un rieur, qui papillonnait avec aisance, un beau parleur, qui buvait, fumait du haschisch sans se soucier des autres et de leurs sentiments.

C'est alors qu'en mettant les mains dans ses poches, Esther sentit le petit papier que lui avait remis Noam Bouzaglo, sur lequel étaient inscrits son numéro de téléphone et son adresse.

Esther, affolée, essayait de sonder son désir, sans y parvenir. Que voulait-elle donc ? Qui ne voulait-elle pas ? Comment le savoir ? Quelle était la part de ce qu'elle souhaitait vraiment et de ce que les autres projetaient sur elle ? Avait-elle une existence propre, en dehors de celle de sa mère ?

Sa mère qui déterminait toute sa vie. Qui n'aimait pas Charles, mais aurait-elle aimé avoir Noam pour gendre ? Elle faisait mine de ne pas apprécier Isaac, le père de Noam, mais Esther avait remarqué qu'elle s'apprêtait pour lui, qu'elle le recevait bien lorsqu'il venait à la maison, qu'elle avait, en quelque sorte, un rapport de séduction avec lui. Ou en tout cas, de fascination contrainte, parce qu'elle le fuyait tout en l'approchant. Suzanne connaissait à peine Noam, Isaac venait toujours les voir seul, parce qu'il n'avait pas assez d'argent pour faire venir sa famille.

Peu importait ce que pensait ou non Suzanne, ce qui lui plaisait ou lui déplaisait, ce qui comptait, c'était elle !

Esther fit à nouveau glisser le sable entre ses doigts. Elle avait envie de vivre, d'aller jusqu'au bout. Il était temps d'enterrer sa vie de jeune fille.

Elle se rechaussa, fit quelques pas au bord de l'eau, puis se dirigea vers la fin de la plage.

Alors Charles sortit de la synagogue et se dirigea vers l'hôtel d'Esther. D'en bas, il téléphona dans sa chambre ; il voulait lui parler, sans la voir.

Mais dans sa chambre, il n'y avait personne.

Esther remonta les marches qui la menaient vers l'hôtel. Dehors, les lumières, intenses, témoignaient de l'activité enfiévrée qui avait envahi les rues. Toute cette vie, cette ville, lui faisaient envie. Envie de vivre quelque chose, peu importe quoi. D'avancer, de franchir les frontières.

Charles quitta l'hôtel. Et c'est alors qu'il la vit.

Elle hésitait, fit quelques pas vers la droite, puis se ravisa, revint vers la gauche, sur la rue.

Il eut envie de s'élancer vers elle mais il ne voulait pas qu'elle le vît. Il marcha en silence derrière elle, pour lui parler.

Mais avant qu'il ne pût l'approcher, elle s'arrêta devant un immeuble.

Il la vit pousser le bouton de la dernière sonnette.

Après qu'elle fut entrée, il s'approcha pour regarder le nom inscrit : *NOAM BOUZAGLO*.

Livre IV

1.

Les trois patriarches

— Si c'est pas dommage de gâcher une fête comme celle-ci, dit Sidney en s'asseyant auprès des deux autres patriarches, Saadia Vital et Jacob Tolédano dans le fauteuil du salon déserté des Tolédano.

— Gâcher ! Mais qui a parlé de gâcher la fête ? s'étonna Saadia.

— Ah, mais vous n'êtes point au courant ? Votre fils Moïse a voulu offrir un cadeau à son futur beau-fils, le dénommé Charles, et cela s'est mal passé ! Très mal !

— Où il est Moïse ? dit Saadia l'air égaré. Mon garçon !

— Quel suspense ! dit Sidney. Mon Dieu, quel malheur ! Quel malheur ! Que va-t-il se passer ?

— Ce malheur, maugréa Jacob, mais aussi pourquoi Moïse Vital a-t-il voulu donner un cadeau à mon Charlie ?

— Mais c'est gentil d'offrir un cadeau ! Comment peut-on le lui reprocher ?

— On peut. On peut, dit Jacob, l'air pincé. Bien sûr qu'on peut.

— Vous êtes donc le grand-père du marié !

— C'est moi.

— Enchanté ! dit Saadia, en lui tendant la main.

– Enchanté, enchanté, dit Jacob, gêné par tant de civilités.

– Alors c'est vous qui êtes de Meknès ?

– Oui, de Meknès.

Saadia se pencha vers Sidney. Les deux aristocrates n'avaient que mépris pour le provincial.

– On m'en a raconté une bonne, murmura Saadia à l'oreille de Sidney.

– Laquelle ?

– Qu'est-ce que des griffes sur un comptoir ? Un Meknassi qui a repris sa monnaie.

– Et celle-ci, vous la connaissez : pourquoi n'y a-t-il pas de pigeon à Meknès ? Parce qu'il n'y a pas de miettes.

Les deux hommes pouffèrent de rire comme s'ils avaient dix ans.

Sur les Meknassis circulaient de nombreuses histoires, en particulier sur leur avarice proverbiale, et d'autant plus remarquable que le Marocain était culturellement, intrinsèquement généreux. Tout aussi proverbiaux étaient leur lourdeur, leur manque de tact et de savoir-vivre, alors qu'en général le Marocain était fin et attentionné, et il se faisait un devoir, sinon un honneur, de ne jamais peser sur personne. Il y avait un défaut, néanmoins, que le Meknassi partageait avec ses compatriotes : il était orgueilleux, fier jusqu'à la paranoïa ; et, plus que cela, extraordinairement susceptible quant à tout ce qui concernait Meknès et ses habitants.

– *Hahlas*[1] ! dit Jacob en se levant. J'ai tout entendu, je suis pas sourd ! Vous vous croyez d'où, vous ! Avec vos grands airs, vous croyez que vous valez mieux que nous, les Meknassis ? Nous sommes l'élite du Maroc ! C'est de chez nous que

---

1. Ça suffit !

viennent les plus grands sages et les plus grands rabbins !
Personne ne vaut mieux que nous !

– Nous ne souhaitions point que vous vous offensiez ! dit
Sidney. Mille excuses.

– Asseyez-vous, je vous prie, dit Saadia. C'est ma faute,
vraiment. Je suis désolé.

– Il est désolé, *sorry* ! appuya Sidney. *Sorry...*

Jacob hésita, puis finit par se rasseoir. Vexé, il regardait de
côté, vers la gauche, faisant mine de ne pas accorder d'attention à ses compères.

– Quand même, dit Saadia, de mon temps, ça ne se passait pas comme ça... on ne sait pas si le mariage aura lieu !
Rendez-vous compte !

– De mon temps, dit Jacob, il y avait du respect.

Il y eut un silence embarrassé.

– C'est vrai, dit Saadia. Les jeunes aujourd'hui n'ont plus
de respect... Même pour le roi du Maroc, ils ont perdu le
respect !

– Moi, je l'ai connu, le roi Hassan II, dit Jacob ; je l'ai bien
connu. Quel homme merveilleux !

– En effet, opina Sidney, nous prîmes le thé ensemble un
après-midi au Palais. Un homme délicieux, vraiment.

– Il m'a reçu avec sa femme, dit Saadia. Une réception
somptueuse ! Il y avait abondance de mets et de gâteaux.

– Mon fils Michel était un proche, dit Jacob. Le roi lui
demandait conseil, lorsqu'il en avait besoin...

Les deux autres se turent, admiratifs. Dans la lutte pour
savoir qui connaissait le mieux le roi du Maroc, Jacob avait
marqué un point.

Les sépharades, lorsqu'ils dînaient ensemble ou se retrouvaient dans les cocktails, n'avaient pas l'habitude d'échanger des informations ou de discuter, au sens occidental du terme, c'est-à-dire de parler d'eux, de leur vie, de ce qu'ils faisaient. Au contraire, quand ils se retrouvaient, c'était pour s'amuser, prendre du bon temps et surtout rire. Les dîners se déroulaient exclusivement au gré des bonnes histoires ou des histoires drôles que chacun rapportait à tour de rôle, sans temps mort, une histoire en appelait une autre, et lorsqu'un conteur s'exprimait, l'autre pensait déjà à celle qu'il raconterait, jusqu'à aboutir à une surenchère, semblable à un potlatch d'histoires plus drôles ou plus étranges les unes que les autres, qu'elles soient inventées ou vécues. Il n'y avait pas, chez eux, cette notion absurde de conversation obligée qui induit tant de malaise.

Un certain sens de la relation humaine voulait qu'on ne jugeât pas l'autre, qu'on n'attendît rien de lui, si ce n'était de s'amuser. Il y avait cette idée, anti-occidentale, que lorsqu'on se retrouve entre amis, ce n'est pas pour des raisons sociales, mais simplement pour le plaisir d'être ensemble.

– Et vous la connaissez, dit-il, pour détendre l'atmosphère, celle où Joha parie avec ses amis qu'il passera toute une nuit d'hiver au sommet de la montagne uniquement vêtu de sa djellaba ? Pour tenir parole, il grelotte du crépuscule à l'aube ; mais ses amis lui disent : « Tu n'as rien apporté ? – Non, juste une bougie. – Mais une bougie, c'est du feu ! » Il ne dit rien, il paye la somme due, et les invite à dîner le lendemain chez lui. Lorsqu'ils arrivent, rien n'est prêt. Il leur demande de patienter car le repas est en train de cuire sur une bougie. C'est ainsi qu'il récupéra ses cent rials…

– Je me souviens du mellah quand j'étais enfant, murmura Saadia, il n'y avait pas de lumière, on s'éclairait avec des lanternes. J'apprenais le métier de scribe ! Je travaillais avec des roseaux et de l'encre de Chine, j'écrivais sur les parchemins de la Torah. J'avais une belle écriture !

Saadia eut un sourire triste en pensant au temps où il voyait encore. C'était si loin, à présent, qu'il n'en avait plus qu'un souvenir théorique. Il avait oublié ce que voir voulait dire.

– Et le Heder ? dit-il. Qu'est-ce qu'on a pu recevoir comme tannées là-bas !

– Moi j'y étais à l'âge de trois ans, dit Jacob. Il fallait apprendre les lettres en hébreu. Il y avait la tablette avec les lettres qu'ils remplissaient de miel pour nous les faire lécher jusqu'à ce qu'on s'en souvienne. Et si on n'y arrivait pas...

– Le nerf de bœuf ! dit Saadia. On nous frappait avec le nerf de bœuf lorsqu'on ne connaissait pas nos versets par cœur !

Les trois hommes avalaient leur gorgée de mahia en claquant la langue.

– Je me souviens, avant que j'épouse Yacot, dit Jacob, que j'étais amoureux d'une autre femme. Mon père était malade, il m'a dit : « Jacob, ne te marie pas avec cette fille à laquelle tu penses. » Depuis dix ans, j'étais amoureux d'une fille, une Mogadorienne.

– Une Mogadorienne ? dit Sidney en levant le sourcil. Comment s'appelait-elle ?

– Oh, je ne sais plus ! dit Jacob, troublé. J'ai oublié ! De toute façon mon père ne voulait pas que je l'épouse.

– C'est la première fois que j'entends qu'un Meknassi ne veuille point d'une Mogadorienne ! s'étonna Sidney.

– Et alors ? dit Saadia. Il y a bien des Meknassis qui épousent des Fassies !

– C'est rare ! dit Jacob en manière de vengeance. Les Fassies sont prétentieuses, et elles vous mènent la vie dure.

– Les Meknassies sont lourdes et sans aucune finesse, répliqua Saadia.

– Les pires, dit Sidney, ce sont les Marrakchies. Elles crient tout le temps, elles vous cassent la tête.

– C'est vrai, dit Sidney. C'est les pires.

Les trois patriarches opinèrent d'un seul mouvement de tête. La remarque venait à point pour donner lieu à une nouvelle tournée de mahia.

– Mes parents, poursuivit Jacob, ils avaient conclu un accord avec les parents de ma femme, Yacot. Ils ont organisé un repas pour nous présenter. Je me suis fait beau, en mettant de la gomina sur la tête. Il y avait une table fabuleuse, avec de l'alose et la *hrira*, c'était la fête…

– Ah ! la hrira de ma mère, avec le citron, c'était quelque chose ! dit Saadia en salivant presque.

– Ma mère, dit Sidney, elle mettait un peu de vinaigre…

– Si Dieu veut, dit Sidney nous irons tous bientôt à la circoncision de l'enfant d'Esther et de Charles.

– Un fils, si Dieu veut ! dit Jacob. Un Tolédano !

– Que Dieu bénisse, dit Saadia.

Il y eut un silence de contentement. Les trois patriarches aimaient à imaginer une descendance masculine qui les rempliraient de fierté.

– Ils s'aiment, soupira Sidney. Ils n'ont qu'à les laisser se marier ! De quoi ils se mêlent ?

– Et alors, de notre temps, il n'était pas question d'amour, dit Saadia. Qu'est-ce que ça veut dire, l'amour ? C'est rien.

Moi j'ai été marié pendant soixante ans avec Fortunée. Il n'a jamais été question d'amour entre nous, et c'était comme ça. On a vécu ensemble, on n'a jamais manqué de rien... Soixante ans ensemble !

Soudain Jacob se redressa. Les joues empourprées d'émotion, il s'adressa à Sidney.

– Moi, ça fait soixante-dix ans que j'aime votre femme, dit-il.

Sidney le considéra, interloqué.

– Cette femme dont j'étais amoureux avant de me marier, cette Mogadorienne...

– Quoi ? Ne me dites pas que c'était Sol ?

– Je l'ai connue avant vous. Elle ne vous a jamais parlé de moi ?

– Non ! dit Sidney, interloqué. J'ignorais qu'elle vous connaissait ! Je n'arrive pas à le croire.

– Sur la vie de ma mère !

– Mais votre mère ne vit plus.

– On se connaît, je vous dis.

– Et... elle vous aime ?

– Je ne sais pas... Ça fait plus de soixante ans que je ne l'ai pas vue.

Sidney opina de la tête, l'air triste.

– Elle a un peu changé, vous savez.

– Le temps n'y fait rien, dit Jacob.

– Soixante ans que vous la connaissez ! Et je ne le savais pas...

– Vous ne savez rien alors ? dit Jacob. Vous n'êtes pas au courant des noces d'enfants ?

– Non !

– Sol et moi devions nous marier mais le sort en a décidé autrement.

– Ah, c'était avec vous !

– Elle vous a parlé, alors ? dit Jacob plein d'espoir.

– Elle m'a parlé d'un chhour, lancé contre elle par une femme mauvaise. C'est à cause de cela qu'elle a une bosse dans le dos.

– Un chhour ?

– Une femme jalouse d'elle, oui. Qui a épousé plus tard celui qui était son fiancé !

Jacob pâlit.

Yacot… c'était elle qui avait lancé le chhour contre Sol pour rompre leur union. C'était elle qui avait tout manigancé ! Il se mit à trembler de haut en bas, un frisson courut le long de son échine. Soixante ans de mariage lui revenaient brusquement, comme une supercherie préméditée par sa femme, Yacot.

– Excusez-moi, dit-il. Je dois régler une affaire importante.

Saadia et Sidney restèrent assis ensemble.

– Tout de même, ces Meknassis, soupira Saadia. Une affaire à régler un jour de mariage ! L'argent, il n'y a que ça qui les intéresse.

– Vous pouvez le dire, murmura Sidney. Il est gentil mais un peu lourd, non ?

– Très lourd. On dirait presque un Tunisien.

– Un Tunisien ! Que Dieu préserve ! Je préfère encore un Meknassi.

– Que Dieu préserve, acquiesça Saadia.

– Espérons que tout ira pour le mieux.

– Avec l'aide de Dieu, opina Saadia.

2.

Noces berbères

C'était à Ifrane, une oasis de verdure semée d'oliviers, d'amandiers et de figuiers, au milieu des sources. Dans la rocaille, ils avaient déchiffré des inscriptions vieilles de deux mille ans. Non loin de là, les citadelles de terre témoignaient des affrontements entre tribus berbères. Ils avaient visité le cimetière étendu, l'un des plus anciens du Maroc. Il y avait une inscription sur la tombe d'un certain Joseph Maïmon qui était mort en l'an IV de notre ère. On parlait aussi d'une caverne où la tradition populaire situait les tombes de quarante justes, martyrs brûlés par les chrétiens lors de la campagne de christianisation à l'époque byzantine.

Esther, pour oublier son amertume avec le New-Yorkais, était partie avec un groupe organisé pour faire une expédition dans le désert.

Le guide racontait que, en mai 1954, lorsque les camions de l'émigration clandestine se présentèrent à Ifrane, les anciens évoquèrent avec angoisse un trésor venu du fond des âges, et dont plus personne ne pourrait s'occuper s'ils partaient. Pour certains, même, la piété envers les tombeaux et les souvenirs l'emportait sur le désir de retour en Terre sainte. Et ils restèrent : les derniers juifs d'Ifrane. Ils se disaient les habitants les plus anciens du Maroc, issus de la tribu d'Éphraïm, qui avaient quitté la Judée après la destruction du temple de Jérusalem pour éviter la captivité à Babylone.

Les derniers rabbins des synagogues du Draa, les sages et les initiés qui habitaient avec leurs communautés dans des casbahs juives, menaient une vie austère, partagée entre prière, contemplation et étude. Ils connaissaient l'hébreu, langue réservée au culte, mais nombre d'entre eux ne s'exprimaient qu'en arabe. Ils parlaient de Moïse et du roi Salomon comme de personnages familiers qu'ils avaient quittés la veille et qu'ils retrouveraient le lendemain. Ils étaient avertis des choses du monde avec une étonnante précision, et s'adonnaient aux sciences exactes autant qu'à la recherche ésotérique.

Esther écoutait le guide raconter l'histoire de la Kahéna et d'autres histoires de Berbères dans la vallée marocaine du Draa, qui étirait ses méandres d'Agdz à Mhamid, au sein de ce pays né de l'union de la montagne et du désert, de l'eau et du soleil.

C'était aujourd'hui, et c'était hier, c'était hors du temps : cela aurait pu être l'Antiquité, lorsque le Draa était le plus long fleuve du Maroc : ses eaux prenaient naissance près de Ouarzazate, se jetaient dans l'océan Atlantique après une course de mille kilomètres, comme en témoignent les vieux textes qui parlent d'une région prospère où nageaient les crocodiles.

Ensemble, Esther et le guide marchèrent sur les chemins de terre, où allaient les ânes et les mulets aux paniers pleins à craquer de fruits, de légumes et de dattes : le passé était présent à chaque pas, dans les jeunes femmes qui transportaient leurs sacs sur le dos, les enfants qui tiraient l'eau du puits, avançant pieds nus, les mules chargées d'hommes en djellaba, la lessive étalée sur la roche, tache blanche sous le grand soleil.

À l'heure magique où l'oued prend des reflets ocre et dorés, quand les hérons se tiennent dressés sur une patte, que les djebels s'allument, et que les ombres s'allongent dans la lumière du crépuscule, ils s'assirent au milieu des lauriers-roses, des joncs, des acacias et des tamaris.

Le passé était là dans les villages en pisé, mélange de terre, de paille et d'eau, posés sur les terres de la palmeraie. Le passé était là et il effaçait les différences, car ils étaient unis par le secret commun de leur naissance, le mystère berbère.

Ils vécurent pendant deux semaines au rythme du jour et de la nuit, du thé vert à la menthe, versé de très haut dans les verres, symbole du lien entre le ciel et la terre. Ils s'arrêtèrent dans le ksar de l'oasis de Tata, avec ses maisons rehaussées de couleurs chaudes, bleu, rouge ou jaune. Puis ils prirent la route du désert et des dromadaires, vers le Tafilalet où étaient les caravanes en partance pour le Sahara. La descente vers les vallées du Sud, sur la petite route, permettait de rejoindre, par l'ancienne piste des caravanes, la casbah du grand chef berbère qui régnait sur cette région du Maroc. La route naviguait au milieu des champs pour remonter vers les terrasses de la haute vallée de Telouet, à la végétation luxuriante et aux bois de thuyas. Les eaux du Draa sur les rochers secs de l'Anti-Atlas arrosaient une palmeraie, avant de se perdre dans le désert vers l'océan. À travers la forêt de palmes, ils virent l'eau s'écouler, qui reflétait le ciel. À proximité, des tours, et des vestiges de murs.

Esther contemplait les casbahs dans la vallée, elle vit la pluie et elle vit le vent. Elle regarda les hommes à la peau foncée, qui vendent les tapis en attirant la cliente appelée « gazelle » ou le client, « gazou », afin qu'ils entrent, juste « pour le plaisir des yeux », regarder les couvertures, la poterie ou l'artisanat hérité des juifs qui, avant eux, faisaient le commerce des métaux précieux.

Les tours aux hautes murailles, les vallées, les forêts de cèdres du Moyen-Atlas étaient l'image du monde antique. Loin dans les montagnes et les vallées, derrière des cols étroits, loin de la modernité, vivaient les Berbères. Le calme, l'air pur, la nourriture simple, à base de petit-lait, d'amandes, de miel et de galettes d'orge, leur avaient permis de subsister dans cette vie antique faite de contemplation, de sagesse et de chants ancestraux, qui rappelaient étrangement les chants asiatiques.

Les Berbères étaient là, tels qu'ils l'avaient été depuis toujours, sous les tentes de l'Atlas. Leur histoire était ancienne comme celle de l'humanité. On avait découvert des ossements à Rabat, d'autres près de Casablanca, appartenant au plus ancien stade d'évolution de l'humanité. On avait découvert à Safi un crâne qui était celui de l'homme de Neandertal. C'était vertigineux. Ainsi, ils existaient toujours, ils avaient survécu aux invasions, à la guerre et à l'assimilation et ce, pendant des millénaires.

Ils avaient gardé en eux le souvenir d'un temps mythique, des cités perdues : l'Atlantide, l'épopée sumérienne du héros Gilgamesh qui va chercher l'herbe d'immortalité dans l'île d'outre-tombe, au-delà du coucher du soleil, le royaume de Tartesse, en Andalousie, ville phare de la civilisation mère, la civilisation la plus évoluée de l'antique Occident, qui se refléta sur le passé brillant des villes du Sud espagnol. Et si, au Vᵉ siècle, Tartesse disparut brusquement de l'Histoire, sans que l'on sache pourquoi, probablement enfouie dans les sables mouvants tel l'Atlantide dont parle Platon, où des rois avaient installé un royaume immense et merveilleux, c'est parce que tout passe, et seuls perdurent les valeurs impalpables et idéales, les histoires, les mythes et les légendes. Les Berbères du Sous connaissaient toutes ces légendes. Ils disaient que les plus grands bienfaits de Dieu sont les parfums et les femmes.

Un soir, le guide emmena Esther loin du groupe, dans un vaste champ de pierres et de poussière, de racines de jujubier et de vent qui rend fou, de sueurs, et de grands tambours, de fontaines et d'encens : les gnaouas chantaient à voix basse pendant que circulaient les pipes de kif. Ils convoquaient les djnouns. Le brasero du benjoin donnait à l'air qu'ils respiraient une odeur particulière, avec l'eau de fleur d'oranger versée sur l'assistance, et lorsque le rythme s'accéléra, les gnaouas se mirent à danser.

Soudain, un cri déchira la nuit : un cri puissant et rauque, le danseur se leva, le corps parcouru de spasmes, le regard perdu. Il courut devant l'assistance, comme un possédé, le visage illuminé, il tourna sous les cris des femmes, puis tomba, le corps déployé sur le sol, inerte, avec un sourire extatique. Une femme, à son tour prise de convulsions, s'écroula par terre puis commença à parler, à prédire l'avenir, à franchir les limites du monde visible. La nuit, le vent, les nuages évoquaient les djnouns créés par le feu, voix invisibles qu'il fallait écouter pour avoir la *baraka*, fluide divin qui appelle la santé, la prospérité et la fécondité, contre le mauvais œil.

Alors Esther comprit que le Maroc était de ces endroits qui exerçaient une magie, un pouvoir sur les êtres et les choses. Et pour elle, ce fut une initiation viscérale, violente et torrentielle. Suffoquée par la chaleur de la terre et du feu, elle était en correspondance avec quelque chose qui rassemblait ses désirs profonds, comme une patrie spirituelle révélée à elle d'une façon charnelle.

Alors, dans l'Anti-Atlas, là où l'érosion des chemins de crête rend la terre irréelle, sous le soleil couchant, dans les oasis des montagnes, les arbres en fleurs et les villages en gradins, sur la route des amandiers, nuées de fleurs roses et blanches, à Tafraout dans un écrin de granit rose, loin du chaos, quand le soleil déclina dans un jeu d'ombres et de lumière reflétées sur les roches rouges, là en plein cœur du Maroc, Esther revêtit l'habit bleu nuit et chaussa les babouches rouges, celles que les femmes mettent pour se rendre aux travaux des champs et récolter les amandes amères et les amandes douces, les olives, les fruits du bigaradier, et l'huile délicieuse des arganiers. Tous les mystères d'Esther s'éclairaient. D'où venaient cette peau si claire, et ces yeux bridés, ce teint presque jaune et cette vénérable langueur ? Elle se croyait française alsacienne, juive, marocaine, mais elle était berbère.

Par sa mère, elle descendait de Berbères convertis, comme le montraient son caractère, sa ténacité, et comme l'étaient beaucoup de juifs marocains, berbères par leurs coutumes, par la survivance de leur art, par leurs bijoux et leurs dialectes, mais aussi leur architecture, leurs ksours, villages fortifiés en terre rouge se fondant dans le paysage, leurs casbahs en pisé, et leurs agadirs, greniers collectifs fortifiés. Les Berbères étaient toujours là et les juifs aussi ; survivances anciennes. Les juifs étaient toujours avec les Berbères : selliers et cordonniers, commerçants, bijoutiers… Juifs et Berbères, ensemble, vêtus de la même manière, jeunes femmes enveloppées d'un caftan blanc, qui rappelle les Grecs. Et le rouge aussi : cette couleur des robes de mariage, qui vient de l'Anti-Atlas et de la vallée du Sous…

Esther se souvint de ces artisans qu'elle avait vus au bord des routes. Ils vendaient des bijoux en argent, des bracelets bardés de pointes qui étaient des armes de combat, des plaques de poitrine rehaussées d'un cabochon de pierre de couleur et terminées par une cascade de pendentifs, ou encore des fibules ciselées, des coiffures de bijoux, formées d'un réseau de piécettes, couronnant le front. Le plus imposant des colliers était le rang de boules d'ambre, rondes et grosses, qui pesait au cou de filles de l'Atlas.

C'était à la fois très beau et grossier, simple. Les Berbères étaient ainsi : ils ne bâtissaient pas pour la postérité. C'était là le secret des artisans : la plupart travaillaient des matières pauvres et les traitaient sans artifice ; un peu d'argile nue ou simplement décorée d'un graphisme de blanc de chaux ou de goudron, du cuivre récupéré sur les champs de tir, et traité en plateaux rouges, ronds et lisses, cerclés de jaune, cela suffisait à faire un bijou. Les ferblantiers utilisaient des boîtes de conserve retournées ; dans le caoutchouc des vieux pneus, ils taillaient un objet. Le long des routes, aux sorties de Rabat et de Salé, des vanniers installés en plein vent créaient tous les jours des formes nouvelles, en tressant de simples roseaux. Les artistes du bois creusaient un plat dans une souche, un vase dans un tronc. À Taroudant, un artisan taillait des silhouettes dans la pierre blanche et c'était saisissant de beauté.

Ils avaient réduit la vie à sa plus simple expression : ni meubles, ni lits, ni fourchettes, ni cuillers, ni assiettes, seulement quatre murs, un toit et un sol avec nattes et tapis, où ils dormaient et dînaient comme les plus heureux et les plus riches des hommes, plus riches dans leur pauvreté que la plupart des Européens. Ils aimaient la terre où ils étaient nés, où ils avaient joué enfants, et même s'ils devaient quitter leur village pour exercer leur métier, ils avaient besoin d'y revenir, c'était leur terre. Ils aimaient leur patrie à travers ses tribus et les tribus voisines amies. C'étaient elles qu'ils défendraient au prix de leur sang. C'étaient leur indépendance, leur vie, leur liberté. Ce n'était pas une question de territoire mais de tribu, de clan, de famille : de défense farouche des leurs.

Impulsifs, dès qu'une idée convenait à l'esprit, ils se levaient sans réfléchir aux conséquences, comme mus par une volonté extérieure. Ils ne revenaient pas sur les mobiles de leurs actes, ne les étudiaient pas, ne réfléchissaient pas, ne raisonnaient pas. Sédentaires, laborieux, tolérants et sincères mais d'un tempérament dangereusement impulsif, ils étaient capables de brûler en un jour ce qu'ils avaient mis vingt ans à construire. Assis pendant des heures sur une pierre, comme s'ils faisaient partie du paysage, sur le bord des routes, au sommet des montagnes, devant les gorges des oueds bordés de lauriers-roses, devant un arbre, le regard perdu vers l'horizon, les Berbères veillaient. Ils veillaient depuis cinq mille ans sur le Maroc. Peu importaient les invasions, ils étaient là, de jour comme de nuit, comme des témoins : les témoins de l'humanité.

Le matin, ils pliaient la tente. Assis sur un tapis, au pied des dunes, ils prenaient le thé, le café, le pain rond et les plats, des fromages et des confitures, de la nourriture simple, cuite dans un tajine. L'après-midi, lorsque le vent tombait, il y avait un thé sous la *kheima*, la tente noire, rectangulaire et très basse. Dissimulée par un long voile, une femme attisait le feu sous la bouilloire. Là, à l'abri de cette tente, Esther eut le sentiment inexplicable d'être chez elle, d'être bien, d'être arrivée. Elle qui était née en France, elle à qui on avait si peu expliqué le Maroc, voilà qu'elle était fascinée par les palais, les oasis, les médinas, les montagnes, le Royaume alaouite, tout autant que par l'immédiateté cordiale avec l'inconnu, l'affection et l'hospitalité, et surtout, ce sourire émerveillé et plein d'amour de la vie qu'ont les Berbères lorsqu'ils vous accueillent... Les murs roses, les plaines et l'espace, les hauts plateaux, l'aventure et la soif, l'intérieur des maisons à la lumière tamisée, les ombres claires-obscures, rondes, fabuleuses, les eaux vives, les voûtes fleuries, les ruelles, l'air pur, les jardins potagers, les vergers, les jardins d'agrément et même les mosquées, tout cela l'avait émue aux larmes, lui étreignant la gorge d'une douleur secrète, jamais ressentie. Elle pensa à ce terme que le guide berbère lui avait enseigné : *Ishq*, l'expérience extrême.

Plongeant au plus profond de son identité, ses identités multiples, Esther comprit qu'elle était une juive arabe. Une juive arabe et berbère. Le guide, qui était musulman, lui apprit à quel point l'histoire des juifs et des Arabes était liée. Mohammed avait parlé de Dieu en des termes qui rappelaient les livres de mystique juive tels que le Bahir et le Sepher Yetzirah. L'adoration de la Lettre était le fait de nombreuses sectes cabalistes dans l'islam : les urifis lisaient un visage humain comme se lit le Coran, car la beauté visible d'Allah y avait vibré. Cette secte organisait des séances de contemplation d'un visage de novice qui devait subir par ce regard un choc initiatique. Le visage contemplé est asexué, androgyne. Il est ce rien transfiguré, dépouille d'un corps angélique abandonné sur terre par les dieux antiques. C'était d'eux que provenait la science des femmes sorcières, qui lançaient les chhours. Dans la vaste noirceur du désert, le ciel était leur guide. Naviguer dans le désert comme dans la mer requérait une connaissance profonde des étoiles et de leur relation avec le temps et le mouvement.

Et voici que les vestiges du passé étaient en train de s'effondrer. L'Histoire allait-elle les effacer ? Les demeures berbères avec leurs fenêtres bordées de chaux allaient-elles tomber en poussière ? Les tribus berbères des montagnes de l'Atlas qui se déplaçaient comme des milliers d'années auparavant, avec leurs troupeaux, sous les tentes en laine de mouton, dans le sable du désert, étaient-elles vouées à disparaître ? Les femmes, les enfants, les hommes devant leurs casbahs aux silhouettes érodées, entre les cimes de l'Atlas et l'immense plateau désertique du Draa étaient-ils les derniers des derniers ?

– Sais-tu pourquoi tu as les yeux bridés ? lui avait dit le guide. Pourquoi les Berbères ont des visages aussi fortement marqués par l'Asie ? Pourquoi les Berbères marocains ne sont pas comme les autres, et pourquoi leur folklore porte la marque d'un ailleurs lointain ?

– Non !

– Au Maroc, on a retrouvé des dessins de dromadaires, arrivés au moment où l'éléphant ne pouvait plus survivre car il manquait d'eau. Or les dromadaires ne se trouvent pas en

Afrique. Leur terre-mère est l'Arabie. Ce sont donc des marchands qui les ont conduits depuis les confins de l'Arabie jusque dans le sud du Maroc. Pour cela, il existe deux chemins : la mer Rouge, l'Égypte, la Libye, le sud de l'Atlas ; ou la traversée maritime : Éthiopie, Soudan, Égypte. D'oasis en oasis, les grandes familles de nomades se déplaçaient avec leurs troupeaux, leurs dattes, leurs grains, et le henné nécessaire pour l'hygiène. À l'époque où les nomades voyageaient, il n'y avait pas d'autre moyen de se purifier. C'est ainsi que s'explique la cérémonie du henné.

» Ce peuple dont tu viens, expert dans l'art de la navigation, s'appelait les Phéniciens... Un peuple courageux qui avait entrepris la conquête des mers, entre le XIIIe et le Ier siècle avant Jésus-Christ. Ils poursuivaient le soleil, comme la légende du Phénix, l'oiseau mythique qui brûle et renaît de ses cendres. Comme le Phénix, ils ont sillonné les mers à la recherche des richesses et le soleil a brûlé leur peau devenue rouge, d'où leur surnom, les Hommes rouges, car ils descendaient eux-mêmes des Himyarites, venus s'installer sur l'étroite bande de terre entre la Méditerranée et les monts du Liban.

» Les Phéniciens, les Hommes rouges, descendants des Himyars, ont apporté une civilisation nouvelle dans le sud du Maroc, une symbiose entre les nomades et les sédentaires, les tentes et la casbah. Ils formaient l'une des peuplades cananéennes qui pratiquaient le culte de Baal et d'Ashera, et dont les rites comportaient, selon certaines sources, le sacrifice d'enfants par le feu. Ce peuple représentait la civilisation dominante de l'époque, comme aujourd'hui l'Amérique : ils avaient inventé l'alphabet, la notion de cité-État, l'urbanisme. Leur art était raffiné, et ils connaissaient l'usage des métaux. Aujourd'hui, les vestiges de leur splendeur ont disparu. Les Berbères ayant abandonné et oublié l'écriture, il ne reste aucune trace des temps anciens, si ce n'est la tradition orale.

Esther était phénicienne, elle était berbère. Elle venait de ce peuple antique qui avait survécu à tous les envahisseurs ; elle était une Berbère en diaspora, vivant toujours en tribu, sa famille.

Alors elle comprit le sens de la robe rouge, cette couleur qu'elle avait revêtue et qui venait des temps immémoriaux où juifs et Berbères vivaient unis dans ce pays qui était le leur. Cette robe lui venait des Phéniciens, ancêtres des Berbères. L'histoire de cette robe remontait aux temps où le Maroc avait été créé, à l'arrivée des Phéniciens inventeurs de la couleur pourpre eux seuls savaient capturer les coquillages à pourpre, en extraire les glandes, pour les mettre dans une bassine de plomb, que l'on chauffait à la vapeur d'eau, et lorsque le pourpre était en ébullition, on retirait les parties de chair qui se trouvaient à la surface à l'aide d'une écumoire, puis on laissait tremper la laine dans le bain colorant avant de la faire sécher au soleil. La couleur pourpre avait un usage sacré : on s'en servait pour teindre le rideau des temples et les objets rituels. Et les robes de mariée. Comme la sienne : une robe phénicienne. La couleur était sacrée parce qu'elle venait d'un art secret, clef de leur réussite et de leur richesse.

Cet art, c'était celui des forgerons, ancêtres des alchimistes. Lorsqu'ils avaient compris qu'il n'y avait pas de dissociation entre le corps et l'esprit, ils avaient appris à effectuer l'affrontement du soufre et du mercure dans l'intimité de la matière philosophale. Modifier les substances : tel était le secret des forgerons qui avait fait la fortune des Phéniciens, et grâce auquel ils avaient pu étendre leur empire. Ils étaient le vecteur du peuple juif qui leur avait transmis le savoir secret des métallurgistes, celui que possédait Moïse, déjà, avec son serpent d'airain. Ils étaient les maîtres du feu qui procédaient à la transmutation des métaux. Ils savaient que l'action du feu permet la transformation ultime. Ils avaient appris que le monde n'est pas une chose faite et terminée mais une chose sans cesse en train d'advenir, de s'élever, de se développer, de se renouveler, et tout mouvement, même une chute, une dépression, était la Lune avant le renouvellement, la marée basse avant la marée haute, le sommeil qui offre renaissance et force pour la veille et l'éveil.

Ce à quoi Esther avait assisté entre son père et Michel Tolédano n'était rien d'autre qu'une lutte tribale ancestrale... C'était une chose extrêmement sérieuse. C'était cela l'essentiel : la fierté. Il ne fallait jamais offenser la fierté d'un Marocain, d'un juif marocain, comme d'un Espagnol ou d'un Arabe, parce qu'ils ont hérité la fierté des Berbères. C'était la loi sacrée qu'il ne fallait jamais transgresser. Et Charles n'avait montré aucun respect pour ces valeurs, essentielles à sa culture. Par son attitude désinvolte, il avait offensé son père, et c'était à elle, Esther, de venger son honneur bafoué. C'est ce qu'elle se répétait en montant lentement les marches qui la conduisaient vers Noam.

3.

Noces barbares

Cette nuit-là, dans son appartement, au sommet d'un immeuble neuf surplombant la mer, Noam Bouzaglo attendait Esther Vital.

Il espérait qu'elle allait venir. Sur la terrasse, il avait disposé des bougies, et préparé deux coupes de vin d'Israël.

Noam pensa à ce matin d'avril où il avait pris le bus qui l'emmenait loin de la ville de Dimona, où sa famille s'était installée. Il partait pour le nord du pays, à l'armée. Accompagné de ses parents, sa mère en pleurs et son père partagé entre la fierté et l'angoisse, il partait pour accomplir son destin. Il allait devenir comme les autres, se fondre dans la nation israélienne, entre Ashkénazes, Falachas, Yéménites et Sépharades comme lui. Plus tard, en travaillant pour les unités spéciales, il avait fait de son origine un atout.

Noam attendait Esther. En la revoyant, il avait compris qu'il ne l'avait jamais oubliée. Depuis qu'elle était partie, il avait accumulé les conquêtes. Des femmes rencontrées dans les bars de Tel-Aviv, vite séduites et vite oubliées. Il était resté avec une jeune femme d'origine russe pendant plusieurs mois avant de s'avouer qu'ils n'avaient rien en commun. Puis une autre, d'une famille ashkénaze de la bourgeoisie de Tel-

Aviv, qui avait presque honte de le présenter à sa famille. Pourtant il ne parvenait pas non plus à s'entendre avec les femmes sépharades, qu'il appelait les *frehot*, d'après le prénom marocain Frieja, trop maquillées, trop maniérées, trop superficielles.

Et lorsqu'il avait appris ce qui s'était passé entre Moïse Vital et son futur gendre il s'était repris à espérer contre toute logique.

C'est pourquoi, lorsque Esther sonna à la porte, Noam était prêt à l'accueillir.

Malgré son entraînement, ses missions périlleuses, il sentit son cœur s'emballer lorsqu'il la vit. Et il se dit qu'il n'avait jamais ressenti une telle émotion pour une femme. Il était à la fois attiré et impressionné par elle, au point de perdre toute contenance.

Sans un mot, il la prit dans ses bras. Il l'embrassa doucement, puis passionnément. Leurs bouches, leurs lèvres, se cherchèrent. Les bras de Noam, rassurants, l'entraînèrent vers sa chambre, la déposèrent sur son lit, alors que, pétrie de culpabilité, Esther s'y abandonnait sans s'y abandonner. Elle contempla sa main posée sur la sienne, cette main mate, burinée par le soleil, cette main qui avait tenu des armes. Elle eut un réflexe de recul en pensant que ces mains avaient tué. Elle se demanda pourquoi elle y pensait en cet instant. Et puis elle chassa l'idée de son esprit. Pour la remplacer par une autre... Ces mains lui rappelaient le désert et le soleil chaud. Le désert du Maroc et ceux d'Israël, qu'ils avaient sillonnés ensemble, le désert de Judée, derrière les collines de Jérusalem, et celui du Néguev, près de Be'er Sheva. Bouzaglo : elle savait d'où venait ce nom, du pays de ses ancêtres, c'était un nom berbère. Et elle savait où elle était arrivée : au pays de ses ancêtres. Avec Noam, elle accomplissait son destin. C'était une fatalité qui les emmenait l'un vers l'autre, une fatalité qui l'entraînait à son insu entre l'amour et la mort.

Et elle, Esther, victime d'une lutte tribale, allait chercher du réconfort chez celui qui était resté proche de ses origines, défenseur de sa terre et de son royaume comme au temps de la Kahéna.

En sentant ses mains pétrir son corps, son souffle contre son souffle, Esther ressentit tout ce qu'elle n'avait pas osé ressentir lors de l'été passé avec Noam, tout ce qu'elle avait tu, enfoui dans son cœur, caché, là, et qui y était. Profondément bouleversée, changée par la rencontre avec Noam, elle était rentrée dans un état d'apesanteur, et avait transféré sur Charles des sentiments confus. Elle avait refoulé son amour pour Noam. Elle l'avait étouffé jusqu'à l'éteindre dans son cœur, en étreignant Charles. Elle comprit, soudain, qu'elle n'avait pas eu l'honnêteté, la franchise, la sincérité de se dire qu'elle était tombée amoureuse de Noam – ce qui impliquait qu'elle devait quitter Charles, ce qu'elle ne pouvait faire, engagée qu'elle était auprès de lui. Mais oui, c'était l'évidence – c'était Noam qu'elle aimait. Toutes les images lui revenaient, toutes les fois où ils avaient failli s'approcher, se frôler, se caresser, sans le faire, comme si un mur invisible était entre eux. Dans la mer Morte, elle avait lavé son amour naissant.

Et voilà, elle était là, face à lui, tremblante, impressionnée, transie sous lui, qui la regardait de ses yeux sombres, profonds, dans lesquels elle se reconnaissait, dans lesquels elle se perdait. Ses yeux qui ressemblaient aux siens…

Ses mains parcouraient son corps. Son corps massif contre le sien. Elle se laissa guider, oubliée d'elle-même, immobilisée.

Bouleversée à l'idée de tromper Charles mais mue par une envie terrible de faire enfin ce qu'elle n'avait pas pu faire, comme l'accomplissement de sa destinée, sans savoir pourquoi, hypnotisée, Esther dans les bras de Noam se laissa faire. Elle le laissa prendre sa tête entre ses mains, l'embrasser. Et, d'un mouvement fluide, couler son corps massif, dur, dans le sien. Ils s'assemblèrent en leur ressemblance.

Cette étrange familiarité, Esther la mit sur le compte de l'amitié, et du lien qui unissait leurs pères. Cette impression curieuse de déjà-vu, elle l'interpréta comme l'amour naissant. Et cette idée tenace selon laquelle elle n'aurait pas dû être là, elle la mit sur le compte de la culpabilité, dont elle entendait se débarrasser, ce soir ou jamais. Guidée par la colère, égarée par sa quête d'elle-même, elle laissa le désir couvrir ce corps de marbre, dans un juste effroi, qu'elle mit sur le compte de la peur de déplaire, qu'il ne l'aimât pas, qu'il vît ses défauts, qu'il la détestât alors que c'était elle qui se détestait.

Chancelante, guidée par le mouvement impossible, oublieuse d'elle-même en ce corps perdu. Détresse, haine de soi, amour-propre, en cet instant, tout se confondait dans l'inévitable accomplissement.

Le malaise venu du plus profond d'elle, de la racine de son être, l'envahit au point de l'annihiler. Comment s'abandonner ? Quelque chose dans son corps l'en empêchait, la refermait sur elle-même. Quelque chose qui était là depuis toujours, depuis le commencement de sa vie amoureuse. Ce sentiment de malaise, pétri de culpabilité, cette impression d'absence à soi-même, d'indolence, de passivité, lui étaient familiers, depuis qu'elle avait commencé à briser le tabou de la virginité éternelle à laquelle sa culture la destinait. Son premier amant, avec qui elle était restée pendant une année avant de s'engager dans une relation physique avec lui, ne l'était pas resté longtemps après qu'il l'eut possédée... puisqu'il s'agissait bien de possession pour elle, qui donnait son corps sans donner son esprit, puisque son esprit, par une lutte implacable, lui interdisait tout rapprochement avec le corps. Elle avait été élevée dans une absence de repères, un vide de mots et de sens en tout ce qui concernait les affaires du corps, puisque la religion et la tradition la réservaient à son mari le soir du mariage. Tout ce qui concernait le corps et le plaisir était donc entaché d'une terrible susceptibilité, comme si son corps se dissociait de son esprit, et se refusait, dans la conscience de la faute. Mais la faute envers qui ? Envers les hommes, envers une société qui avait asservi les femmes, en rendant leur hymen à la fois sacré et tabou. Le tabou était tel que la loi de la virginité au mariage et de la préservation de l'hymen n'était même pas mentionnée dans son éducation. L'hymen, cela n'existait pas, tout simplement ; il n'y avait que l'hyménée. Dans une acception bien orientale de la femme, tout avait été fait pour la domestiquer, et circonscrire, à travers sa sexualité, le champ de sa liberté. Élevée dans une pudeur extrême, elle avait fait de sa peur d'être nue, d'être vue, une vertu, une pureté. Lorsqu'elle était jeune fille, elle était horrifiée par l'idée de voir la nudité d'un homme, dont elle avait peur. Le peu que sa mère, ses tantes et sa grand-mère lui avaient dit, allait dans ce sens. De son propre corps, elle ne connaissait rien, comme si celui-ci n'existait pas, n'avait pas d'importance, presque pas d'existence. Au mieux, elle ne s'y intéressait pas, au pire, elle le haïssait, essayait sans cesse de le rendre plus mince, moins féminin, plus androgyne, plus juvénile, elle qui détestait la volupté, la sensualité. Elle n'avait pas d'idée de l'intime, puisqu'elle était vouée corps et âme à sa famille, ni du plaisir individuel, sinon du devoir, et elle avait une vague conscience qu'il fallait se méfier des hommes, de leurs esprits, de leurs cœurs, de leurs désirs, de la grossesse... rumeurs murmurées de mère à fille, d'avortements, ou de tentatives d'avortements, la sexualité était synonyme de danger, et même de danger mortel pour la femme. Mais de quoi se méfier, lorsque le risque n'est pas nommé ? De tout, à chaque instant, chaque moment, et comment s'abandonner si le risque est permanent ? Passer du père à l'époux : tel était le but inavoué mais bien présent dans l'esprit d'Esther, qui, même si elle avait décidé de vivre autre chose, se soumettait à cette loi impitoyable. L'époux devenait pour elle une autre figure de son père tant aimé, et tant inter-dit. C'était comme si le tabou de l'inceste était valide non seulement entre elle et son père, mais, par extension, entre elle et tous les hommes.

En ce sens, son identité de femme avait commencé lorsqu'elle avait rencontré son futur mari. En tombant amou-reuse de lui, elle avait tenté de lui faire confiance, et de jeter un pont entre son corps et son esprit. Avec lui, elle s'était libérée de ses chaînes, même si le plaisir restait un horizon lointain et difficile à atteindre. Sans cesse, elle se punissait, se mortifiait, tellement angoissée de lever le tabou du corps, qu'elle se laissait aspirer, jusqu'à l'annihilation d'elle-même. Le chemin du corps était un chemin de croix. Elle ne pouvait s'empêcher de penser qu'elle allait être punie, honnie, qu'elle se salissait, qu'étant femme, elle n'avait pas le droit d'être femme. Un déchirement était en elle, qui était le déchirement même des Orientales, juives ou arabes : entre les pulsions et l'exaltation des sens, et l'interdiction de s'y livrer, de s'y adon-ner. Comme si elle était voilée intérieurement.

Dans sa culture, on était fille, on était mère, et l'on passait naturellement d'un statut à l'autre sans jamais être femme. Être femme : c'est-à-dire être capable de s'abandonner.

Alors elle laissa le désir de Noam l'informer, l'accoupler. Noces barbares… ! Sa tristesse, sa douleur, son angoisse de mourir – car elle mourrait d'amour – explosa dans un cri. Soudain elle voulut partir, s'enfuir au plus vite, elle eut envie de se débattre mais resta prostrée, anéantie, soumise, prise par l'innocence suprême du mal, étrange assurance de la perversité qui fait passer l'effroi comme trouble, la rupture de l'ordre des choses comme banalité quotidienne, ce qui ne doit pas arriver comme ce qui ne peut pas ne pas arriver, ce qui ne doit pas être comme ce qui est. L'inimaginable devenant l'évidence même. Étrange assurance du mal qui se fait ! Mystérieuse démission de tout l'univers qui concourt soudain à la compromission, fuite des barrières, des frontières, qui s'abolissent alors qu'elles devraient surgir et s'élever de toutes leurs forces pour combattre l'abomination… mais non ! C'était trop tard, alors elle oublia tout, et s'absenta d'elle-même, comme si ce n'était pas elle qui était en train de vivre cet instant. Elle était la femme marocaine à l'ancêtre noir, signe de l'Afrique, au rythme des danses et des transes des sectes, exaspérées jusqu'à l'évanouissement, elle était la femme du désert, aux racines bédouines, née de la légende de Majnun et Laïla, de l'amour impossible et parfait, qui conduit à la mort. Ève, la fatidique qui a brisé le tabou, entraînant selon la légende toute l'humanité dans sa faute.

Esther ferma les yeux pour ne plus voir ce qui était en train de se produire, elle ferma ses oreilles pour ne plus entendre ce que son cœur lui disait, elle ferma sa bouche pour ne plus sentir le goût de l'autre, elle ferma ses narines pour ne plus respirer. Et renaître loin de tout, en refaisant le chemin inverse, derrière le masque, loin de tout rapport au temps, à l'espace, au langage, dans une discrète apesanteur.

4.

L'amulette

Esther ouvrit les yeux. Une lumière rasante filtrait à travers les volets. À côté d'elle, Noam dormait.

L'aube.

L'irréversible aube.

Dans un demi-sommeil, elle se demanda où elle était. Elle crut un instant être à Strasbourg, dans la chambre d'enfant qu'elle partageait avec sa sœur, au fond du sombre appartement dans lequel n'entrait jamais la lumière. L'aube se levait sur la ville assoupie, recroquevillée dans le froid, sur ses rues désertes et ses grandes rues pavées, sur la place Gutenberg, cœur de la ville, sur la Petite France et ses maisons à colombages, et sur le jardin de l'Orangerie aux arbres gelés. Et dehors, par la fenêtre, elle voyait la pluie tomber sur la ville, et laver les façades des immeubles imposants, faisant grossir les bras de l'Ill, revêtant les trottoirs d'un voile boueux, sur lequel avançaient les passants, les Alsaciens couverts de fourrures et de manteaux à capuche, et parmi eux, s'emmitouflaient les sépharades. Le samedi matin, ils se rendaient à la synagogue, dans la cave de la grande *Schule*, le livre de prières à la main, puis ils rentraient chez eux, par petits groupes, et à l'heure où d'autres mangeaient la choucroute, ils dégustaient la dafina qui avait cuit toute la nuit comme dans les fours de Fès, de Meknès et de Mogador. La dafina, dans le froid de Strasbourg, leur rappelait la chaleur touffue de leur enfance, lorsque les grands-mères aux longs châles les couvraient de baisers et de pâtisseries à la fleur d'oranger.

La pluie tombait sur Strasbourg, sur sa cathédrale de granit rose, dont les cloches sonnaient encore le soir pour rappeler aux juifs qu'il était temps de quitter la ville. À ses pieds avaient été érigées deux statues de femmes, l'une représentait l'Église, et l'autre, la Synagogue, avait les yeux bandés, dans une allégorie terrifiante qui évoquait son ignorance, et de laquelle naîtraient des siècles d'intolérance. À quelques rues de là, la rue Brûlée, où l'on brûlait les juifs. À quelques années de là, d'autres femmes aux yeux bandés, fusillées. Et pourtant, les juifs marocains étaient venus peupler ces terres hostiles de l'Occident, qui représentaient pour eux la civilisation, la culture, l'idéal. Dans la rue Brûlée, ils faisaient cuire la dafina le samedi midi, et se rendaient à la synagogue de la Paix en passant devant la cathédrale, pour faire un signe à la femme aveuglée.

Esther se leva, elle avait soif. Elle sortit doucement de la chambre où dormait Noam, chercha le buffet du salon, sans y trouver de verre, ouvrit un autre placard, le fouilla des yeux jusqu'au moment où un petit sac en velours attira son regard. Elle le prit, l'ouvrit, et c'est alors qu'elle la vit.

L'amulette !

L'amulette brillait sombrement dans la clarté du petit jour. Ce ne pouvait être qu'elle, à l'aspect si particulier, fascinante !

Esther n'en croyait pas ses yeux. Que faisait donc l'amulette chez Noam ? Était-ce lui qui l'avait volée ? Mais c'était impossible, puisqu'il était avec elle, au moment où le vol avait eu lieu.

Et soudain, elle comprit. C'était Isaac Bouzaglo qui l'avait volée pour la donner à son fils !

Elle s'assit, chancelante, le cœur battant. Ses jambes ne la portaient plus.

Dans un éclair, elle comprit l'innocence de Charles. Et aussitôt le regret, le remords et le chagrin. Comme elle s'en voulait d'avoir été aussi dupe ! Comment avait-elle pu vivre à côté de quelqu'un qu'elle croyait connaître et aimer, sans savoir qui il était ? Pourquoi avoir tant douté de lui, et pourquoi avoir fait confiance aux autres ? À ses parents, à Isaac Bouzaglo, et à Noam ? N'avait-elle aucun discernement ? Pourquoi n'avoir pas soupçonné en premier lieu Isaac Bouzaglo – l'ami-ennemi de son père ?

Hébétée, Esther regardait l'amulette, ce joyau immémorial dans la paume de sa main. La vérité lui brûlait les yeux.

Comment n'avait-elle pas soupçonné Isaac Bouzaglo ? Lui qui aimait et admirait son père autant qu'il le détestait. Lui qui était jaloux du choix de vie qu'il avait fait alors qu'il n'avait eu que des épreuves dans la sienne. Isaac Bouzaglo voulait tout ce qu'avait son père. *Peut-être même sa mère !* Et c'était lui, le serpent, le mauvais œil que Sol avait senti autour d'elle depuis le début, lui qui venait de l'entourage proche pour maudire la fête et l'arrêter, pour empêcher ce mariage d'avoir lieu. Il connaissait les liens qui avaient uni Esther à son fils, Noam. Et c'était lui qui, ayant tout orchestré, était venu la prévenir du désastre alors qu'elle était sur le balcon avec Noam. Comme il avait dû savourer son stratagème !

Elle croyait se libérer et elle n'avait fait que s'enchaîner davantage. Comment oserait-elle affronter le regard de Charles ? Comment lui dire, et comment ne pas lui dire ? Qu'elle regrettait, que si elle pouvait effacer cette nuit à jamais, elle donnerait tout pour le faire ; qu'elle s'en voulait horriblement et qu'elle lui demandait pardon pour tout ce qu'elle avait pensé, tout ce qu'elle avait fait, pour ses erreurs et ses fautes graves.

Non, elle ne le lui dirait pas. Elle garderait enfouie en elle sa culpabilité, d'avoir bafoué leur histoire, leur amour, et d'avoir trahi sa confiance. Elle croyait avoir perdu Charles, et au moment même où elle le retrouvait, tel qu'elle l'aimait, voilà qu'elle le perdait à nouveau !

Et pourquoi avait-il fallu en passer par la trahison pour comprendre qui il était ? Pourquoi avait-il fallu aller au fond du gouffre pour que surgît la vérité ? Ne pouvait-elle se livrer en pleine lumière, sans l'ombre des ténèbres ? Si elle n'avait pas été dans l'appartement de Noam, elle n'aurait jamais su la vérité. Pourquoi la vérité devait-elle connaître l'épreuve du mensonge, le masque de la trahison ? Comme elle se détestait à présent d'avoir agi ainsi ! Quelle était sa part de responsabilité et quelle était celle de la manipulation ? Et même s'il y avait eu manipulation, n'avait-elle donc aucun jugement, aucune force morale ?

Esther passa en revue l'inéluctable scénario. Ses parents mécontents de cette mésalliance, sa sœur jalouse, Sol angoissée à l'idée que ce mariage échouât comme le sien, puis la scène de l'amulette, la coupure de courant, sa disparition, sa rencontre avec Noam sur la terrasse, la venue d'Isaac, ensuite, tout s'était enchaîné, la dispute des familles, la rupture avec la sienne, la disparition de Charles offusqué de son soupçon, le mikvé, le rappel à l'héritage, la solitude jusqu'au moment où elle avait franchi la porte de Noam... comme si tout avait été agencé pour la fourvoyer. Certaines personnes qui étaient contre ce mariage avaient délibérément tiré profit de la situation. D'autres tentaient de rattraper les choses. Mais elle, qui était-elle dans tout cela ? Quelle était sa part de liberté, face au destin scellé par un chrour ? Était-ce l'œuvre de la terrible Yacot ? Quelle était la part de l'œil ? Et quelle était celle de son libre arbitre ?

Mais aussi, comment ne pas soupçonner Charles qui avait refusé de se laisser fouiller, et dès lors, comment ne pas le détester ? Comment ne pas se réfugier dans les bras de celui qui se présentait comme le consolateur, venu au bon moment, alors qu'il était le véritable coupable ? Tout le monde portait un masque : le masque de la vérité pour son père, le masque de l'innocence pour Isaac et Noam, le masque du mensonge pour Charles. Et derrière ces masques, derrière les personnages, se dissimulaient les vraies personnes : son père s'était trompé, Isaac et Noam avaient menti et volé, et Charles disait la vérité. Comment y voir clair dans ce monde de faux-semblants et d'apparences où personne n'était ce qu'il disait être ? Et elle, Esther, qui avait revêtu successivement tous les masques, celui de la fille aimante, de la fiancée, puis de la fille honnie, puis de la répudiée, puis de la séductrice en cette nuit fatidique, qui était-elle en vérité ?

Elle frissonna en pensant au mauvais œil. Leur mariage avait-il été maudit par Yacot, qui avait juré qu'ils s'aimeraient mais ne pourraient pas se marier ? Était-elle maudite comme sa grand-mère Sol ou avait-elle couru à sa perte seule, par bêtise, par manque de discernement, par ce tragique désespoir qui lui interdisait de faire ce qu'elle voulait vraiment ? Ce désespoir qui l'atteignait en cet instant, l'empêchant de faire un mouvement pour sortir, pour agir alors qu'il en était encore temps. Elle sombra dans une tristesse abyssale. Les mots du grand Gabirol lui revenaient en mémoire : « Mon Dieu ! qu'est-ce que l'homme, que tu le juges ? un fétu le fait reculer, une épine le blesse. » Et tous ces maux dont il s'accablait, comme ils étaient siens ! Une motte de terre, un vermisseau, une poussière, une pierre muette, une ombre transitoire, un souffle qui passe et qui ne revient plus, un aspic venimeux, une âme perverse, un cœur endurci, un orgueilleux enfiévré, un habile dans le mensonge et la fausseté, un arrogant, un irascible... « Qui suis-je ? Qu'est-ce que ma vie ? Qu'en est-il de mes hauts faits ? », se demandait-il en se lamentant sur son sort.

Et elle, qui était-elle sinon l'être mauvais qui avait, en si peu de temps, été injuste, orgueilleuse, violente, qui avait trompé, trahi, méprisé, qui s'était moquée de celui qu'elle aimait et, à travers lui, de l'amour tout entier, qui avait bafoué la cérémonie la plus sacrée et le cœur le plus pur, qui était révoltée, adultère ? Obstinée, dépravée, bornée et opiniâtre, impie, qui avait manqué à sa parole et à travers elle à toutes les paroles de bonté, qui était corrompue, et qui avait violé tous les préceptes. Comment en si peu de temps avait-elle pu commettre autant d'erreurs et de fautes ? Que valaient la sagesse et l'instruction dans lesquelles on l'avait soi-disant élevée ? Elle qui se pensait à l'abri du mal, comme elle se sentait coupable de tout le chagrin qu'elle avait dû causer à celui qui l'aimait. Que lui restait-il à présent ?

Elle avait tout perdu : l'estime pour son père qui l'avait égarée vers une mauvaise voie, l'amour de sa mère qui avait profité de la situation pour l'accaparer, tout comme sa sœur, et Charles, dont elle aurait du mal à affronter le regard désormais, et peut-être pendant toute sa vie. La culpabilité, toujours elle. La culpabilité l'avait rendue coupable. Elle avait tout perdu et elle se retrouvait seule comme jamais, seule au monde. Ses forces étaient brisées. Son désespoir était si intense que des torrents de larmes jaillissaient de ses yeux.

Esther était anéantie par elle-même, et sans l'ombre d'un espoir.

Cet être sans nom, sans visage, que l'on évoquait sans l'invoquer, que l'on ne savait définir que de façon négative, par ce qu'Il n'était pas plutôt que par ce qu'Il était, cet être dont on disait qu'Il serait ce qu'Il serait : Dieu existait-Il ? Saurait-Il sauver son être en péril ? Dans un désespoir si vertigineux, si négatif, si définitif, dans un vague à l'âme tel qu'il reniait tout ce qu'elle était et ce qu'elle avait fait jusque-là, allant jusqu'à nier la pertinence de sa vie, elle rencontrait l'incommensurable. Dans son vertige d'existante, il y avait l'existence même, cette absence...

La vérité était là : Dieu n'existait peut-être pas mais le Mal, oui. Dans l'infini de ce gouffre, il y avait l'Infini. Le Mal pesa sur elle au point d'écraser ce qui en elle restait debout. Il était bien plus fort qu'elle, qui n'était que fétu, poussière, simple anecdote de cette histoire immense qu'était l'histoire du monde. Le Mal lui préexistait et lui survivrait ; il était éternel et elle n'était rien. Que leur servait à tous, depuis des siècles, de chercher le secret de l'immortalité ? Le secret de l'immortalité résidait dans un seul être : le Mal. Et la seule possibilité pour l'être humain d'être éternel c'était de s'inscrire dans son histoire fatale. Le diable était immortel. En soumettant sa volonté à la sienne, elle s'immortalisait en même temps qu'elle s'immolait.

Esther se répéta cette phrase, qu'elle ne parvenait pas à comprendre : *l'amulette avait été volée par Isaac Bouzaglo.*

La vengeance ultime contre ce que lui avait fait Moïse – mais que lui avait-il fait ? Il ne l'avait pas suivi en Israël. Il avait été plus heureux que lui. Non. Il s'agissait de quelque chose de bien plus grave. Lui revinrent alors en mémoire tous les regards d'Isaac pour Suzanne, lorsqu'il venait voir Moïse. Et l'attitude de Suzanne, aussi, à la fois flattée et effrayée. Cette étrange proximité entre eux, cette connivence qui n'appartient qu'à ceux qui furent... amants.

Amants. À ce mot, elle frissonna. Amants, comme elle et Noam. Amants, la veille de son mariage. Amants... Avant qu'elle n'épousât Moïse, et qu'elle tombât enceinte d'Esther.

Prenant l'amulette dans ses mains, elle sortit sur le balcon. La tête lui tournait, elle avait le vertige.

Elle crut s'évanouir. À ses pieds, en bas, la ville. Toute petite. Les voitures comme des taches de lumière dans l'aube naissante. Devant elle, la mer, à perte de vue. La mer bombée à la surface de la Terre, dans le flux et le reflux du soleil qui se levait comme une boule rouge reflétée dans son immensité. La mer étoilée l'appelait, afin qu'elle se fondît en elle à jamais.

Elle était si haut. Et soudain, le vide l'aspira. Elle regarda ses mains qui tenaient l'amulette, ces mains tremblantes, ces mains coupables. Et son corps de plomb aspiré par le vide, ce corps qui lui faisait horreur, qui la dégoûtait, il lui fallait s'en débarrasser.

5.

Jacob Tolédano

Jacob Tolédano n'était pas content de ce qu'il avait entendu sur les juifs de Meknès de la bouche de Saadia, le grand-père de la mariée. Il n'appréciait pas son mépris des Meknassis. Surtout, il avait le sens de la famille. Et il appartenait, plus qu'à une famille, à une dynastie : cela signifiait qu'il considérait sa valeur personnelle comme un héritage légué par ses ancêtres, et c'était la raison pour laquelle il se sentait terriblement offensé par ce qu'il avait entendu. La famille, c'était naturel, constitutif de l'identité, c'était une évidence comme le fait de respirer ou de manger, cela faisait partie de soi. La veille, il était allé pèleriner sur la tombe du rabbin vénéré de tous les Marocains, l'immense Baba Salé. Il n'avait pas fait de pèlerinage depuis très longtemps. La dernière fois, c'était au Maroc, il avait parcouru l'allée des Tombes.

Il se souvenait de la Hilloula du rabbi Chalom Malka, à Meknès, du temps où il était enfant.

Chacun se préparait, fermait boutique et maison, retirait ses enfants de l'école ; et jeunes et vieux, malades et bien-portants se mettaient en route à dos de mulet, en charrette, en automobile ou en camion, avec matelas, ustensiles de cuisine et provisions. Rien n'arrêtait les pèlerins, ni la pous-

sière des sentiers, ni la fatigue, ni le soleil. La petite population se pressait autour du mausolée. Les pèlerins venaient de
Marrakech, Casablanca, Rabat, Tanger, de toutes les villes et
tous les villages du Maroc : il était impossible de trouver une
chambre à louer. Aussi certains dormaient-ils dans des tentes
ou à la belle étoile.

Ici, en Israël, c'était presque comme là-bas : la veillée, les
chants, l'orchestre andalou, et l'officiant à la voix d'or qui
clamait son chant venu du fond des âges, et tout le monde
de l'accompagner en battant des mains. Près de la tombe, un
feu brûlait en plein air, alimenté par les bougies. Tout autour,
les pèlerins priaient. Ils priaient sur les tombeaux, remer-
ciaient l'Éternel d'être bien portants, ou priaient le saint
d'intercéder auprès du Créateur pour obtenir la guérison
d'une maladie, les aveugles pour recouvrer la vue, les paraly-
tiques le mouvement, les femmes stériles la fertilité. Et parfois, un malade était guéri, un vœu était exaucé, et partout on
entendait les cris « au miracle », et la nouvelle se propageait à
grande vitesse, de proche en proche, de ville en village, jusqu'à l'année suivante, où les pèlerins venaient encore plus
nombreux là où le miracle avait eu lieu.

Et ici, en terre d'Israël, Jacob les retrouvait enfin. Tous les
rabbins vénérés du Maroc, les sages, les saints.

Rabbi Israel Abehassera, dit Baba Salé, était né à la fin du
XIXᵉ siècle dans un petit village du Sud marocain, au Tafilalet.
Enfant, il avait fait preuve d'une intelligence et d'une maturité exceptionnelles. À dix-sept ans déjà, il prenait la direction de la yéchiva qui portait le nom de son grand-père. À
vingt-huit ans, il était nommé juge au tribunal rabbinique. Il
partit pour Israël à soixante-treize ans.

Tout comme son ancêtre l'illustre rabbin Yacov, Baba Salé était un éminent cabaliste voué à la méditation et à la contemplation. En Israël, son domicile était ouvert à tous, et les adeptes affluaient de tous les coins du pays. Il recevait chacun, écoutait son récit, sa demande, le bénissait, lui donnait une bouteille d'eau bénite par lui et le renforçait dans sa foi. Mais il expliquait que cette eau du robinet n'avait pas de pouvoir magique. Elle était juste le symbole de sa bénédiction.

Tant de rabbins, ayant accompli des miracles, tant de maîtres du Maroc, qui, dans leur foi ardente, étaient partis pour Jérusalem, à des époques où le voyage était long et pénible. Oui, en ce moment entre tous, où son âme était si mélancolique, il avait eu besoin de se recueillir et peut-être, dans les tréfonds de son cœur, trouverait-il la réponse à sa question, avant que la nuit ne tombât, avant qu'il ne fût trop tard. Certains venaient sur les tombes pour s'adresser aux morts, et leur faire des suppliques. N'était-il pas interdit par la Torah de s'adresser à des morts ? Mais ce n'était pas ce que recherchait Jacob : il savait bien que les morts n'ont aucun pouvoir. Et pourtant, au fond de lui, il pensait qu'ils pouvaient peut-être intervenir en sa faveur, tout comme les anges.

Le Zohar disait que les justes disparus n'étaient pas considérés comme décédés, mais comme vivants. C'est pourquoi il arrivait à certains cabalistes de visiter les divers tombeaux de Galilée durant des semaines, en compagnie de plusieurs dizaines de disciples. Et tous étaient morts peu après leur arrivée en terre d'Israël, comme Judah Halèvy, comme Abouhatséra, comme Ram'hal, ou le Chla, car ils étaient enfin parvenus à destination. Et lui, à présent, il sentait sa mort proche. Depuis qu'il avait posé le pied en Israël pour le mariage de son petit-fils, il était saisi d'angoisse.

Tant de rabbins, pensa Jacob, et que restait-il d'eux ? Leurs livres, leurs enseignements, leurs paroles, de génération en génération, une tradition comme un fil rouge qui ne s'était jamais rompu depuis l'inhumation de leurs corps. Qu'allait devenir ce fil de la connaissance en cette époque de si grand changement ? Si lui connaissait les paroles de tous ces rabbins, qu'en était-il de son petit-fils ? Et de ses arrière-petits-enfants ? À son fils Michel, il avait enseigné toutes ces choses, mais en partant pour la France, happé par le monde de la politique, lui-même n'avait pas réussi à les transmettre à ses fils. Ni Ary ni Charles n'avaient ouvert un livre de la Torah depuis leur bar-mitsvah. Pourquoi cette brusque déperdition ? Était-ce sa faute à lui, Jacob Tolédano, si ses petits-fils étaient ignorants ? Il avait su transmettre à son fils tout son savoir, mais il n'avait pas su transmettre la transmission. Alors oui, c'était sa faute. Quelque chose, par lui, n'était pas passé. Quelque chose qui avait perduré pendant des générations et des générations, infailliblement, et là s'était brisé. Sans doute à cause de lui. Mais pourquoi ? En quoi était-il différent de son père et de son grand-père, et du grand-père de son grand-père ? En quoi avait-il failli ? Allait-il mourir sur le constat de cet échec : l'absence cruelle de l'immortalité ? Allait-il mourir sans laisser de traces ? Pourquoi n'avait-il pas réussi à perpétuer cette flamme, qui s'éteignait, peu à peu, de son fils à son petit-fils, de son petit-fils à son arrière-petit-fils ? Était-il le dernier des Tolédano ? Qu'adviendrait-il après sa mort, lorsqu'il aurait emporté ses secrets dans la tombe ?

Comme il était triste de voir que ses petits-enfants n'avaient pas de temps à consacrer à la religion. Il comprenait bien qu'à Paris, à Strasbourg, aujourd'hui, avec le travail, c'était difficile. Au Maroc, les gens avaient la possibilité de se consacrer au devoir religieux. Toute leur vie était structurée par le judaïsme. Jadis, autour de lui, tout était touché par la religion : le besoin de nourriture, la sexualité, ou la procréation, étaient l'empreinte de la tradition. Ils trouvaient dans la tradition écrite et orale du judaïsme, non seulement des prescriptions d'ordre religieux, mais aussi une hygiène, des règles de comportement envers autrui, la famille, la nature et les animaux. Pendant son enfance, Jacob allait à la synagogue deux fois par jour – la synagogue, d'ailleurs, était aussi dans sa maison, où l'on étudiait la Bible, le Talmud et le Zohar, où l'on faisait le chabbat et les fêtes, en référence constante à l'histoire juive, à la Bible et au rêve de retour en Terre sainte. Par tout cela, Dieu avait ordonné, réglé son monde, délimité son présent, son passé et son futur, il avait établi des cadres de référence immuables. Au Maroc, il n'y avait pas de religion, au sens où tout était religion. La banalisation de la religion rendait la vie moins monotone, et lui donnait du goût en la rythmant de son calendrier bien précis. En France, c'était différent.

Depuis qu'il était arrivé en Israël, Jacob n'avait qu'une seule idée, une seule obsession : à qui parler du secret ? À qui transmettre le secret de son père, et du père de son père Shimon Tolédano avant de mourir ?

Il pensa à son fils Michel, qui ne respectait plus scrupuleusement le chabbat. Il avait le désir de se mélanger au monde extérieur, il voulait s'intégrer.

S'il lui était trop difficile de pratiquer, s'il désirait goûter un grand cru avec des amis ou des relations professionnelles, s'il devait voyager le jour de chabbat, s'il devait prendre le téléphone, il le faisait. Malheureusement, la tradition ne s'accommode pas de cet à-peu-près. C'est dans le détail que réside le secret de sa survie. Michel se mit à travailler le chabbat, et accepta que ses enfants aillent au lycée le samedi, tout en respectant les autres prescriptions, celles qui ne le gênaient pas. Après avoir quitté la maison, aucun de ses enfants ne respecta plus le chabbat. Et c'était un miracle – ou un hasard – si Charles épousait une femme juive.

Jacob aimait Michel, mais il connaissait ses limites. Ce n'était pas des limites religieuses, mais spirituelles. Michel n'avait tout simplement pas de goût pour ces choses-là. Pas plus que sa femme, Arlette, qui ne pensait qu'à s'habiller et à faire de la chirurgie esthétique. Non, ce ne serait pas Michel qui recueillerait le secret de rabbi Shimon ; non parce qu'il n'était pas assez pieux, mais parce qu'il n'était pas à la hauteur. Il était habile politicien, charmant convive, roi de la relation sociale, et en vertu de cela, l'ami intime des rois du Maroc, mais il n'avait pas la flamme et ce ne serait pas lui qui pourrait porter le flambeau.

Il pensa à son petit-fils Ary, mais celui-ci était plus préoccupé par le golf que par la tradition de ses ancêtres, qui représentait pour lui une sorte de folklore amusant et extérieur. Il était devenu ce que l'on appelle « un juif de Kippour ».

Il restait Charles... mais Charles était le pire de tous. Charles était totalement en dehors de la religion. Il connaissait toutes les coutumes et les lois et il se faisait un malin plaisir de ne pas les respecter, prétendant qu'il n'était pas du tout concerné. Il ne mangeait pas cacher et, chose incroyable, il n'avait rien contre le porc. Charles ne respectait pas la religion transmise par son père qui ne la respectait pas.

Jacob était étonné que Charles pût épouser une femme juive, alors que d'ordinaire, il ne sortait qu'avec des non-juives. Il était le plus révolté, le plus remonté des trois. En plus, c'était un provocateur qui, dans ses spectacles, n'arrêtait pas de railler la culture juive sépharade.

Et pourtant, il le savait, Charles était le seul. Même s'il n'avait pas la trempe, la flamme… Il était le seul à pouvoir le faire, à pouvoir transmettre… Son esprit en révolte ne le savait pas, mais lui, Jacob, le savait…

Charles le comique, le beau, le charismatique, le rebelle, et pourtant, quelque chose lui disait que c'était lui qu'il fallait choisir, lui et pas un autre. Charles allait se marier, et c'était l'occasion ou jamais de lui délivrer le secret.

C'est la raison pour laquelle il lui avait donné rendez-vous, juste avant la cérémonie du henné, sur la promenade de la Tayelet, à Tel-Aviv. Et il lui avait remis le précieux paquet… celui qui contenait le trésor de son père, le vénéré rabbi Shimon.

– C'est mon cadeau pour votre mariage, avait dit Jacob. Charlie, mon petit-fils, il est temps pour moi de te donner ce que j'ai reçu de mon père, afin que tu le donnes toi-même à tes enfants lorsque tu en auras, avec l'aide de Dieu.

– Oui, Papy, avait dit Charles, attentif.

– Sais-tu à quand remonte la généalogie de notre famille ?

– Oui, Papy.

– Tu n'as pas oublié ?

– Je n'ai pas oublié.

– Tu te souviens, lorsque toi et moi on allait à la synagogue ?

– Bien sûr, je me souviens.

– Et des histoires que je te racontais sur le mellah ?

– C'est de ces histoires que je m'inspire pour mes sketches, Papy.

– On rigolait bien, toi et moi ?

– C'est toi qui m'as appris à rire, Papy.

– Et ta bar-mitsvah, tu t'en souviens ?

– Oui, Papy. C'est toi qui m'as appris à lire la Torah.

– Ta Sidra, c'était le rire de Sarah. Ça tombait bien…

– Sarah a ri lorsque les anges lui ont annoncé qu'elle allait avoir un enfant, à plus de quatre-vingt-dix ans.

– Avoue que c'était une bonne blague.

– Et pourtant, c'était sérieux.

– Il n'y a rien de plus sérieux que le rire.

– Je sais, Papy. C'est pour ça que je fais rire les gens.

– Pourquoi Charlie ? Pourquoi tu as tout laissé tomber ? Toi qui mettais les téfilins tous les matins ? Que s'est-il passé pour que tu en viennes là ?

– J'ai arrêté de mettre les téfilins, Papy, parce que personne autour de moi ne les mettait, même pas mon frère, même pas mon père. J'ai arrêté de manger cacher parce que j'ai toujours vu mes parents ne pas manger cacher, du moins en dehors de la maison, et donc ce n'était pas une rébellion pour moi. J'ai mangé du porc parce que tous mes amis mangent du porc, et que j'en avais marre de manger du saumon à l'oseille, et d'être différent, il faut être dans une lutte permanente contre soi et contre les autres pour pratiquer, et je ne voulais plus être en lutte, je voulais être bien, dans mon pays, bien dans ma peau, sans me poser de questions existentielles.

» Je ne voyais pas pourquoi je n'aurais pas ce que les autres ont, du fromage après la viande, de belles tranches de jambon. Je suis sorti avec des femmes non juives parce que je voulais être comme les autres et avoir ce qu'ils ont, et pas moins qu'eux, et aussi parce que statistiquement, il y a beaucoup moins de chances de rencontrer des juifs que des goys. Et puis, j'ai rencontré Esther. Ça m'est tombé dessus sans que je comprenne ce qui m'arrive. Ni pourquoi ni comment, j'étais amoureux d'elle, alors qu'elle représentait tout ce que j'avais quitté sans le quitter vraiment, mais juste parce que c'était ce que les autres faisaient. Et avec elle, Papy, tout me revient, je te jure que tout me revient, parce que en fait, je n'ai jamais rien quitté.

– Quelle drôle de vie que la vôtre, dit Jacob. Comme c'était différent, nous ! On n'osait pas sortir de la maison, et il n'était pas question de manger dehors !

– C'est le monde moderne. C'est notre monde qui a changé en une génération. Internet. Les téléphones portables. Une révolution des mœurs. Les gens ne vivent plus dans les villages, ils circulent et ils sont seuls.

– Il a fallu tout ce temps depuis des générations, rabbins de père en fils, jusqu'à moi, ton père et toi, qui inaugurons la première lignée sans aucun rabbin. Et je t'ai dit combien il a été difficile pour ces générations de rabbins de venir sur la terre d'Israël, qui était leur rêve à tous ! Cependant il ne m'a pas échappé que tu as choisi de te marier en Israël, ce n'est pas le fruit du hasard. N'est-ce pas, Charlie ?

– Non, grand-père, tu sais bien que non.

– C'est vrai, Charlie ?

– J'ai beaucoup réfléchi avant de me marier, et avant de venir ici. Je n'ai rien fait à la légère. Comme tu le dis, il n'y a rien de plus sérieux que le comique. J'ai réfléchi sérieusement.

– Eh bien c'est ici, en terre d'Israël, avant ton mariage, que je désire te transmettre le secret des Tolédano.

– Quel secret ? De quoi parles-tu ? avait demandé Charles, intrigué.

Et c'est ainsi que Jacob Tolédano avait remis le précieux paquet à son petit-fils Charles.

6.

Sur les bords de la Menara

C'était il y avait cinquante ans.

Le vent soufflait fort ce soir-là sur la ville de Mogador.

Il soufflait sur les remparts, les canons de la Skala, grande place fortifiée sur l'océan, sur les îles Purpuraires, sur le fort portugais, s'engouffrait dans les rues étroites où les artisans travaillaient le bois de thuya au parfum caractéristique.

Le brouillard s'était dissipé pour laisser place au vent qui rend fou. L'agitation du crépuscule, lorsque les chalutiers rapportent leur cargaison de poissons et de sardines, s'était apaisée, le soir venu, lorsque les rues se vident, que les synagogues bleues et blanches ferment leurs portes sur les derniers fidèles, et que les habitants se réfugient dans leurs maisons.

Le vent venu d'ailleurs, de quelque pays lointain et maléfique, le vent s'engouffrait dans les remparts, les récifs sur lesquels venaient s'écraser les vagues, le vent comme mille furies déchaînées, comme un chœur de djnouns hurlant au clair de lune. Le vent sur la ville entre désert et océan, au sifflement strident qui perçait les oreilles des passants, soulevait les chapeaux, les robes, fouettait les longues djellabas, bousculait les silhouettes comme des marionnettes, le vent si fort qu'il rendait folle la ville, le vent s'était levé, semblait-il, pour ne jamais repartir. Et soudain la clameur, la mer qui monte, sauvage, à l'assaut des remparts.

Et la ville entière bruissait des rumeurs apportées du désert, la ville blanche attendait dans son écrin de verdure, recroquevillée sous la tempête, et la route qui serpentait à travers les forêts d'arganiers charriait les invités venus de Marrakech et de Casablanca pour assister à l'événement qui avait lieu ce soir-là : Sol Pinto allait se marier.

Et Sol, du haut des remparts, appuyée sur un canon, regardait l'horizon, les yeux séchés par le vent, piqués par les embruns, salés de mer et de larmes mélangées. Et Sol en une morne attitude affrontait le vent qui malmenait ses cheveux et faisait valser sa robe, et regardait l'horizon où elle aurait voulu s'échapper.

La mer immense l'appelait, l'invitait à prendre le large, sur un bateau ou à la nage, la mer froide l'attirait, comme lorsque enfant elle y plongeait sans prendre garde, elle aurait voulu s'y noyer, et ne jamais revenir. La mer déchaînée venait la chercher jusque derrière les remparts, et elle lui léchait la robe. Elle aurait pu faire un pas devant les canons, elle aurait rejoint son ombre. Elle y aurait déployé sa robe pourpre qui l'aurait entraînée vers les profondeurs marines. Elle aurait été aspirée par l'océan, accueillant et hostile comme une mère. Elle se serait laissé entraîner sans un geste comme elle se laisserait faire par la vie qui l'attendait désormais.

On avait préparé la meilleure huile de Mogador, l'huile d'argan, extraite des noyaux des fruits des arbousiers, triés, concassés un à un au marteau afin d'en récolter les amandes qui étaient ensuite légèrement grillées, puis écrasées dans une meule en pierre pour obtenir une pâte épaisse et jaune.

Et on l'avait préparée, elle aussi, parée de la lourde robe rouge, on lui avait cassé un œuf sur la tête, en lui souhaitant une heureuse destinée, on avait posé le henné sur ses mains en signe de chance et de purification, pendant que jouaient les musiciens, et on l'avait conduite au bain rituel, dans lequel elle s'était immergée pour oublier tous les tourments et les bonheurs de sa vie passée.

Et bientôt ce serait la cérémonie et les bénédictions, la coupe de vin et le fiancé, qui placerait à l'index droit de sa promise une bague sans défaut et il prononcerait la formule : « Te voilà sacrée pour moi par cette bague selon la loi de Moïse et la loi d'Israël. » Et avec la deuxième coupe, le rabbin dirait les bénédictions : « Que ce couple uni par les sentiments les plus purs se réjouisse comme Adam et Ève se réjouissaient dans l'Éden, que l'Éternel soit béni, qui a créé la joie, l'allégresse, le fiancé, la fiancée, l'amour et la fraternité, les délices et les plaisirs, l'amitié et la paix. Et bientôt qu'on entende dans les villes de Juda et dans les rues de Jérusalem la voix de la joie, la voix de l'allégresse, la voix du fiancé et la voix de la fiancée, la voix de la réjouissance qui précède les fiancés sortant de leur festin, et celle des jeunes gens qui sortent des concerts. »

Et voilà qu'en ce jour consacré, Sol se disait qu'elle ne connaîtrait ni l'allégresse ni la joie, ni la réjouissance, en ce jour où sa vie se jouait en dehors du bonheur, dans le chemin tout tracé que désormais elle allait emprunter, celui du mariage, de la cuisine, des enfants et des petits-enfants, sans l'amour d'un homme.

Et pourtant, elle l'avait connu, durant quelques minutes, le bonheur absolu.

Dix ans s'étaient écoulés depuis les noces d'enfants avec Jacob Tolédano.

Sol était devenue une belle jeune femme, aux joues roses et au regard sombre sous une cascade de cheveux noirs. Petite, menue, élégante, elle avait un visage altier aux pommettes hautes, aux sourcils dessinés et aux lèvres fines. Elle était belle, oui, lorsqu'on la voyait de face mais, dès qu'elle se retournait, on remarquait sa difformité : elle était voûtée, à cause de cette chute.

Sol vivait toujours à Mogador, sa ville natale, qu'elle n'avait plus guère quittée depuis la tragédie. Ses parents habitaient une belle demeure, avec fauteuils et lits à baldaquin, recouverts de velours, de brocart et de soie. À l'instar de sa famille, elle était une vraie *souiriya*, une habitante de la ville de Mogador. Elle en avait le geste et la manière : elle cultivait une attitude et un parler un peu précieux, à mi-chemin entre l'arabe et l'anglais, « Ne'ebibask, *sit down* », disait-on à la Casbah, pour honorer un hôte. Elle accompagnait fièrement son père au Café de France où il aimait à se montrer en col cassé, redingote et gilet, duquel pendait sa montre à gousset. Les jours de fête, il portait le frac anglais ou l'habit à queue de pie, avec son chapeau haut de forme, ses bottines et ses guêtres. Il prenait son thé servi avec un nuage de lait par les garçons aux cheveux gominés et aux plastrons amidonnés, ou par le patron lui-même, qui apportait le plateau avec souplesse, en vareuse blanche.

Sol, intelligente et travailleuse, avait appris la couture : elle adorait broder des coussins et créait de somptueux tableaux de fleurs. Elle savait tricoter, crocheter et coudre, et dessinait elle-même les patrons de ses robes. Suivant de près la mode, elle avait un talent et une passion pour les vêtements. Toutes ses amies enviaient les tenues qu'elle cousait pour sa mère, ses sœurs et elle-même, et qui faisaient d'elles les femmes les plus élégantes de Mogador.

Sol, jeune femme accomplie, chantait, dansait, jouait du piano, et pourtant, elle était déjà marquée à jamais. À chaque moment, sa bosse venait lui rappeler que le mauvais œil l'avait frappée : elle ne serait jamais comme les autres jeunes filles de Mogador. Malgré son statut avantageux d'aristocrate mogadorienne, elle n'était pas facile à marier : ses parents se faisaient du souci pour elle. Souvent, Sol allait promener sa tristesse au bord de la mer, sur le port, où accostaient les chalutiers, les bateaux et les barques de pêche, sous un ciel bleu traversé du vol des mouettes. Dans un brouhaha formidable, les pêcheurs déchargeaient le poisson, les paniers de sardines qu'ils feraient griller sur le port. Sol regardait les barques aux teintes vives, bleu, ocre ou rouge sang, collées les unes aux autres par manque de place, entrechoquées par un doux clapotis. Elle était profondément attachée à sa ville. Elle en connaissait chaque rue, chaque rempart, chaque minaret, chaque synagogue blanche et bleue, chaque maison. Elle avançait entre les remparts aux tours de protection ornées de canons, elle faisait de longues marches sur la plage jusqu'au fort portugais, dont l'ombre se détachait dans le brouillard épais et traître qui obscurcissait souvent la ville.

Elle tenait son chapeau, enivrée d'embruns, les oreilles transpercées par le sifflement strident du vent. Pendant des heures, son regard se posait sur les vagues qui venaient s'écraser avec violence contre les remparts. Et elle, entre terre et mer, se sentait en communion avec les éléments. Elle se sentait un cœur ardent, un cœur pour aimer. Elle se voyait

heureuse avec un mari à redingote et des enfants en barboteuses roses et bleues assorties à leurs petits bonnets, qu'elle
tricoterait elle-même. Mais c'était juste des rêves. Elle savait
bien que pour une femme, il n'était pas question de choisir
son mari, et que ses parents seraient les plus aptes à décider
qui allait épouser leur fille. Elle ignorait alors que la vie ne lui
offrirait pas cette chance et qu'il lui faudrait se marier sans
amour, avoir des enfants sans croiser le tendre regard d'un
époux.

Pourtant, juste avant son mariage elle connut ce bref
moment de bonheur qu'elle garderait en elle comme le plus
beau moment de sa vie. C'était à l'occasion de la Mimouna :
la fin de la fête de Pessah, qui célèbre la sortie des hébreux
d'Égypte, et qui, chez les juifs marocains, donne lieu à une
fête spécifique, directement inspirée par la Cabale, qui stipule que le Messie doit arriver à la fin de la fête de Pâque.
Pour attendre dignement ce dernier, ils restaient éveillés
toute la nuit, avec musique, danse, et force pâtisseries. Et
toute la nuit, les familles passaient de maison en maison où
les attendaient couscous, miel, feuilles de salade et bénédictions messianiques.

Les Pinto étaient allés à Marrakech pour célébrer la fête
chez des amis qui les avaient invités. Dans leur maison nettoyée, rénovée, débarrassée de la moindre poussière, s'étalaient les pâtisseries à base de pâte d'amandes, de miel et
d'huile, dignes des *Mille et Une Nuits*. Sur la table s'alignaient
verdure, lait, beurre, miel, pain de sucre, poissons, épis de
blé, plats de farine décorés de branches de fèves, de louis
d'or et de bijoux, ainsi que gâteaux de toutes sortes. Le pain
azyme était mélangé à du miel de beurre et de l'eau chaude,
dans une savoureuse recette appelée *sonotono*. La famille

Pinto était là, au grand complet, sous l'égide de Joseph Pinto, tous occupés à se faire les vœux d'usage : *Terbho*[1] *ou Tsé'do*[2].

Le patriarche avait l'habitude de bénir toute la famille, et de donner à chacun une feuille de laitue trempée dans du miel. Puis on mangeait les mofletas, sortes de crêpes délicieuses, avec du beurre et du miel, du couscous au beurre, de la *merouzia* (confiture à base de raisins secs), ou du nougat mou aux noix. Tous les ingrédients étaient apportés et confectionnés par les bonnes arabes qui connaissaient la coutume, puisqu'il était interdit d'acheter de la farine avant la tombée de la nuit.

Or il se trouvait que les Tolédano avaient également été invités à passer Pessah chez d'autres amis à Marrakech. Et c'est ainsi que les deux familles se croisèrent par hasard.

Lorsque Joseph Pinto vit rabbi Shimon Tolédano, son sang se glaça dans ses veines. Les deux hommes se toisèrent, et pendant un instant, le malaise fut si grand que toute la salle se figea, comme six ans auparavant.

D'un regard, Joseph fit signe à sa femme qu'il fallait partir. Alors que la famille se dirigeait vers la sortie, le regard de Sol croisa celui de Jacob, et l'espace de quelques secondes qui durèrent l'éternité, ils se dirent sans se parler tout ce qu'ils avaient à se dire : qu'ils s'aimaient, qu'ils n'avaient pas cessé de penser l'un à l'autre, et que jamais plus ils ne cesseraient de le faire, même si la vie à nouveau devait les séparer pour l'éternité.

---

1. « Soyez bénis et réjouissez-vous. »
2. « Que vous gagniez. »

Le lendemain matin, la coutume était de se rendre dans un jardin ou à la campagne pour accomplir la bénédiction des arbres afin de célébrer le renouveau de la nature, de déjeuner sur l'herbe et de se tremper les pieds dans l'eau.

La famille Pinto était arrivée en calèche à la Menara. À l'entrée du parc, un garde coiffé d'un chèche rouge, et portant un sabre autour du buste, les laissa entrer. Ils marchèrent dans les longues allées, à l'ombre des orangers, citronniers et oliviers à l'odeur délicieuse. De nombreuses familles s'étaient installées sur les pelouses avec leurs couvertures et leur gril, ainsi que le réchaud où ils faisaient bouillir de l'eau pour le thé qu'ils servaient avec de la menthe et des petits-fours secs confectionnés à la maison. Les familles s'invitaient, pour discuter, rire et deviser, jeunes et vieux mélangés. Un gramophone laissait entendre la voix de Tino Rossi. L'odeur de la viande hachée grillée à l'ail et au cumin, les *keftas*, se répandit bientôt sous les feuillages, pour la plus grande joie des enfants et des parents, cousins, cousines, amis… Les enfants couraient à droite et à gauche, et jouaient à faire le tour du bassin.

De l'autre côté, les Tolédano étaient là, ils étaient partis tôt à cause de la chaleur, pour être les premiers à choisir une place à l'ombre.

Sur les bords de la Menara, dans une palmeraie, était un petit palais arabe aux tuiles vertes et brillantes, un palais vide désormais. Un sultan y vivait autrefois, qui y prenait le frais en de longues promenades nocturnes, dans sa barque voguant sur la pièce d'eau. On raconte qu'il y donnait des rendez-vous à des jeunes femmes, et qu'après avoir passé la nuit avec elles, il les jetait dans le bassin.

Tout autour de l'eau aux mille reflets, se dressaient des oliviers centenaires aux troncs noueux et aux feuilles vert argenté. Un mur en pisé entourait le jardin et ses trésors, le tout formant un tableau de l'harmonie céleste sur la Terre. Ce palais posé sur l'eau, ce jardin luxuriant autour, c'était le raffinement extrême dans la simplicité, la quiétude et la paix de l'âme. Au coucher du soleil, lorsque le palais se prolongeait, immense, dans les eaux immobiles du grand bassin, devant les hauts sommets enneigés de l'Atlas, on ne pouvait qu'être envoûté par la magie du lieu et de l'instant.

Des architectes almohades avaient construit ce paysage de rêve. Un système souterrain de canalisations complexes apportait des séguias, des khettaras et aussi l'eau de pluie. L'eau stockée était versée dans le bassin grâce à la déclivité du sol, et s'écoulait parmi les oliviers et les palmiers majestueux qui déployaient leur ombre.

Sol était là, belle dans sa robe blanche. Jacob, de l'autre côté du bassin, la reconnut aussitôt. Il l'observait sans pouvoir en détacher ses yeux. Sa robe vaporeuse tournoyait autour d'elle lorsqu'elle se levait, et formait une corolle lorsqu'elle s'asseyait sagement sur le sol autour du déjeuner familial. Elle aussi l'avait vu.

Jacob aurait voulu traverser le bassin à la nage pour la rejoindre tout de suite. Il se leva et commença à marcher seul le long de l'eau. Comme hypnotisée, elle fit le même chemin, face à lui.

Au bout du bassin, ils s'avancèrent l'un vers l'autre, à petits pas, comme aimantés. Au moment de se croiser, ils ralentirent et se firent face. Sans un mot, ils se regardèrent. Jacob fit un pas vers Sol, lui effleura la main, qu'elle ne retira pas.

– Sol ! dit-il. Tu n'as pas changé… Tu es belle ! Encore plus belle qu'avant !

– Comment vas-tu, Jacob, depuis tout ce temps ?

– … Et toi, Sol ?

– Où vis-tu ? Toujours à Meknès ?

– Toujours… Nous sommes venus passer la fin des fêtes à Marrakech. Et toi, toujours à Mogador ?

– Oui. Moi aussi, je ne suis ici que pour quelques jours.

Jacob la dévorait du regard.

– Quel hasard, n'est-ce pas ? dit-il.

– Il n'y a pas de hasard, dit Sol. Rien de ce qui est arrivé n'est le fruit du hasard.

– Je ne t'ai jamais dit, Sol, murmura Jacob, à quel point je suis désolé pour ce qui s'est passé. Tout est allé si vite, n'est-ce pas ? Je profite de cette occasion pour te demander de me pardonner…

– Tu es pardonné ! Je dois partir maintenant, ajouta-t-elle, en jetant un regard en direction de ses parents. Ils nous regardent.

– Ils nous regardent, et alors ? Reste encore un peu, je dois te parler.

Elle le contempla calmement, même si, dans son cœur, elle frissonnait, et craignait que ses parents n'interviennent, et ne rompent l'intensité de cet instant où cet homme la regardait comme personne ne l'avait jamais regardée.

– J'ai souvent pensé à toi… Je ne t'ai jamais oubliée, Sol. Je ne pensais pas te revoir un jour, mais puisque c'est ainsi… (Il avait plongé ses yeux dans les siens.) Où puis-je te revoir, Sol ? murmura-t-il, et en se rapprochant, il lui effleura l'épaule de la main.

– Me revoir ? Mais pourquoi ?

– Je voudrais te connaître mieux… Je peux rester encore quelques jours ici.

– Je ne peux pas, Jacob. Je repars demain. Je ne suis pas libre, tu sais bien.

– Je t'aime ! Je t'ai aimée dès le premier regard.

Sol le regarda, éperdue.

– Il ne faut pas dire ça ! C'est péché !

– C'est péché de s'aimer ?

– Non.

– M'aimes-tu, Sol ?

– Je me marie, Jacob, la semaine prochaine.

Jacob parut submergé d'un désespoir fou. Comment remettre en cause le poids de la famille et des traditions ? La toute-puissance des parents ?

– Moi, j'espérais toujours... J'espérais tant te revoir. Je n'ai jamais cessé de penser à toi.

– Moi non plus, Jacob, murmura Sol, alors que son cœur battait à se rompre.

– Je t'aime, je t'aime à la folie.

– Je t'aime aussi !

– Je t'ai aimée dès que je t'ai vue, alors que tu n'étais qu'une enfant.

– Je t'ai aimé au premier regard.

Leurs yeux ne pouvaient se quitter, bouleversés, comme hypnotisés.

– Alors, dit Jacob, partons ! Partons ensemble... Je t'épouse, moi, la semaine prochaine, ou demain si tu le veux.

– Je ne peux pas... Ma famille ne me le permettrait jamais. Les tiens et les miens se détestent à présent.

– Nous fuirons ailleurs ! dit Jacob. On ira en France, ou en Amérique. Je travaille à la base américaine maintenant, près de Port-Lyautey, je connais des gens là-bas, des Américains. On ira vivre loin d'eux, loin de tout, à New York.

– Nous n'irons nulle part. Que sommes-nous sans notre famille ? Que ferions-nous, seuls, sans nos parents ? Vers quel malheur veux-tu nous entraîner ?

– Je suis prêt à en prendre le risque, dit Jacob.

Sol hocha la tête avec résignation.

– Ils n'accepteront jamais. Mon père en veut à ton père, et à tout Meknès !

– Ton père a tort. Ne l'écoute pas.

– Je ne peux pas contredire la parole de mon père, je préfère mourir !

Les larmes coulaient, deux grosses larmes le long de ses joues, que Jacob essuya de la main, avant de les porter à ses lèvres, pour goûter un peu d'elle, et prendre encore ce qu'il pouvait prendre, avant que tout ne fût fini.

Tout à coup, le soleil disparut sous d'énormes nuages, chargés d'orage. Et soudain, la pluie tomba à verse, en même temps que des éclairs déchiraient le ciel.

– Je dois partir, dit Sol en s'éloignant.

– Je ne cesserai jamais de t'aimer, Sol ! cria Jacob. Et je promets que si la vie nous met à nouveau sur le chemin l'un de l'autre, je te jure, quels que soient les obstacles, quels qu'ils soient, je te jure que je ne te laisserai plus partir !

Une semaine plus tard, Sol se mariait avec Sidney Hatchwel, de Mogador, le mari que lui avaient choisi ses parents… Et quelques années plus tard, Jacob épousait Yacot.

Et voilà que le destin les réunissait à nouveau, pour ce mariage qui était celui de leurs petits-enfants ! Jacob s'était avancé vers Sol, comme il s'était avancé vers elle cinquante ans plus tôt, dans les jardins de la Menara, à Marrakech.

Sol le regarda, gênée d'être vieille, soudain honteuse de sa peau desséchée, de son corps, de ses mains, de son regard délavé, prenant d'un coup le poids des cinquante années sur les épaules.

— Tu n'as pas changé. Tu es encore plus belle qu'avant…, murmura-t-il, alors que ses larmes ruisselaient sur ses joues.

— Toi non plus, tu n'as pas changé !

— Je n'ai jamais cessé de t'aimer. Pas un jour n'a passé sans que je pense à toi, sans que je me demande où tu étais, ce que tu faisais, et si tu pensais toujours à moi… Si tu m'aimais encore ou si tu m'avais oublié. Si tu avais eu des enfants, et s'ils s'étaient mariés, si tu avais eu des petits-enfants… Jusqu'à ce que j'aie de tes nouvelles par Charlie. Et alors, là, j'ai compris.

— Quoi ?

— Qu'il n'y avait pas de hasard. J'ai compris que le destin nous réunissait à nouveau. Te souviens-tu de la promesse que je t'ai faite, sur les bords de la Menara ?

— Je n'ai rien oublié ! dit Sol.

— M'aimes-tu toujours ?

— Lorsque je me suis mariée, une semaine après t'avoir vu sur les bords de la Menara…

— C'était le plus beau jour de ma vie. Le jour le plus heureux et le plus malheureux…

— Le jour de mon mariage, je pensais à toi… Comme j'ai pleuré, ce jour-là. Je me mariais avec un autre, et je savais que je ne l'aimerais jamais, parce que je t'aimais toi… J'ai vécu, oui, j'ai fait semblant de vivre, j'ai eu des enfants, je les ai aimés, ils se sont mariés, j'ai eu des petits-enfants, mais jamais je n'ai aimé personne d'autre que toi. Toute ma vie je t'ai attendu, je savais qu'un jour je te reverrais… Lorsque

Esther a rencontré Charles, j'ai fait un chhour, j'ai lancé un sort, Jacob, pour qu'ils tombent amoureux l'un de l'autre, parce que je savais que c'était la seule chance pour moi de te revoir... La dernière chance, tu sais, nous ne sommes pas jeunes. Je ne voulais pas mourir sans te revoir, sans te dire que je t'ai aimé dès le premier regard, que je t'ai aimé toute ma vie, et que je t'aimerai toujours.

– Je suis venu te chercher, dit Jacob. Plus personne ne peut nous séparer. Nous allons finir ensemble ce que nous n'avons pas pu commencer.

7.

L'aveu

Noam dormait toujours quand Esther quitta son appartement. Chancelante, elle se dirigea vers l'hôtel de sa mère. Elle n'eut pas besoin de monter dans sa chambre, celle-ci, vêtue de rose pâle, était assise dans le lobby, comme si elle l'attendait.

– Esther ! dit Suzanne, en se précipitant vers sa fille, l'air affolé. D'où viens-tu ? Je t'ai appelée dans ta chambre ce matin très tôt, tu n'y étais pas !

– Oui… enfin, non, j'étais ailleurs.

– Tu as dormi chez lui ?

Esther s'assit près de sa mère, l'air défait.

– Qu'y a-t-il Esther, tu n'as pas l'air bien ? Tu n'es même pas prête ! Tu as les cheveux hirsutes, on dirait que tu n'as pas dormi de la nuit. D'où tu sors ? Qu'as-tu fait ?

– Il faut que je te parle, dit Esther.

Elle entraîna sa mère dehors. Elles firent quelques pas vers la plage, s'assirent sur un banc, devant l'horizon marin. Loin, pensa Esther, comme j'aurais aimé être loin d'ici ! Quelque part, ailleurs, loin de cette vie, de cette famille, de ce mariage… Elle avait besoin de cette confrontation, et en même temps, elle la redoutait, elle la redoutait plus que tout au monde.

Mais elle voulait savoir, éclaircir la terrible intuition qui lui avait traversé l'esprit.

– Qu'y a-t-il, ma fille, tu as réfléchi ? tu ne veux plus te marier, c'est ça ?

– J'ai réfléchi, oui, dit Esther. Je veux me marier ; mais pas avec Charles.

– Pas avec Charles ? avec qui ?

– Avec Noam.

À ces mots, Suzanne devint pâle, comme si d'un coup son sang avait déserté tout son visage. Ses yeux se mirent à aller furieusement de droite à gauche, de gauche à droite, avant qu'elle ne parvînt à articuler :

– Avec Noam. Mais voyons, que dis-tu Esther ! C'est impossible !

– Pourquoi ?

– Que s'est-il passé entre vous ? murmura Suzanne, en attrapant sa fille par le bras. Dis-moi ! Que s'est-il passé ?

– Ça ne te regarde pas ! Lâche-moi !

Esther regarda sa mère avec le même effroi que lorsque, enfant, elle devait subir ses colères, et que, terrorisée, elle se réfugiait tremblante dans sa chambre. Comme le dialogue était difficile, de mère à fille, de fille à mère, rempli de tabous, de mensonges et de sous-entendus.

– Tu ne peux pas épouser Noam, dit Suzanne. Tu es devenue folle, ma parole, folle à lier.

– Non ? dit Esther. Pourquoi ?

– Mais voyons !

Suzanne la regarda un instant, comme si elle s'efforçait de se calmer, de se raisonner elle-même pour ne pas perdre la raison.

– Ce n'est pas un garçon pour toi... C'est un militaire, un Israélien, ce n'est pas du tout une vie pour toi... Je crois que tu es en train de perdre pied, ce mariage te rend folle, tu ne sais plus où tu en es, alors tu dis n'importe quoi.

– C'est Noam que j'aime.

– Tu ne peux pas épouser Noam, répéta Suzanne, mécaniquement, comme si elle n'entendait pas ses propres paroles, comme si l'esprit avait déserté le corps. Crois-moi, c'est impossible.

– C'était impossible pour Charles, c'était impossible pour tous les autres, tu te souviens ? À chaque fois, il y avait quelque chose qui n'allait pas. Tu veux que je reste vieille fille, Maman ? Tu veux que je n'aie jamais de mari, et que je passe ma vie à te servir ? C'est ça dont tu rêves pour moi ?

– Tu trouveras, tu sais... Tu n'es pas si vieille... et puis il vaut mieux ne pas se marier qu'épouser n'importe qui sous prétexte que tu ne veux pas être vieille fille.

– Ma décision est prise, dit Esther. Et cette fois, je ne me laisserai pas impressionner par toi.

– Non, dit Suzanne.

Elle se leva, raide, blanche, resta un moment debout, comme si elle voulait partir, puis elle se rassit, prostrée.

– Je ne me sens pas bien, dit-elle. Je crois que je vais faire un malaise. Appelle un médecin ! Je sens que mes derniers instants sont venus ! Je suis foutue, Esther ! Cette fois, tu m'as tuée ! Tu m'as eue ! Je vais mourir !

Des gouttes de sueur perlaient sur son front. Son nystagmus était plus marqué que jamais.

– Tu n'as aucun cœur ! hurla Suzanne. Regarde-toi ! Tu fais n'importe quoi de ta vie ! Tu sais ce que tu es ? Une pauvre fille ! Une pauvre fille qui ne voit pas plus loin que le bout de son nez. Tu me tues ! Tu veux absolument ma mort, c'est ça que tu veux ? Tu vas l'avoir ! Sois contente ! Je vais mourir et tu vas avoir ma mort sur la conscience ! Et tu le regretteras, toute ta vie !

– Assieds-toi, Maman, dit Esther. Calme-toi. Je n'en peux plus de ces scènes. Tu ne vas pas mourir et tu le sais très bien.

Suzanne la regarda un instant, sa colère se changea soudain en un désespoir abyssal.

– C'était à Marrakech, murmura Suzanne.

– Quoi, Marrakech ? demanda Esther.

– La robe… celle que j'ai portée à mon henné… Pas avec Moïse, non… Avec Isaac. Isaac Bouzaglo… Ah, je me sens mal, ma fille, appelle quelqu'un, je sens que je vais partir… C'est trop dur, trop dur…

Soudain, Esther se rappela le malaise qu'avait eu sa mère lorsque tous ensemble, ils avaient fait un voyage familial au Maroc. En arrivant à Marrakech, Suzanne s'était évanouie. Sur le moment, son malaise ne lui avait pas paru étrange, puisque sa mère n'était jamais revenue au Maroc depuis qu'elle l'avait quitté. Esther s'était dit qu'elle était simplement bouleversée de revenir dans la ville qui l'avait vue naître.

En arrivant à Marrakech, elle était tendue, ses yeux erraient d'un point à un autre, exprimant une souffrance tue, alors que Moïse arborait un sourire heureux d'autochtone revenu au pays. Suzanne disait que Marrakech avait changé, qu'elle ne la reconnaissait pas, que cela n'avait plus rien à voir, même si, parfois, elle reconnaissait tel ou tel lieu, en parlant de la bicyclette avec laquelle elle avait arpenté la ville lorsqu'elle était enfant. Rues, ruelles, impasses, souks, palais, jardins, petites maisons carrées avec cour intérieure, bassins vert émeraude, hautes murailles, pentes neigeuses du Grand Atlas... Suzanne regardait sans comprendre cette ville étrangère et familière à la fois. Elle avait changé mais l'odeur était la même ; c'était la première chose qui l'avait frappée à la descente de l'avion, l'odeur de Marrakech. Odeurs d'épices, de souks, de babouches, forte odeur de cuir, de tapis, d'animaux, d'herbes, de marchés de primeurs et de poissons. Il y avait toujours les remparts rouges derrière lesquels des palmiers ployaient face au vent du désert, sous les hautes montagnes aux sommets blanchis : la neige et le désert, la glace et le feu. Le désert et la végétation, luxuriante et délicate, comme le jardin de la Menara, ou le palais de la Bahia. Marrakech était toujours la ville rouge aux maisons adossées les unes aux autres, surplombées de minarets et de cyprès.

Dans les riads, les entrelacs de stucs, les plafonds peints et sculptés, les salons, rose, bleu, ou vert, formaient un univers de pure fantaisie. Chaque pièce incarnait un rêve orientaliste aux couleurs favorites de Majorelle : rouge incendiaire, vert amande, et son célèbre bleu. Les fauteuils étaient tapissés de kilims, les boiseries peintes selon l'art mauresque. Voilà ce qu'était devenue Marrakech : une villégiature qui incarnait le rêve oriental dans son avatar le plus luxueux et le plus fabuleux.

– Que s'est-il passé à Marrakech ? dit Esther. De quel henné parles-tu ?

- J'ai eu une enfance heureuse, tu sais, murmura Suzanne, dans un faible sourire.

Soudain, on aurait dit que la mémoire lui revenait, cette mémoire du Maroc dont elle avait passé sa vie à se défendre.

Et Suzanne se mit à raconter, à parler de ce dont elle n'avait jamais parlé. De son enfance, de tout ce qu'elle avait chassé de sa mémoire. Quand le soleil descendait sur l'horizon, qu'il faisait un peu plus frais, les cercles se formaient sur la place Djemáael-Fna, garçons et filles venaient arpenter l'avenue Mohammed-V jusque très tard le soir. Ils se retrouvaient dans les jardins et sous les arbres où l'on allait pique-niquer en famille, le long des avenues, assis sur les murets bas pour étudier, bavarder ou ne rien dire du tout, ils restaient là, juste à regarder le soleil se coucher sur les sommets de l'Atlas. La plus haute montagne, le Toubkal, dominait le paysage au sud de Marrakech.

Et Suzanne parlait, parlait pour éviter de répondre à la question de sa fille. Elle n'arrêtait plus de livrer histoires, et anecdotes, tout ce qu'elle avait omis de dire pendant toutes ces années semblait soudain présent, avec une précision redoutable.

Quel était le secret que Suzanne cherchait à effacer de son histoire en évoquant ses origines ? Ce monde qu'elle avait chassé de sa mémoire lui revenait à présent en bouffées odorantes, lui racontant en arabe l'héritage douloureusement quitté par l'immigration forcée. Un déracinement. Un arrachement à tout ce qui l'avait faite, à tout ce qui la faisait telle qu'elle était.

– Ce henné, à Marrakech, Maman, interrompit Esther. Que s'est-il passé ?

– ... La robe. J'avais mis la robe ! Tu comprends pourquoi je ne voulais pas que tu la mettes ? Ma mère était dans tous ses états... Elle était furieuse que je me fiance avec un Meknassi... Ou peut-être simplement que je me fiance, que je quitte la maison, que je parte avec un inconnu...

Esther fut parcourue par un long frisson, elle savait déjà ce que sa mère allait lui dire. Pendant un instant, elle n'entendit plus rien, son esprit s'égara, au loin, elle voyait sa mère articuler les mots mais elle n'arrivait pas à comprendre quel sens ils avaient, ni ce qu'elle voulait dire, comme dans un film muet, elle crut devenir sourde, et soudain, les mots lui arrivèrent à la conscience, un à un, puis enchaînés, noms, verbes, adjectifs, sujets formant des phrases porteuses d'un sens qui déjà la terrorisait.

– ... Isaac est venu me voir dans ma chambre, en secret, entendit-elle. On n'avait pas le droit mais il a brisé l'interdit. Il avait bu trop de mahia ce soir-là. Il me parlait, sans s'arrêter... Il disait que nous étions fiancés, que nous allions nous marier, que nous étions comme mari et femme, et qu'il m'aimait. Et en parlant, il enlevait ma robe. Ma robe rouge... il y avait cette odeur de sueur, la sienne, la mienne, je transpirais sous la robe. Et la musique, au loin, qui s'échappait d'une fenêtre.

Et Suzanne raconta.

Elle raconta la musique bientôt recouverte par le chant du muezzin, désormais associé à un requiem pour elle. Et elle qui se laissait faire. Dans la pénombre, le lit. Personne ne lui avait jamais dit comment ça se passait. On n'en parlait pas, c'était tabou. On lui avait appris la soumission, depuis toujours.

– Je ne savais pas, Esther, dit-elle. Je l'ai caché parce que c'était interdit, parce qu'il fallait être pure avant son mariage, parce que même si c'était malgré moi, j'avais commis une faute, et je portais la faute en moi, devant moi, dans moi. Je te l'ai caché, parce que je me le suis caché !

– La faute, c'est moi, dit Esther.

– Oh non ! Pour moi, tu étais la fille de Moïse, je t'ai aimée, chérie, élevée comme telle, et même si parfois j'y pensais, bien vite, je m'efforçais de tout oublier, c'était plus facile ainsi, et j'y ai réussi, oui j'y ai réussi… Je n'ai jamais fait de différence entre toi et Myriam.

– Pas de différence ! s'écria Esther. Pas de différence ! Tu m'as persécutée, tu m'as détestée autant qu'aimée, tu m'as mise sous ta coupe pour que surtout je ne t'échappe jamais parce que tout ce qui t'intéressait, c'était le pouvoir que tu avais sur moi, parce que tu avais peur, peut-être, que je sache ! alors tu voulais me garder près de toi. Tu m'as incorporée à toi pour que je ne te résiste pas, tu m'as gardée dans ton corps, ton cœur, tu as envahi mon espace, tu as toujours cherché à éloigner les hommes qui m'approchaient, jusqu'à Charles, aujourd'hui, Charles que j'ai choisi parce que je le connais depuis l'enfance, et dont je pensais qu'il ne te mettrait pas trop en danger, mais non ! Même lui tu n'en voulais pas pour moi, parce que dans le fond, tu aurais voulu que je ne sorte pas de ton ventre, que je reste un fœtus, un avorton, parce que au fond tu aurais dû me tuer tout de suite, lorsque j'étais dans ton ventre, ça ne t'a pas traversé l'esprit, ça ? Dis-moi que tu n'y as pas pensé, lorsque tu as découvert que tu étais enceinte ! Allez, regarde-moi dans les yeux, et dis-moi que tu n'y as pas pensé ! Dis-le-moi, hurla Esther. Pour une fois, aie le courage de me dire la vérité !

– Si, dit Suzanne, résignée, j'y ai pensé. J'ai voulu te faire tomber… c'est vrai. J'ai même fait… comme on fait là-bas, on prend des cars, sur les routes chaotiques.

– Tu voulais que je sois morte ! dit Esther. Tu voulais m'anéantir, me réduire à néant, et tu y as réussi ! Je te déteste, ajouta-t-elle, alors que les larmes coulaient de ses yeux sans s'arrêter, comme un puits sans fond, je te hais, non pas pour tout ce que tu m'as fait vivre mais parce que tu m'as laissée vivre ! Tu aurais mieux fait de me tuer tout de suite ! Tout de suite… avant que je naisse… parce que je n'aurais pas dû naître !

– Ne dis pas ça, dit Suzanne, en tendant une main vers elle. Ne dis pas ça ! Tu sais, tu sais, après ta naissance, tu sais combien je t'ai aimée ? Tu étais toute ma vie.

– Je suis le souvenir qui te hante, je suis le moment qui a détruit ta vie. Par ma présence même, je te rappelle ce qui s'est passé cette nuit.

– Tu comprends, murmura Suzanne, en prenant le visage d'Esther dans ses mains. Tu es la fille d'Isaac, la sœur de Noam. Tu comprends pourquoi tu ne dois jamais t'approcher de lui.

Esther se leva, regarda sa mère, l'air terrible.

– Trop tard, dit-elle.

8.

Le secret de l'amulette

Que faire ? Comment vivre ? Comment même y croire ? Esther, entre douleur et nausée, vertige et folie, avait quitté sa mère en courant.

Comment survivre ? « Noam est mon frère, Noam est mon frère. » La petite phrase, atroce, indicible dans sa vérité et ses conséquences, lui labourait l'âme, le cœur, l'esprit. Comment survivre à cet acte ? Plus que l'adultère, elle avait commis l'inceste.

La vision de la mer lui apporta la réponse. Elle ne survivrait pas. Elle noierait l'abjection de cette nuit, de son acte, dans l'eau qui, la veille, lors du bain rituel, aurait dû la laver de toutes ses impuretés. Elle se laverait de nouveau, pour la dernière fois.

Une sueur froide coulait le long de ses tempes. Elle n'arrivait plus à respirer. Elle marcha sur le sable, vers les premières vagues qui léchèrent ses pieds. De toutes ses forces, presque compulsivement, elle serrait l'amulette dans sa main moite. L'amulette qui devait révéler le secret des sépharades. Elle sentit les larmes couler sur ses joues. Le secret ! Quel secret ? Celui, atroce, de Suzanne ? Le secret des malédictions qui nouaient les mariages dans des liens indicibles ?

Entièrement habillée, presque avec hâte maintenant, elle marcha dans l'eau, le regard perdu vers l'horizon. Elle marcherait vers lui jusqu'à n'avoir plus pied. Et elle se laisserait alors couler.

La pente était douce, et l'eau montait doucement contre ses jambes, à chaque pas. Dans le scintillement des vagues, elle vit le visage de sa mère qui l'appelait, lui ordonnait de venir la rejoindre, lui criait qu'elle avait besoin d'elle, qu'elle ne pouvait rester seule. Elle vit son père qui, dans une tristesse abyssale, se noyait à son tour et l'appelait à l'aide. Ses disciples l'avaient déserté. Il ne savait plus vers qui se tourner et la suppliait de le sauver. Elle pensa au jour où elle était avec sa sœur à la plage, et qu'une vague l'avait emportée. Pendant un instant, elle s'était crue perdue à jamais. Hypnotisée, elle entendit, comme elle l'avait entendu ce jour-là, l'appel déchirant de sa sœur, alors qu'elle était emportée par les flots. Alors, elle le fit. Elle se laissa couler dans l'eau, perdue dans l'élément, avec un sentiment de liberté intense. De sérénité, de bien-être. Elle sentit la vie, et au sein de la vie, le puissant attrait de la mort, l'appel irrésistible vers les fonds. Elle maintint sa tête sous l'eau, l'absorbant à grandes gorgées. L'eau salée lui brûla la gorge et l'œsophage mais elle continua de l'avaler, de la boire, elle aurait voulu vider la mer car il fallait bien toute l'eau de l'océan pour laver son corps de misère.

Elle pensa à son mariage, à la robe blanche, elle se vit au bras de son père, son fiancé, en blanc lui aussi, tel un ange, et ils s'aimaient, et soudain il dévoilait son visage et c'était Noam ! Elle eut envie de fuir mais son fiancé incestueux, son frère, la tenait fermement, l'entraînait vers l'autel, et elle ne pouvait résister à la tendre étreinte de sa main, qui la guidait, irrésistiblement, vers son destin.

Elle buvait la coupe que lui tendait son mari illicite, elle buvait, et ce n'était pas du vin, c'était du sang, de l'eau salée qui s'engouffrait au fond de ses poumons pour l'étouffer, elle suffoquait, elle avalait et suffoquait. Sa vie s'était jouée en un quart d'heure.

Peu à peu elle sombra dans l'inconscience, dans une douce torpeur, Esther engloutie par la mer partait, partait vers les fonds obscurs...

Et soudain, le miracle se produisit. Ses doigts n'avaient pas relâché l'amulette. Brusquement celle-ci se mit à diffuser une étrange énergie, une chaleur qui irradia tout son corps. Un bien-être profond envahit toutes les fibres de son être, diffusant un doux massage qui l'illuminait de l'intérieur. Peu à peu, elle se détendit, s'apaisa par une vision intérieure d'elle-même, et elle sentit son corps s'élever. Elle ne tombait pas, elle volait, comme si son âme avait raison de la lourdeur de la matière, la faisant pénétrer dans les corps célestes. Quelque part entre la terre, la mer et les cieux, elle planait. Détachée d'elle-même, oubliant qui elle était, dans la perte totale de soi qui était aussi sa reconquête, elle devenait immatérielle. En apesanteur, comme dans un rêve plein de douceur et de nostalgie, dans un bonheur sans mélange, en pleine possession de ses moyens tout en étant délestée d'elle-même, elle fut soudain dans une vérité aveuglante où plus rien n'existait sinon elle-même. Et ce moment, elle la sentit vibrer en elle. Comme un appel vers un autre monde, qu'elle ne connaissait pas, dont elle ne soupçonnait même pas l'existence. Un monde parallèle où tout s'organisait et avait un sens, un monde magique qui ne venait pas d'ailleurs, mais qui était un trésor à l'intérieur de son cœur, un secret enfermé qu'elle laissait enfin échapper, dans lequel elle avait gardé enfouie sa tendresse, non pas à l'égard des autres, mais à l'égard d'elle-même, la foi, la compréhension, la bienveillance, et l'amour, cet amour qu'elle ne se donnait pas à elle-même, voilà qu'enfin elle pouvait se l'accorder, pensant qu'elle le méritait. Même si elle n'était pas parfaite, même si elle avait commis des erreurs et des fautes irréparables, elle pouvait s'aimer. Se faire face dans toute son horreur et sa splendeur. S'aimer, se connaître, avec ses qualités et ses défauts.

Et soudain, tout fut plus doux, les plaies se refermaient, les déchirures s'apaisaient, les blessures s'amendaient. Elle avait accès à une réalité d'ordre supérieur, indéfinissable mais non moins réelle que l'autre, puisqu'elle l'informait et lui donnait un sens. Elle se mit à jouir de ce moment simple entre terre et mer, du soleil qui se levait, du jour à venir, de sa jeunesse et de sa beauté, de sa nouvelle dignité, de femme, d'esprit, d'être humain, et elle cessa d'avoir peur d'elle-même. Elle savait enfin ce dont elle était capable. Du meilleur comme du pire. Elle devait s'accepter telle qu'elle était : c'était cela le plus dur, le chemin le plus ardu et le plus douloureux, qui devait la mener à la réconciliation avec elle-même. Accepter ses erreurs, ses fautes, ses manquements, accepter d'avoir commis l'abomination. Se pardonner à soi-même. Et renaître de ses cendres.

Elle ressentit une paix et une sérénité mêlées de joie profonde. Une immense tendresse envers elle-même, une aménité, une miséricorde, une pitié pour ce qu'elle était, ce qu'elle avait fait de terrible, de grand et de petit, mais réconciliée dans sa dignité imparfaite, son injustice et sa propension à la faute, dans sa volonté d'être meilleure, d'être une autre. Et quand il est donné au cœur de connaître un moment d'une telle magnanimité, la joie irradie si fortement que ses lumières baignent les jours et les nuits qui suivent, jusqu'à la fin des jours et la fin des nuits. Expérience irréversible que celle-ci ! Initiation à la contemplation de la Beauté éternelle, et du monde de la splendeur plutôt que celui de la rigueur. Avec sa nature, son ciel, sa terre, ses arbres et ses fleurs, ses animaux et aussi ses hommes. Les hommes : des enfants qui viennent au monde avec leur innocente fragilité, des vieillards qui meurent dans leur indigne faiblesse, coupables, tous, mais capables, dans ces moments où ils rencontrent l'amour, l'amitié, la beauté, d'être meilleurs, l'espace d'un instant ; et cet instant à lui seul mérite qu'ils vivent… Rare et précieux, il justifie la vie, la vraie vie, non pas celle où les hommes condamnent l'humain sans appel, mais celle où ils l'encensent et l'élèvent. L'union, tout simplement, au détour d'un geste, d'une phrase, la rencontre du regard d'un enfant, d'une main posée sur une main, d'un sourire présage d'avenir, de deux corps mêlés, deux cœurs, deux esprits, deux âmes. Le fait d'être ensemble, de ne plus être seul au monde : l'Éternité.

Et elle retrouva, dans la solitude fondamentale, son être sans douleur, étroitement lié à celui des autres, ceux qu'elle aimait et qui faisaient partie d'elle comme elle était incorporée à eux, et Charles. Au sein de l'oubli total, du néant absolu, de l'inconscience, elle eut la force de prendre connaissance de ce qu'elle était en train de vivre, et de se dire qu'elle vivait pleinement le bonheur d'être là, ici et maintenant, elle, surgie de rien, du néant, revenue du vide, de la mort, du noir, de l'œuvre au noir. Même si elle était en train de mourir…

L'air. L'air pur lui fit mal en entrant dans sa poitrine. L'air la fit suffoquer, lui arrachant un cri rauque, et aussitôt les larmes coulèrent sur ses joues.

En apesanteur, guidée par une force mystérieuse, Esther était remontée à la surface. Hors de l'eau. Pendant un instant, elle hoqueta, chassant l'eau de ses poumons. Vivante ? Sans savoir où elle était, dans une brume, elle reconnut les traits d'un visage familier. Le visage de sa sœur Myriam qui l'entraînait de toutes ses forces vers la plage. Elles s'y abattirent toutes les deux, vidées de leurs forces. Puis les deux jeunes femmes s'étreignirent, pleurant et riant à la fois, accrochées l'une à l'autre comme à la vie, par un acte d'amour.

9.

Sépharades

Il est une ville ceinte de murailles, à l'aspect céleste et inexpugnable, dont les neuf portes s'ouvrent sur un dédale de ruelles, d'impasses et de venelles aux maisons serrées les unes contre les autres, aux mosquées voûtées, aux églises délicates, aux synagogues dont les jalousies laissent entrer une blanche lumière, et dans lesquelles en un temps ancien priaient, côte à côte, les habitants arabes, chrétiens et juifs. Et le soir, à l'ombre des bougies, après une soirée d'étude, ils observaient la nuit étoilée, s'adonnaient à la poésie et à la spéculation métaphysique, à la traduction d'un texte latin en arabe, d'un passage hébraïque en arabe, d'un texte grec en castillan, et ils racontaient l'histoire de cet homme qui avait un anneau d'une valeur inestimable, qui lui donnait pouvoir sur la maison.

À l'approche de la mort, l'homme qui avait trois fils se demanda à qui il remettrait le précieux anneau, mais comme il les aimait tous les trois d'un amour égal, il ne pouvait se décider à choisir. Alors il fit faire deux anneaux semblables au premier, qu'il remit à chacun de ses enfants. À sa mort, chaque fils montra son anneau, croyant qu'il était le maître, mais comme ils étaient identiques, il fut impossible de savoir qui détenait l'original. Ainsi sont les juifs, les chrétiens et les musulmans, dans l'impossibilité de prouver qui détient la foi véritable.

Et c'est dans cette ville mystérieuse et pentue aux ruelles étroites, où l'art, l'architecture, l'astronomie, l'astrologie, les mathématiques, la philosophie, la poésie et la médecine fleurissaient, où l'esprit jaillissait de la cohabitation des cultures, où il était possible de vivre heureux à côté de ceux qui n'étaient pas semblables, de s'en nourrir et de s'en trouver enrichi, que la culture sépharade naquit et grandit dans l'ouverture et le dialogue. Dans les églises, les mosquées et les synagogues de Tolède, ils priaient Dieu en différentes langues, et en différents jours, les uns le vendredi, les autres le samedi, les troisièmes le dimanche, et il fut un temps béni où ce n'était un problème pour personne.

Et un jour, il avait fallu que cela cessât. Que la barbarie noie dans une rivière de sang les fidèles aux côtés des fidèles.

Et dans la folie humaine des massacres et de la dispersion, ils emportèrent leur culture, transcendèrent les limites de la foi noyée dans les bains de violence, et survécurent, car au sein de chaque génération il y avait un sage, assis à sa table, devant un livre ancestral, qui réfléchissait sur l'Antiquité, se cherchait lui-même à travers les âges, comprenait dans les profondeurs de la pensée que la recherche de soi ne peut s'effectuer qu'à travers l'autre, la transcendance, que le moi est une parcelle de la divinité et que l'homme doit rechercher les racines de son âme dans ses origines. Et ce n'est qu'à la mesure de cette connaissance qu'il deviendra lui-même : un homme.

Telles étaient les paroles de Moïse Vital ce jour-là, assis dans un fauteuil, dans la petite synagogue, devant la *téva*, la table où l'on posait les rouleaux de la Torah, entouré de ses disciples.

Il leur parlait de Tolède à l'âge d'or.

Il attendait Esther.

Dans la synagogue, les invités commençaient à entrer. Ceux qui la virent arriver ne furent pas nombreux. Telle une ombre, un fantôme, elle s'était glissée dans la salle, silencieusement, à la recherche de son père.

Après être rentrée à l'hôtel avec Myriam, elle avait revêtu sa robe, sa lourde robe pourpre, arrangé ses cheveux, posé le diadème, pour partir, ainsi parée, vers la synagogue.

Moïse n'eut pas l'air surpris de la voir.

Il lui fit signe de prendre place sur le siège près de lui.

Alors les yeux de Moïse Vital se posèrent sur sa fille qui, lentement, sortait la pochette contenant l'amulette.

– Où l'as-tu trouvée ? demanda Moïse, un tremblement dans la voix.

Esther regarda Isaac, sans un mot.

Les regards convergèrent vers lui qui balbutia :

– Mais je ne sais pas d'où elle vient !

– Si, tu le sais, dit Esther.

– Comment ? dit Moïse, mais c'est impossible, puisque je l'ai fouillé ! Il n'avait rien dans ses poches.

– Tu l'as fouillé, certes, mais as-tu fouillé la pièce ?

Le regard de Moïse Vital se durcit.

– Où ? demanda-t-il à son ami. Où l'avais-tu cachée ?

Le visage d'Isaac Bouzaglo devint blême.

– Je te demande de me le dire, intima Moïse. Devant tous, ici, tu nous dois une explication.

– Je trouvais cela trop injuste, souffla Isaac. Pourquoi donner l'amulette à Charles, qui n'est rien pour toi, et pas à mon fils ? Parce que Noam est né et a grandi en Israël et qu'il est trop différent de vous ? Parce qu'il était occupé à faire l'armée, et à risquer sa vie pour défendre la vôtre ? Vous pensiez qu'il ne méritait pas de détenir le secret ? Je voulais lui donner une chance, vous comprenez… Quand la lumière s'est éteinte, mon sang n'a fait qu'un tour. J'ai pensé que c'était un signe… Le signe que le destin était enfin de notre côté…

Moïse Vital se tint les tempes. Prêt à exploser, il contenait son désespoir à grand-peine. Désespoir d'avoir été trahi par son meilleur ami, d'avoir été si bête, si peu clairvoyant, lui qui pensait être honnête, voilà qu'il s'était trompé en tout et sur tout le monde. Comme si, d'un coup, toute sa vie le menait à cela : tout son savoir ne lui avait rien enseigné d'assez substantiel pour qu'on pût l'appeler un sage. Un vrai sage…

– Tu l'as volée pour Noam ! Mais pourquoi ?

– Tu m'as tout pris, Moïse. Tu m'as pris la femme que j'aimais. Tu m'as pris…

Il s'interrompit, livide, encore hésitant, et jeta un regard immensément tendre et triste à Esther :

– … Tu m'as pris ma fille, Esther.

Esther respira profondément. Son cœur battait à se rompre.

Isaac la regarda un moment, qui parut une éternité, puis il sortit, les épaules courbées, comme s'il avait un poids énorme à transporter.

Moïse Vital se tourna vers sa fille et tous deux sortirent pour se réfugier dans la petite pièce attenante à la synagogue.

– Lorsque j'ai connu ta mère, elle était fiancée, Esther. Ce qui s'est passé entre eux, je l'ai toujours su. Le lendemain de notre mariage, j'ai compris. Et je ne lui ai rien dit. Je ne lui ai rien dit parce que je l'aimais tellement que j'aimais l'enfant qu'elle portait, même s'il n'était pas le mien. Je sais que je n'ai pas toujours été un bon époux, qu'elle n'a pas toujours été heureuse avec moi… Le père est celui qui aime et qui enseigne à son enfant. Tu portes mon nom, Esther, celui de ma famille, de notre famille, les Vital… Ta sœur a toujours été en révolte contre moi. En devenant bouddhiste, elle a rejeté notre tradition, jusqu'au monothéisme ! Tu le sais, Esther, l'Éternel est un. Elle s'est éloignée de nous, de moi… C'est pour cette raison que j'ai voulu remettre l'amulette à Charles, et non à Patrick. J'aime Patrick parce que c'est mon gendre, mais tu le connais, il ne s'intéresse qu'aux biens matériels. Et Myriam, je ne la comprends pas.

– Elle est malheureuse, Papa.

En disant ce mot, Esther sentit venir les larmes. Elle l'appelait Papa. Comme lorsqu'elle était petite.

– Je n'ai pas su lui dire, lui expliquer… Toi, tu es toujours restée proche de nous, de nos traditions, même si ce n'était pas toujours facile, je le sais… Tu as la flamme. Pour cette raison, je t'ai choisie.

» Tu es la descendance, Esther : tu as en toi les condamnations, les autodafés, les tortures et les bûchers, les époques où ce sang juif était une souillure, définitive, transmissible de génération en génération, et qu'aucune eau baptismale ne pouvait purifier. Et en secret, ils se transmettaient leur véritable nom. Et si tu as en toi le sentiment d'être déracinée, étrangère, de ne jamais être bien nulle part, de ne pas partager les certitudes d'appartenance qu'ont les autres, la solidité du sol sur lequel tu marches, la fermeté des idées, si tu es une invitée, une locataire qui craint d'être expulsée, une clandestine à qui il manque ses papiers, une enfant timide parmi les brutes de la cour d'école, une élève modèle minée de l'intérieur par la solitude et la honte, si tu sautes d'un train dans une gare inconnue pour t'enfoncer dans la nuit froide, fuyant la police, si tu as peur de la rue, du vide, de tomber par la fenêtre comme tes ancêtres, c'est parce que leur sang crie en toi, de toute la force de la flamme juive éternelle !

» L'amulette, le secret des sépharades, celle qui permet d'atteindre la vérité dernière, le secret de la Création, c'est ce que tu as en toi ! Ton trésor, c'est ton identité. Tes identités, toutes tes identités. Ce sont tous les actes de ta vie, les moindres comme les plus importants, qui sont la matière de ton être, les symboles et les mythes qui te constituent. Et ton identité n'est pas autre chose que ces symboles et ces mythes. Sans eux, nous ne sommes rien ; rien que des morts vivants.

» Tu es ma fille, tu es la fille d'Isaac et la fille de Suzanne. Regarde ta robe, Esther, regarde les broderies, au nombre de vingt-six, qui représentent le nom de Dieu. Sais-tu pourquoi elles forment des cercles concentriques ? Car il s'agit de la Cabale, Esther, inventée par Moïse de León en Castille, le plus grand de notre monde ! Qui a consacré sa vie à la rédaction du Zohar, le livre de la splendeur, dans laquelle il énonça la structure concentrique du monde, en dix séphirot, ou émanations. Ta robe, cette robe que tu portes, est une robe cabalistique, une représentation du Nom divin et de la façon dont on peut l'approcher. Tu es ma fille, notre fille à tous, tu es de Fès, de Meknès et de Mogador, tu es à toi seule le monde sépharade, tu es la fille des sépharades !

10.

La cérémonie

Nous avons tous des identités multiples : et c'est ce qui nous rend immortels. Tout événement du passé vit en nous d'une façon invisible. Même enterrées sous les rochers, les villes et les civilisations écrasées continuent de nous parcourir. Cela survit, lorsque tout a disparu ; les anciennes traditions sont en nous, au fond de nous, et ce que nous sommes vient de ces origines lointaines. Un voyage, une émotion nous remémorent leur muette présence. C'est la raison pour laquelle nous pleurons.

Et qu'est-ce qu'une identité si ce n'est une narration, la somme des histoires qu'on nous raconte ? Les mœurs, les valeurs, les religions, la culture d'un peuple marquent un individu par-delà les âges : ce ne sont pas les hommes qui se réincarnent, ce sont les cultures à travers les hommes. Ce sont elles qui nous survivent alors même que nous croyons les maîtriser. Creuser la terre, briser le roc, exhumer les villes pour se rendre compte comment les hommes ont vécu, comment ils ont pensé car notre esprit est le leur, c'est la seule chose que nous puissions faire pour tenter de savoir qui nous sommes.

Esther avait reçu en héritage le secret des sépharades. Elle serrait l'amulette entre ses doigts tandis que son père lui rappelait ce dont elle était responsable. Il lui semblait qu'il en émanait comme dans les flots tout à l'heure une mystérieuse énergie.

Et ce fut comme si une grande lumière dilatait le cœur d'Esther, le gonflant d'orgueil et de dignité, d'enthousiasme et de sérénité. Comme une fenêtre ouverte sur un monde inconnu qui lui donnait une force incommensurable, la force de savoir qui elle était, d'où elle venait, et les raisons secrètes de ses pensées les plus intimes. Et elle commença à sentir l'âme sépharade vibrer en elle, cette âme fière, altière et passionnée. Cette âme pleine, qui avait traversé un si long voyage, qui avait connu mille tourments et mille ardeurs, cette âme remplie d'émotions, de sensations, de couleurs et de vie.

Vital, tel était son nom, qui signifiait la vie.

Elle était vivante de cette âme, et cette âme vivait à travers elle, lui conférant la noblesse. Et cette âme désirait vibrer en elle, perdurer à l'intérieur d'elle, migrer par elle, pour survivre à jamais. Elle pouvait dire désormais ces mots : mon histoire, ma culture, mes traditions, et en les disant, elle se sentait appartenir à un projet qui la dépassait et l'accomplissait. Elle avait en elle l'essence des sépharades : cette fidélité aux racines, à l'antique culture, et cette ouverture au monde extérieur.

Et soudain, cela arriva. Quelque chose qu'elle ne connaissait pas, dont elle savait l'existence, mais en pensant qu'elle n'y parviendrait jamais, étant trop fermée, trop inhibée par sa culture et son éducation pour se laisser aller, et voilà qu'elle le laissait être. Brusquement, par l'amulette, tout se débloquait en elle ; tout s'ouvrait, l'immense espace des possibles. Cette quête d'elle-même, son enquête intérieure, l'amenait vers la possession de son corps, qui passait par sa dépossession, par l'acceptation de l'autre en elle, d'être possédée pour mieux se posséder. Rendue à ses origines, elle se recevait, et s'acceptait, avec ses défauts et ses qualités, et se découvrait. Heureuse et malheureuse. Pleurant et riant. Et pourquoi avait-il fallu parcourir tout ce chemin pour y arriver ? Elle avait dû en passer par l'apprentissage d'elle-même pour rencontrer l'autre et se rencontrer enfin. Et ce plaisir si plein, c'était de l'extension de soi dans l'autre. Extension rendue possible par l'existence même de soi, à travers tous ses méandres et ses masques. Extase du sentiment d'exister, d'être là, enfin à soi. Être nue. Sans robe, sans bijoux, sans voile, dans la nudité de la naissance, car l'enfant paraît nu sortant de sa mère. Et s'identifier à cette nudité tout en l'identifiant, et dire : Voilà qui je suis, à présent, jugez-moi, prenez-moi ou rejetez-moi, mais en tout cas, je suis là à moi-même. De toutes mes souffrances, mes errances, mes existences passées, réelles ou fantasmées, mes vies antérieures, à Tolède, à Fès ou à Mogador, mes vies multiples, mes identités, je suis riche. Enfin, elle savait qui elle était, et tout ce qui faisait d'elle ce qu'elle était. Elle était la descendance ! Ses ancêtres étaient les Hymiars, les Phéniciens, les Berbères, les cryptojuifs qui continuèrent de pratiquer leur religion dans l'ombre, au péril de leur vie, qui accomplissaient des rituels sans savoir pourquoi mais qui continuaient, car ils savaient qu'ils devaient le faire.

La culture sépharade avait pénétré son être, lui insufflant sa façon de voir le monde ; et personne, désormais, ne pourrait plus l'atteindre.

Esther croyait être française, alsacienne, juive, marocaine, et elle ne savait pas qu'elle était espagnole. Elle pensait être espagnole, et elle était arabe, elle croyait être arabe, et elle était berbère, elle croyait être berbère et elle était phénicienne, et ainsi de suite, depuis le début, le commencement, et jusqu'à la fin des temps.

Esther savait à présent qu'elle portait en elle la sagesse des juifs, la franchise des Alsaciens, la délicatesse des Français, la générosité des Marocains, la persévérance des Berbères et bien d'autres dons encore qui remontaient les âges et qui la constituaient intimement.

Esther était là, dans la petite salle attenante à la synagogue, dans sa robe rouge. Orient et Occident mélangés en elle, pour former, d'un commun accord, qui elle était.

La cérémonie aurait-elle lieu ? Charles allait-il revenir ? Était-il parti, loin, à tout jamais ? Le rabbin allait-il donner la coupe aux jeunes époux ? Le fiancé allait-il placer l'anneau sans défaut à l'index droit de la fiancée et dire : « Te voilà sacrée pour moi par cette pièce selon la loi de Moïse et d'Israël » ? Le rabbin allait-il prononcer la bénédiction sur le vin ? Allait-il faire goûter le vin au couple, puis briser le verre en mémoire de la destruction du temple de Jérusalem ? Lirait-il la Kétouba, contrat de mariage décoré de dessins qui portent bonheur au couple ?

La chambre des mariés était-elle prête, avec la grande table où se trouvaient les gâteaux, le vin, et l'eau-de-vie ? Allait-on fermer les portes sur les époux pour les laisser s'isoler et consacrer leur union ? Et la nuit, les musiciens joueraient-ils en leur honneur ?

Son choix était fait. Était-ce le chhour que sa grand-mère avait lancé ? Ou était-ce l'amour, tout simplement, en son mystère éternel et beau ? C'était indéfinissable. Son horizon s'ouvrait, en même temps que les portes du passé.

La synagogue était pleine maintenant, et tous commençaient à s'impatienter : les amis, les mères et les grands-mères pinçaient les joues des enfants et proposaient à manger. Les amis de Moïse, Suzanne et ses sœurs, Colette et Yvonne, et Rachel, et Myriam qui venait d'arriver. Sol, Sidney. Saadia Vital, son grand-père. Tous les siens étaient là. Ceux de Charles aussi, sa mère Arlette, Michel, entourés de leur famille et de leurs amis, devisaient bruyamment à grand renfort de tapes dans le dos, en attendant la cérémonie.

Esther se dirigea vers Suzanne, trônant au milieu de ses sœurs et sa cousine. Elles étaient toutes les quatre vêtues de tailleurs de couleurs vives, rose pour Rachel, jaune pour Colette, rouge pour Yvonne et violet pour Suzanne, assortis à leurs chaussures, avec leur maquillage, posé en couche épaisse, leur vernis à ongles et leurs chapeaux. Multicolores, les cheveux laqués, lissés, raidis par un brushing sévère, excitées comme si c'était leur propre mariage, les quatre femmes discutaient avec animation.

Esther se pencha vers sa mère et l'enlaça, comme elle n'avait pas pu le faire, pas su le faire depuis longtemps, depuis qu'elle était enfant. Elle enfouit sa tête dans son cou, et elle pleura. Et sa mère, émue, bouleversée, l'entoura de ses bras qui n'avaient jamais fait que la surprotéger, depuis sa naissance, depuis sa conception.

– Ma fille, dit Suzanne. Ma petite fille.

– Maman, dit Esther en un sanglot.

Cela faisait si longtemps qu'elle n'avait pu dire ce mot qu'elle sentit un espace s'ouvrir dans son cœur sans tout de même réaliser que Charles était là, tout près d'elle, la main sur son épaule.

Vêtu sobrement d'un costume gris, un œil rieur et un œil sérieux, il la contemplait.

Pour la première fois, Esther se dit qu'il ressemblait à son grand-père Jacob ; que vieux, il serait comme lui, beau, parcheminé, rectiligne. Et elle eut plaisir à s'imaginer près de lui, tous deux vieux, ensemble, côte à côte. Elle et Charles, en train de vieillir ensemble.

– Charles ! dit Esther, la voix brisée par l'émotion. Tu es venu !

– Je suis venu.

– Comme je suis heureuse, Charles.

– Esther, je dois te parler...

– Moi aussi je dois te parler... Ou plutôt non... Cela me prendrait des nuits entières pour t'expliquer pourquoi...

– Pourquoi ? poursuivit Charles.

– Pourquoi je voudrais que tu me pardonnes, dit-elle les larmes aux yeux.

Charles la regarda sans répondre.

– Mais maintenant, je voudrais juste savoir une chose, ajouta Esther. Pourquoi n'as-tu pas laissé mon père te fouiller ?

– Pourquoi ? dit Charles. Tu veux savoir pourquoi ?

Alors Charles sortit de sa poche le précieux paquet donné par Jacob, son grand-père. Et Esther vit apparaître devant ses yeux une clef. Une clef ancienne, ouvragée, sculptée, une clef qui avait traversé les âges et les familles, depuis la nuit des temps.

— Voici la clef que mon grand-père Jacob m'a donnée juste avant la cérémonie du henné. C'est la raison pour laquelle j'étais en retard. La clef de la maison de mes ancêtres, qu'ils emportèrent avec eux lorsqu'ils quittèrent l'Espagne, et qu'ils pensaient y revenir, un jour. Car toi et moi venons du même monde, Esther.

Esther sentit la sueur couler le long de son échine. Charles était venu, mais ce n'était pas pour lui dire ce qu'elle attendait. Charles était venu, mais il était déjà ailleurs. Loin, si loin d'elle. Comment était-ce possible ? Que voulait-il ? Que savait-il ?

Il regardait Esther avec intensité. Et son regard se brisa en une tristesse insondable.

— Que dois-je te pardonner, Esther ? De ne pas m'avoir fait confiance, ou de ne pas être digne de ma confiance ? C'est tout ce que je voulais savoir, avant de t'épouser.

Esther se mit à trembler. Son cœur battait la chamade. Elle attendait déjà la prochaine question, qu'il ne manqua pas de lui poser.

— Où étais-tu hier soir ?

Qu'aurait-elle pu dire, en cet instant ? Aurait-elle pu avouer l'inavouable ?

— Qu'as-tu fait, Esther ? Qu'as-tu fait de nous ? Pourquoi ne m'as-tu rien dit ?

— Tu étais parti, je ne savais pas où tu étais.

— Comment te faire confiance désormais ? Comment bâtir une vie autour de toi ? Comment croire en toi, et comment croire en notre amour ? Et même si tu pensais que j'étais un voleur, parce qu'on t'a dit que je n'étais pas digne de confiance, parce que ton père m'a détesté, et parce que toutes les circonstances étaient contre moi, crois-tu que je puisse vivre ma vie entière dans la peur ? Chaque fois que tu partiras, j'aurai peur que tu me trompes ? Comment l'oublier ? Comment ne pas l'oublier ? Comment ne pas penser à cette nuit, à ce que tu as fait ? Comment ne pas y penser lorsque je te prendrai dans mes bras ? Je finirai par ne plus t'aimer, et tu finiras par en avoir assez de mes soupçons et de mes reproches, et tu finiras par ne plus m'aimer, et même si je t'aime de toute mon âme et de tout mon cœur, je n'aurai plus jamais confiance en toi. Tu as fissuré mon cœur, tu l'as blessé, et la blessure restera là, même cicatrisée, toujours prête à s'ouvrir et à saigner. Et la haine sera là, au fond de mon cœur. Et même si j'oublie, à la moindre dispute, je m'en souviendrai, parce que en fait, je n'oublierai jamais. Pourquoi, Esther, pourquoi as-tu tué notre amour ?

» Alors on va se séparer et on sera malheureux chacun de son côté, et tu te sentiras coupable, et tu regretteras ce moment toute ta vie, et je serai seul et désespéré, parce que tu seras toujours la femme de ma vie, la seule que j'aie vraiment aimée, et si on reste ensemble, on aura des enfants, et les enfants vont grandir, et on se disputera et un jour je leur dirai, votre mère m'a trompé la veille de notre mariage. Voilà la vie que tu me proposes. Est-ce une vie ? Tu as tué notre amour. Je suis tellement déçu, j'aimerais pleurer sur cet amour mort mais je n'y arrive pas. Pourquoi as-tu fait cela sans rien me dire ? Pourquoi ne pas m'avoir hurlé ta haine au visage ? J'aurais préféré que tu me frappes, que tu me dises que tu me hais, que tu me quittes, que tu me dises que tu ne m'as jamais aimé, j'aurais préféré ne jamais t'avoir parlé, j'aurais préféré ne pas t'avoir connue. J'aurais aimé ne jamais t'avoir aimée. J'aurais voulu que tu n'existes pas ; et j'aurais préféré ne pas exister. Je t'aime, et j'ai honte de t'aimer, et je t'aimerai toujours et je ne dirai à personne que je t'ai aimée, tellement j'ai honte de dire que tu m'as trompé, je dirai que c'est moi qui t'ai quittée. Je dirai aux gens que c'est fini, que je suis parti, pour qu'on ne me pose pas de questions, je préfère endosser le mauvais rôle plutôt que me couvrir de honte, et qu'on ne me parle plus de toi, que je n'entende plus prononcer ton nom, ce nom adoré que je n'ai cessé de chérir, de murmurer le soir pour moi tout seul, et de clamer fort dans la rue le matin lorsque je te quittais, ce nom qui était dans mon esprit et sur mes lèvres à chaque instant que Dieu fait.

» Qu'as-tu fait, Esther, qu'as-tu fait de mon cœur ? poursuivit Charles. Mon cœur qui t'était tout entier dévoué, mon cœur qui ne battait que pour toi, qui ne vivait que par toi, qui sursautait à chaque battement de cils ? Qu'as-tu fait de nous ? Qu'as-tu fait de notre amour ?

Et Charles pleurait et les larmes n'arrêtaient pas de couler de ses yeux sombres comme une nuit sans fin, ses yeux égarés par la douleur.

Esther voulut le prendre dans ses bras, mais il s'effaça et la considéra un long moment. Il la regardait toujours, le visage baigné de larmes, alors qu'il la quittait.

En regardant Charles rejoindre la nuit, s'éloigner d'elle à jamais, Esther comprit pourquoi elle l'avait aimé, et pourquoi elle l'avait choisi, lui entre tous.

À travers lui, c'était un monde qui partait.

C'était son monde.

Épilogue

Le mariage d'Esther Vital et de Charles Tolédano avait été annulé, tout le monde était parti. Il ne restait que deux hommes, assis côte à côte. Deux hommes aux barbes et aux regards vénérables, l'un, le fils, vêtu d'un costume clair, l'autre, le père, d'une djellaba de soie sombre. L'un, aveugle, avait posé son bras sur l'autre, mais on ne savait pas en fait qui soutenait l'autre. Moïse et Saadia Vital discutaient ensemble autour d'un verre de thé à la menthe.

– Ah, le thé de ta mère, soupira Saadia. Rien ne le remplacera !

– La chiba, Papa, dit Moïse, ça fait toute la différence. Et aussi, la menthe flayo.

– Où sont donc ces jours heureux, dit Saadia. Où sont-ils…

Ils étaient les gardiens de la Tradition, à laquelle ils demeuraient profondément attachés, dont ils étaient fiers. Et le soir, à la lumière des bougies, leurs ancêtres trempaient leurs plumes dans les godets d'encre de Chine, et chaussaient leurs vieilles lunettes pour recopier la Torah, concentrés pour ne pas faire de faute, purifiés par le bain rituel dans lequel ils s'étaient immergés avant de commencer leur travail, car en écrivant, en consignant les faits et les actes des ancêtres, en recopiant les saints versets de la Torah, ils faisaient œuvre sacrée.

— Alors fils, demanda Saadia, à présent dis-moi ce que tu voulais me dire et que tu n'as pas osé me dire l'autre soir... Cela concernait Esther, je crois.

Moïse hésita, par respect pour le vieil homme. Mais celui-ci semblait bien disposé à l'écouter, cette fois. Alors Moïse, en tremblant, se lança :

— Esther n'est pas véritablement ma fille, dit-il. Quand j'ai épousé Suzanne, elle était enceinte...

— Mon fils, je suis aveugle, mais je vois beaucoup de choses. Ce que tu me dis, je l'ai toujours su. Et alors ?

— Et je voulais lui transmettre l'amulette... Enfin, à son mari, l'amulette de notre famille... Je voulais savoir si je pouvais le faire ou non.

— Notre tradition, fils, ne repose pas sur les liens naturels, contrairement à ce que l'on croit, certainement pas ceux des pères, et pas même ceux des mères !

— Sur quoi repose-t-elle alors ? demanda Moïse.

Le vieil homme se tut, pendant un instant, il sembla réfléchir.

— As-tu jamais obtenu de l'or avec tes opérations alchimiques ?

— Non, Papa. Je n'ai jamais réussi.

— La fabrication de l'or est chose facile pourtant. Mais l'or n'a jamais apporté le bonheur aux hommes. Je cherche plutôt l'or de la pensée cachée au fond de nos livres anciens. Voilà l'or véritable : celui qui procure l'éternité.

Saadia marqua une pause, avant de reprendre :

— Il est temps que je parle, fils, je le sais. Pas parce que je vais mourir, mais parce que aujourd'hui, le péril est grand pour le monde sépharade.

» Le secret de l'amulette, fils, c'est celui-ci : tout ce qui est sur terre a sa correspondance en haut, et il n'existe pas la moindre chose qui n'ait une signification spirituelle. Le spirituel et le charnel ont entre eux de secrètes complicités, et contractent une alliance comme le montrent tous les faits de la vie quotidienne. "Deux yeux, deux oreilles, deux narines, une bouche, un visage. Sept lumières pour éclairer le monde. Sept mondes pour recevoir la lumière", dit le Zohar. Aucune parole n'est suffisante pour dire l'expérience mystique. Mais on peut comprendre la façon dont s'organise le monde. Le monde est organisé selon deux principes, l'élément masculin et l'élément féminin. Nos cabbalistes disent qu'en épousant la femme qui est la partie féminine de son être, l'homme reconstitue son unité originaire, et devient l'image de Dieu sur terre. Les couples, les vrais couples, ne sont pas le fruit du hasard, mais d'une rencontre entre les deux moitiés d'une même âme. On ne choisit pas une femme, on choisit sa femme, celle qui est la moitié de son âme, depuis le commencement des temps. Il peut arriver que la femme ou l'homme ne soit pas celle ou celui qui était destiné à l'autre. C'est un mariage qui ne sera pas heureux, ou qui ne pourra pas se faire. C'est ce qui s'est passé, fils, pour Esther et Charles.

» Les vrais couples forment une unité indissociable et divine. Nous le savons, toi et moi, qui avons eu la chance de rencontrer notre part féminine. Depuis que Fortunée m'a quitté, il m'importe peu de vivre.

» À toi, Moïse, avant de mourir, je transmets ce secret confié par nos ancêtres, qui savaient que le temps allait venir où tous les juifs, conversos ou marranes, seraient expulsés ou exterminés. C'est la raison pour laquelle il leur fallait une patrie imaginaire, intellectuelle et sentimentale à la fois, un rêve jusqu'à sa réalisation, afin de survivre en tant que peuple à l'expulsion et à la mort. Ils savaient qu'ils seraient chassés d'Espagne, et qu'ils n'auraient pas le droit d'emporter quoi que ce fût avec eux. Alors, ils ont emporté leurs amulettes comme patrie et leur idéal mystique comme mode de vie.

Saadia se leva, et, invoquant des puissances invisibles que seul, dans sa cécité, il pouvait voir, il leva les bras au ciel.

– Aujourd'hui, nous sommes en danger... Tous ici, nous sommes en danger de nous perdre. Ce temps est celui de la fin de notre monde millénaire, la fin de notre culture. Chacun en est responsable. Et nous, en particulier. Nous sommes les derniers, Moïse, nous sommes les derniers sépharades !

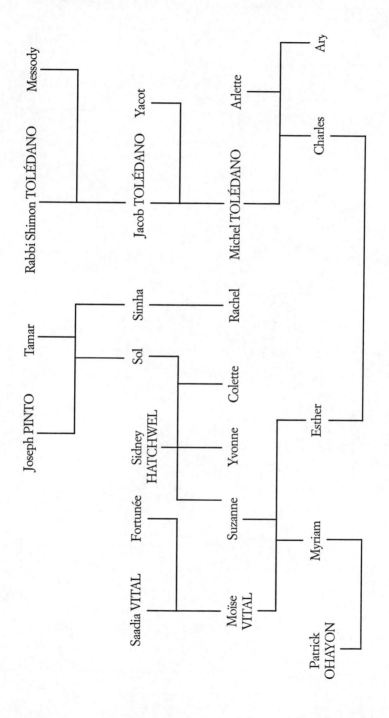

DU MÊME AUTEUR

LA RÉPUDIÉE, 2000.

QUMRAN, 2001.

LE TRÉSOR DU TEMPLE, 2001.

MON PÈRE, 2002.

CLANDESTIN, 2003.

LA DERNIÈRE TRIBU, 2004.

UN HEUREUX ÉVÉNEMENT, 2006.

LE CORSET INVISIBLE, 2007.

MÈRE ET FILLE, UN ROMAN, 2008.

L'OR ET LA CENDRE, Ramsay, 1997.

PETITE MÉTAPHYSIQUE DU MEURTRE, PUF, 1998.

LE LIVRE DES PASSEURS avec A. Abécassis, Robert Laffont, 2007.

Composition IGS-CP
Impression CPI Bussière, septembre 2009
à Saint-Amand-Montrond (Cher)
Editions Albin Michel
22, rue Huyghens, 75014 Paris
www.albin-michel.fr

ISBN 978-2-226-19223-3
N° d'édition : 15758/02. – N° d'impression : 092517/4.
Dépôt légal : août 2009.
Imprimé en France.